DEHONGLI'R BREGETH

MYFYRDODAU
AR Y BREGETH AR Y MYNYDD
ALLAN O EFENGYL MATHEW

GAN
ELFED AP NEFYDD ROBERTS

CYHOEDDIADAU'R
GAIR

ⓗ Cyhoeddiadau'r Gair 2010

Testun gwreiddiol: Elfed ap Nefydd Roberts

Dymuna'r cyhoeddwyr gydnabod cymorth
Adran Olygyddol a Grantiau Cyngor Llyfrau Cymru.

Golygydd Cyffredinol: Aled Davies

ISBN 978 1 85994 657 2
Argraffwyd yng Nghymru.

**Cyhoeddwyd gan
Cyhoeddiadau'r Gair, Cyngor Ysgolion Sul Cymru,
Ael y Bryn, Chwilog, Pwllheli, Gwynedd LL53 6SH.
www.ysgolsul.com**

CYNNWYS

RHAGAIR

Pwrpas y gyfrol fach hon, fel ei rhagflaenydd, *Dehongli'r Damhegion* (2008), yw bod yn adnodd i arweinwyr ac aelodau sy'n ymdrechu i gynnal seiadau, grwpiau trafod, dosbarthiadau beiblaidd a dosbarthiadau Ysgol Sul, rhai yn eu heglwysi, rhai mewn cartrefi, rhai yn gydenwadol, rhai heb gyswllt ag unrhyw eglwys nac enwad. Un arwydd gobeithiol yn y dyddiau hyn, pan mae bywyd ein heglwysi'n edwino a chrebachu mewn llawer man, yw gweld grwpiau bychain, anffurfiol, yn brigo yma a thraw ac yn dangos awydd i fynd i'r afael â phynciau crefyddol a chwestiynau cyfoes.

Nid oes unrhyw ran o'r Ysgrythur yn fwy perthnasol i gyflwr moesol ac ysbrydol ein cymdeithas gyfoes na'r Bregeth ar y Mynydd. Y mae rheswm amlwg dros ystyried o'r newydd ddysgeidiaeth yr Arglwydd Iesu, ac yn arbennig felly y foeseg Gristnogol. Un o'r prif resymau dros y dirywiad moesol sydd wedi digwydd o fewn ein cymdeithas yn ystod yr hanner can mlynedd diwethaf yw'r cefnu a fu ar y Deg Gorchymyn ac ar egwyddorion y Bregeth ar y Mynydd. Yn ei gyfrol *Faith in the Future*, dywed y Prif Rabbi, Jonathan Sacks: 'Nid mater o fympwy personol yw safonau moesol. Ni cheir cymdeithas iach heb reolau yn ymwneud â ffyddlondeb, ymddiriedaeth, gonestrwydd ac ymdeimlad o gyfrifoldeb tuag at ein gilydd. Fel y mae angen rheolau gramadeg i gynnal iaith, rhaid wrth reolau moesol i gynnal perthynas pobl â'i gilydd.' O dan y pennawd crand *ôl-foderniaeth,* aethom i gredu nad oes mwyach unrhyw safonau moesol cyffredin, cydnabyddedig, ond bod gan bawb yr hawl i fyw yn ôl ei safonau, neu ei ddiffyg safonau, ei hun. Mae'r agwedd meddwl hon wedi cael effaith ddifaol ar deuluoedd, ysgolion, cymunedau a chymdeithas yn gyffredinol.

Peth rhwydd iawn fyddai i Gristnogion ddewis troi eu cefnau ar y byd a mynd yn fath o feudwyaid hunangyfiawn, yn honni nad oes a wnelom ni ddim byd â chymdeithas a'i phroblemau. Ond y mae'r Bregeth ar y Mynydd yn galw arnom i fod yn 'halen' ac yn 'oleuni' yn y byd. Rhaid i'r Cristion fyw bywyd y deyrnas yn y byd hwn, yn ei waith, ei fasnach, ei fywyd teuluol a'i holl weithgareddau a'i ddiddordebau cymdeithasol. Ei fraint a'i gyfrifoldeb yw byw egwyddorion y Bregeth ar y Mynydd mewn byd sydd, i raddau helaeth, yn elyniaethus i'r egwyddorion hynny.

Rwy'n ddyledus i Aled Davies o Gyhoeddiadau'r Gair am ei anogaeth i mi i fynd ati i lunio'r gyfrol hon ac am ei gefnogaeth a'i amynedd wrth ddisgwyl i'r gwaith ddod i'w ddwylo. Wrth gyflwyno'r gyfrol i ddwylo darllenwyr yn ogystal, gobeithio y bydd o gymorth i unigolion a grwpiau fynd i'r afael â 'gramadeg' moeseg y deyrnas a'u cynorthwyo hefyd i dyfu i well adnabyddiaeth o Arglwydd y deyrnas.

Elfed ap Nefydd Roberts

Y BREGETH AR Y MYNYDD: EI CHEFNDIR A'I CHYNNWYS

Ceir y Bregeth ar y Mynydd yn Efengyl Mathew ar ddechrau gweinidogaeth gyhoeddus Iesu. Yn ei fedydd y mae Iesu'n derbyn cadarnhad o'i alwad ac yn sylweddoli fod yr amser wedi dod iddo gychwyn ar ei waith. Yn hanes y temtiad yn yr anialwch gwelwn ef yn fwriadol yn dewis dulliau a fyddai'n gydnaws â'i neges a'i amcanion ac yn ymwrthod â'r rhai y gwyddai y byddent yn groes i ewyllys Duw. Yna mae'n mynd ati i ddewis ei gynorthwywyr, ei ddeuddeg disgybl. Ond os yw cynorthwywyr i gyflawni eu gwaith yn effeithiol rhaid iddynt wrth hyfforddiant a pharatoad. Yn ôl Mathew, dyna yw amcan y Bregeth ar y Mynydd, sef trwytho'r disgyblion yn neges ac yn egwyddorion teyrnas Dduw. Gwneir hyn yn fwy amlwg yn Efengyl Luc gan fod fersiwn Luc o'r Bregeth yn dilyn yn union ar ôl dewis y deuddeg disgybl. O ganlyniad y mae rhai esbonwyr wedi disgrifio'r Bregeth ar y Mynydd fel 'Pregeth Ordeinio i'r Deuddeg'. Fel y traddodir Siars, neu Gyngor, mewn gwasanaeth ordeinio gweinidog newydd heddiw, y mae Iesu'n traddodi ei Siars i'w ddilynwyr newydd cyn iddynt wynebu ar eu gwaith a'u cenhadaeth yn y byd. Y mae esbonwyr eraill wedi disgrifio'r Bregeth ar y Mynydd fel 'Siarter Dysgeidiaeth Crist', 'Magna Carta'r Deyrnas', neu 'Maniffesto'r Brenin'. Y mae pawb yn gytûn mai crynhoad yw'r Bregeth ar y Mynydd o hanfod dysgeidiaeth Iesu am natur a gofynion teyrnas Dduw.

Ffurf y Bregeth ar y Mynydd

Prin y gellir derbyn mai un bregeth wedi'i thraddodi ar un achlysur a geir ym mhenodau 5–7, ond yn hytrach gasgliad Mathew o brif elfennau dysgeidiaeth Iesu a draddodwyd ar wahanol adegau yn ystod ei weinidogaeth. Hwn yw'r cyntaf o bum casgliad cyffelyb a geir ganddo mewn gwahanol rannau o'i Efengyl. Mae'r rhesymau pam na ellir derbyn mai un bregeth yw hon, wedi'i llefaru ar un achlysur, yn amlwg. Yn y lle cyntaf, y mae'n llawer rhy faith a rhy amrywiol ei chynnwys i'r disgyblion fod wedi ei deall ar un gwrandawiad. Un peth yw darllen y bregeth yn hamddenol a myfyrio ar ei chynnwys, peth arall fyddai gwrando arni'n cael ei thraddodi yn ei chyfanwaith ar lafar.

Yn yr ail le, y mae Mathew a Luc yn rhoi inni fersiynau o'r Bregeth ar y Mynydd. Ceir 107 o adnodau yn fersiwn Mathew, ond 29 yn unig o'r rheini a geir yn fersiwn Luc (Luc 6:20–49). Er hynny ceir 34 o adnodau eraill wedi'u gwasgaru yma a thraw yn Efengyl Luc, yn awgrymu iddynt gael eu traddodi ar wahanol adegau. Yn drydydd, y mae hynny'n awgrymu'n gryf fod Mathew wedi casglu defnyddiau o wahanol ffynonellau a'u gosod at ei gilydd yn gelfydd, gan eu cyflwyno fel undod llenyddol. Nid eu plethu i'w gilydd blith draphlith, yn anhrefnus a digynllun, a wnaeth, ond dilyn patrwm oedd eisoes wedi datblygu o fewn yr eglwys fore. Barn nifer o esbonwyr yw fod y gymuned Gristnogol gynnar wedi patrymu cynnwys y Bregeth ar y Mynydd yn gyfres o wersi i'w trosglwyddo ar lafar i ddibenion dysgu, pregethu ac addoli a bod Mathew wedi mabwysiadu patrwm oedd eisoes wedi'i sefydlu.

Yn bedwerydd, ceir esbonwyr eraill yn dadlau fod Mathew wedi trefnu hanes a dysgeidiaeth Iesu ar ffurf pum llyfr, i gyfateb i Bumllyfr Moses yn yr Hen Destament, gyda'r bwriad o gyflwyno Iesu fel Moses newydd yn cyflwyno deddf newydd i'w ddisgyblion o ben mynydd fel y gwnaeth Moses ar Sinai, a'r Bregeth ar y Mynydd fel deddf newydd, i gymryd lle hen ddeddf Moses. Wedi'r Prolog sy'n cynnwys stori'r geni, y ddamcaniaeth yw fod y gweddill o'i efengyl yn ymrannu i bum 'llyfr' yn cynnwys pump o adrannau o ddysgeidiaeth, sef y Bregeth ar y Mynydd (penodau 5–7), Comisiynu'r Deuddeg (pennod 10), Cyfres o Ddamhegion (pennod 13), Disgyblaeth Eglwysig (pennod 18) ac Adran Apocalyptaidd (penodau 23–5), ac yna Epilog yn cynnwys hanes dioddefaint, marwolaeth ac atgyfodiad Iesu. Yn sicr y mae patrwm Mathew o osod adrannau o ddysgeidiaeth bob yn ail â deunydd naratif yn rhan o'i drefn a'i fwriad wrth gyflwyno'i efengyl. Mae hynny'n cadarnhau'r ddamcaniaeth mai casgliad o ddywediadau a rhannau o ddysgeidiaeth wedi eu plethu i'w gilydd i ffurfio cyfres o wersi yn hytrach nag un bregeth yw cynnwys penodau 5–7. Wedi'r cyfan, nid yw Mathew ei hun yn defnyddio'r gair 'pregeth' i ddisgrifio'r adran hon. Awstin Fawr oedd y cyntaf i ddefnyddio'r ymadrodd 'Pregeth ein Harglwydd ar y Mynydd'. Gwell disgrifiad fyddai 'Y Ddysgeidiaeth ar y Mynydd'.

Gellir yn hawdd ddeall apêl Mathew i'r eglwys fore. Nid yn unig yr oedd y Bregeth ar y Mynydd yn ddogfen werthfawr ar gyfer hyfforddi dychweledigion, yr oedd hefyd yn werslyfr cymwys i ddysgu'r ffyddloniaid mewn ymarweddiad Cristnogol ar faterion fel elusen, gweddi, ympryd, priodas ac ysgariad, disgyblu ac addoliad yn gyffredinol. Barn rhai esbonwyr yw i'r Bregeth ar y Mynydd gael ei chyfansoddi ar batrwm cyfres o lithoedd a luniwyd i'w darllen yn y gwasanaethau eglwysig cynnar ac mai addoliad yr eglwys a roes fod iddi yn ei ffurf bresennol. Efallai fod olion o hynny i'w canfod yn y ffurf lawnach, fwy litwrgaidd, ar Weddi'r Arglwydd (6: 9-13), o'i chymharu â ffurf foelach Luc (11:2–4).

Yn hytrach na dweud mai addoliad yr eglwys a roes fod i fersiwn Mathew o'r Bregeth ar y Mynydd, gwell gan eraill hawlio i addoliad yr eglwys adael ei ôl ar Fathew. Yn sicr byddai'r gymuned Gristnogol yr oedd Mathew yn rhan ohoni wedi dylanwadu'n drwm ar gynnwys a ffurf yr efengyl. Ac fe wnaeth yntau gyfraniad gwerthfawr i fywyd yr eglwys trwy ddarparu llawlyfr hyfforddiant ac addoliad ar ei chyfer.

Dehongli'r Bregeth ar y Mynydd

Sut bynnag yr aeth Mathew ati i lunio'r Bregeth a beth bynnag oedd ei amcan, y cwestiwn pwysig i ni heddiw yw sut mae ei dehongli. Y mae llawer wedi hawlio mai yn y Bregeth ar y Mynydd, yn fwy nag unrhyw adran arall o'r efengylau, y ceir craidd a chrynswth dysgeidiaeth Iesu. Dywedodd Mahatma Gandhi un tro, 'Y mae neges Iesu, o'i hystyried fel cyfanwaith, i'w chael heb ei glastwreiddio yn y Bregeth ar y Mynydd.' A chanrifoedd ynghynt datganodd y bardd-bregethwr John Donne mewn pregeth yn 1629, 'Ceir holl erthyglau ein crefydd, holl ganonau'r eglwys, holl ddatganiadau ein tywysogion, holl homilïau'r tadau, holl gorff ein diwinyddiaeth, wedi eu crynhoi o fewn tair pennod yn y Bregeth ar y Mynydd.' Yn wir, go brin fod unrhyw ran arall o'r Beibl wedi bod mor ddylanwadol ag a fu'r 107 o adnodau a elwir yn 'Bregeth ar y Mynydd'. Ond ar yr un pryd, go brin fod yr un rhan arall o'r Beibl wedi ei chamddehongli a'i hesgeuluso yn fwy na hon. Teitl cyfrol A. M. Hunter ar y Bregeth ar y Mynydd yw *Design for Life*, yn awgrymu mai amcan Iesu oedd cynnig patrwm ar gyfer ei ddilynwyr. Ar yr un pryd y mae

Hunter yn trafod yr amrywiol ddehongliadau a gafwyd o'r Bregeth gan wahanol awduron dros y blynyddoedd.

Yn gyntaf, *deddf newydd* Iesu Grist yw'r Bregeth i rai, yn cyfateb i ddeddf Moses yn yr Hen Destament – deddf y deyrnas mewn gwrthgyferbyniad â'r ddeddf a roddwyd i Moses ar Fynydd Sinai. Rhaid felly ei chymryd yn gwbl o ddifrif fel dogfen awdurdodol, i'w dehongli'n gwbl lythrennol a'i rhoi mewn gweithrediad. O wneud hynny deuai gwawr y deyrnas ar y ddaear yn fuan. Ond a ellir ufuddhau'n llythrennol i holl orchmynion y Bregeth ar y Mynydd? Er enghraifft, beth a wnawn o'r gorchymyn, '*Os yw dy lygad dde yn achos cwymp iti, tyn ef allan a'i daflu oddi wrthyt*' (5:29)? Ond dywed A. M. Hunter nad deddf yw'r Bregeth mewn gwirionedd, ond efengyl. Mae deddf yn gwneud i ddyn ddibynnu ar ei nerth ei hun, ac yn ei herio i wneud ei orau i ufuddhau. Y mae efengyl, ar y llaw arall, nid yn unig yn rhoi inni safon i ymgyrraedd ati, ond yn rhoi inni hefyd ras a chymorth Duw i gyrraedd y safon honno.

Yn ail, *moeseg dros-dro* yw'r Bregeth ar y Mynydd. Cysylltir y dehongliad hwn ag Albert Schweitzer a ddadleuodd na fwriadwyd y Bregeth ar y Mynydd ar gyfer pobl yn gyffredinol ym mhob man ym mhob oes, ond ar gyfer y disgyblion, a hynny dros gyfnod byr cyn dyfodiad y deyrnas yn ei llawnder. Roedd Iesu a'i ddisgyblion yn credu eu bod yn byw yn 'y dyddiau diwethaf', ac y deuai'r diwedd unrhyw ddiwrnod pryd y byddai Duw yn dirwyn hanes y byd i ben yn ailddyfodiad Iesu Grist. Yn y cyfamser yr oedd disgwyl i ddeiliaid y deyrnas fyw yn ôl safon a gofynion y Bregeth ar y Mynydd. Ond anodd yw derbyn mai bwriad Iesu oedd cyfyngu apêl a pherthnasedd y Bregeth i gyfnod *interim* yn unig. Nid cynnig dysgeidiaeth dros-dro yn unig a wna.

Yn drydydd, y mae rhai yn dadlau mai *galwad i edifeirwch* yw'r Bregeth ar y Mynydd yn ei hanfod. Holl fwriad ei dysgeidiaeth yw dwyn pobl i sylweddoli eu methiant a'u hanallu i gyrraedd at y safon a osodir ganddi. Pan wynebwn ofynion y Bregeth fe welwn ar unwaith nad oes gobaith inni eu cyflawni, a chawn ein llethu gan ymdeimlad o gywilydd ac edifeirwch o wybod na fedrwn gyrraedd y fath berffeithrwydd. O ganlyniad fe daflwn ein hunain mewn edifeirwch ar drugaredd a thosturi Duw. Mae Alec Vidler yn cyfeirio at y Bregeth fel 'galwad frawychus i edifeirwch ... yn dwyn adref i bawb ohonom ein halltudiaeth oddi wrth y Gwaredwr, a'n dibyniaeth lwyr arno ef'. Mae'n wir mai dyna yw *effaith* y Bregeth arnom, ond prin y gellir haeru mai unig amcan Iesu oedd ein llethu, ein digalonni a'n cywilyddio.

Yn bedwerydd, barn y mwyafrif erbyn hyn yw mai *efengyl* a geir yn y Bregeth ar y Mynydd, sef patrwm o fuchedd y gwir Gristion a roddwyd gan Iesu i'w ddilynwyr. Ond cyn i'r dilynwyr hynny fedru efelychu'r patrwm yr oedd rhaid iddynt ddod i adnabyddiaeth bersonol o'u Harglwydd a phwyso ar ei ras a'i nerth ef. Ar eu penna'u hunain y mae gofynion y Bregeth yn ormod o faich i'w osod ar ysgwyddau un person meidrol. Pa obaith sydd i unrhyw un ufuddhau i'r gorchymyn, '*Felly byddwch chwi'n berffaith fel y mae eich Tad yn y nef yn berffaith*' (5:48)? Ond y tu ôl i'r safon aruchel hon fe saif yr Arglwydd Iesu ei hun, sydd wedi datguddio i ni berffeithrwydd y Tad. Trwy rannu yn ei fywyd ef fe fedrwn ninnau gymryd perffeithrwydd Duw yn batrwm ac amcanu i'w efelychu. Amlinelliad a geir yn y Bregeth o ymateb deiliaid y deyrnas i'r gras dwyfol sydd eisoes yn eiddo iddynt trwy Iesu Grist. I'r rhai sydd wedi derbyn Iesu i'w calonnau a phlygu i'w deyrnasiad ef ar eu bywydau, y mae pob peth yn bosibl.

Y Gwrth-Ddiwylliant Cristnogol

Diffiniad John Stott o'r Bregeth ar y Mynydd yn ei gyfrol, *The Message of the Sermon of the Mount* (1988) yw 'y gwrth-ddiwylliant Cristnogol' (*the Christian counter-culture*). Bwriad y Bregeth yw galw Cristnogion i ffordd wahanol o fyw. Un o themâu canolog y Beibl yw bwriad Duw i greu pobl iddo'i hun, wedi eu neilltuo oddi wrth y byd a'u galw i fywyd 'sanctaidd' a 'gwahanol'. Wedi eu rhyddhau o gaethiwed yn yr Aifft a chyn iddynt ymsefydlu yng Ngwlad yr Addewid dywedodd Duw wrth ei bobl, '*Nid ydych i wneud fel y gwneir yng ngwlad yr Aifft, lle buoch yn byw, nac fel y gwneir yng ngwlad Canaan, lle'r wyf yn mynd â chwi. Peidiwch â dilyn eu harferion. Yr ydych i ufuddhau i'm cyfreithiau ac i gadw fy neddfau; myfi yw'r Arglwydd eich Duw*' (Lef. 18:2–4). Gyda'r cyhoeddiad fod teyrnas Dduw wedi agosáu galwodd Iesu ar bobl i edifarhau: '*Edifarhewch, oherwydd y mae teyrnas nefoedd wedi dod yn agos*' (Math. 4:17). Yr alwad oedd i bobl droi oddi wrth eu hen ffordd o fyw, a cheisio'r cyfiawnder a berthynai i fywyd newydd y deyrnas.

Mae'r Bregeth ar y Mynydd yn disgrifio sut fath o fywyd a ddylai nodweddu deiliaid teyrnas Dduw. Adnod allweddol y Bregeth yw, '*Peidiwch felly â bod yn debyg iddynt hwy*' (6:8). A thrwy gydol y Bregeth cyferbynnir ymddygiad paganiaid a chenedl-ddynion, a hyd yn oed y Phariseaid, â'r ymddygiad a ddisgwylir gan ddilynwyr Iesu. Mae disgwyl i bobl y deyrnas fod yn *wahanol* – yn wahanol i'r byd seciwlar oddi allan, yn wahanol i ddiwylliant materol yr oes, yn wahanol i ffug-grefyddwyr o bob math. Meddai Pedr, gan ddyfynnu o Lef. 11:44: '*Byddwch sanctaidd, oherwydd yr wyf fi yn sanctaidd*' (1 Pedr 1:16). Amcan y Bregeth ar y Mynydd yw dangos beth yw cynnwys y sancteiddrwydd hwnnw, fel y dengys y rhaniadau canlynol:

(a) *Cymeriad y Cristion* (5:3–12)
Yn y Gwynfydau nodir wyth o brif nodweddion cymeriad ac ymddygiad y Cristion, tuag at Dduw a thuag at gyd-ddyn.

(b) *Dylanwad y Cristion* (5:13–16)
Defnyddir dwy gyffelybiaeth i ddangos sut y dylai Cristnogion ddylanwadu ar eraill ac ar y gymdeithas o'u hamgylch, sef halen a goleuni.

(c) *Cyfiawnder y Cristion* (5:17–48)
Dywed Iesu nad ei fwriad yw diddymu'r Gyfraith ond ei chyflawni, ac mai wrth ufuddhau i wir ysbryd y Gyfraith, mewn perthynas â lladd, godineb, ysgariad, dial a charu, y mae cyflawni ei gofynion.

(ch) *Defosiwn y Cristion* (6:1–18)
Y mae duwioldeb Cristnogion i fod yn ddiffuant, nid fel ymddygiad rhagrithiol y Phariseaid a ffug-dduwioldeb y paganiaid.

(d) *Uchelgais y Cristion* (6:19–34)
Y mae agwedd Cristnogion tuag at gyfoeth ac eiddo i fod yn wahanol i agwedd y byd. Ni ellir gwasanaethu Duw ac arian, ac ni ddylai Cristnogion bryderu am fwyd a dillad, ond ymddiried eu hunain yn llwyr i ofal Duw.

'gwnewch hyn ac fe ganfyddwch hapusrwydd', ond 'agorwch eich calon i Dduw a chydnabod eich angen, a bydd Duw yn rhoi i chi wir hapusrwydd'. Ceir yma adlais o addewid y Salmydd, *'yn dy bresenoldeb di y mae digonedd o lawenydd, ac yn dy ddeheulaw fwyniant bythol'* (Salm 16:11). Ar yr un pryd y mae ail ran pob un o'r Gwynfydau yn addo bendithion yn y dyfodol. Dywedir am y rhai sy'n galaru, y *'cânt hwy eu cysuro'* (adn. 4); am y rhai addfwyn, y *'cânt hwy etifeddu'r ddaear'* (adn. 5); am y rhai sy'n newynu a sychedu am gyfiawnder, y *'cânt hwy eu digon'* (adn. 6); am y rhai trugarog, y *'cânt hwy dderbyn trugaredd'* (adn. 7), ac yn y blaen. Y mae dedwyddwch y deyrnas ar gael *yn awr* i'r rhai sydd wedi derbyn Arglwydd y deyrnas, ond y mae'r dedwyddwch hwnnw eto i ddod yn ei lawnder. Gwireddir addewidion Iesu yn y Gwynfydau yn y presennol ac yn y dyfodol. Meddai John Stott, 'We enjoy the firstfruits now; the full harvest is yet to come.'

Cyfieithiad yw 'gwyn ei fyd', neu 'O mor ddedwydd ... ' o'r gair Groeg *makarios*. Ystyr *makarios* yw'r hapusrwydd sydd â'i gyfrinach ynddo'i hun: serenedd mewnol, parhaol, nad yw'n dibynnu ar amgylchiadau allanol nac ar hap a siawns. Y mae'n cynnwys ynddo'i hun holl gynhwysion gwir hapusrwydd. Mae hapusrwydd dynol ar y llaw arall yn ddibynnol ar amgylchiadau – arian, iechyd, gwaith, amgylchfyd, pleserau, teulu, ffrindiau, lwc dda. Un o wreiddiau'r gair *hapusrwydd*, fel y gair Saesneg *happiness*, yw *hap*, sef hap a siawns. Gall amgylchiadau fod o'n plaid, neu fe all anffawd, anlwc, siom a methiant chwalu'n cynlluniau a'n bwrw i'r felan. Gall colli gwaith, afiechyd, damwain, anghydfod teuluol neu argyfwng economaidd danseilio'n dedwyddwch a lladd ein hapusrwydd. Ond y mae dedwyddwch bywyd y deyrnas yn ddiysgog ac anorchfygol. Meddai Iesu yn Efengyl Ioan, *'ni chaiff neb ddwyn eich llawenydd oddi arnoch'* (Ioan 16:22). Hanfod y dedwyddwch hwn yw profi bendith hollgynhwysol teyrnasiad Duw yn y presennol, gan edrych ymlaen at ei gyflawniad yn y dyfodol: cysur, nerth, digonedd a thrugaredd yn awr, a'r weledigaeth o Dduw a meddiant o'n hetifeddiaeth nefol yn y byd a ddaw. Trown yn awr i edrych ar y gwynfydau eu hunain. Disgrifir hwy gan Chrysostom, un o dadau'r eglwys gynnar, fel 'cadwyn aur o addewidion dwyfol'.

Tlodion yn yr Ysbryd

Mae'n ymddangos yn od fod Iesu'n dechrau sôn am ddedwyddwch bywyd y deyrnas drwy ddatgan, *'Gwyn eu byd y rhai sy'n dlodion yn yr ysbryd'* (adn. 3), yn enwedig o ddeall fod y gair Groeg *ptMchos*, a gyfieithir 'tlodi', yn golygu tlodi o'r radd waethaf – tlodi truenus, enbyd, affwysol; tlodi'r person sy'n llythrennol heb ddim, yn ddiymgeledd, heb yr un geiniog i'w enw. Ond yn Aramaeg, nid Groeg, y llefarodd Iesu'r gwynfydau'n wreiddiol, ac yr oedd gan yr Iddewon air am dlodi oedd yn golygu bod heb ddim o bethau'r byd hwn – heb eiddo na chyfoeth nac adnoddau materol o unrhyw fath, fel bod dyn yn rhoi ei ymddiriedaeth yn llwyr yn Nuw, ac yn Nuw yn unig. Yn yr ystyr yma y defnyddir y gair *tlawd* a *thlodion* yn y Salmau.

Er enghraifft, ceir yn Salm 9:18: *'Nid anghofir y tlawd am byth, ac ni ddryllir gobaith yr anghenus yn barhaus.'* Ac yn Salm 35:10: *'Pwy, Arglwydd, sydd fel tydi, yn gwaredu'r tlawd rhag un cryfach nag ef, y tlawd a'r anghenus rhag un sy'n ei ysbeilio?'* *'Bydded iddo amddiffyn achos tlodion y bobl, a gwaredu'r rhai anghenus'* (Salm 72: 4). A meddai Duw yn Salm 132:15: *'Bendithiaf hi* [sef Seion] *â digonedd o ymborth, a digonaf ei thlodion â bara.'* Ymhob un o'r cyfeiriadau hyn y *tlawd* yw'r gostyngedig rai sydd heb ddim o bethau'r byd hwn ond sy'n rhoi eu hymddiriedaeth yn llwyr yn Nuw gan gredu mai ef yn unig yw eu gobaith. Y mae'r *tlawd* a'r *duwiol* yn gyfystyr ac yn disgrifio'r rhai sydd, yn eu hangen, yn ymddiried eu hunain yn gyfan gwbl i drugaredd Duw. Yn ystod y ddwy ganrif cyn Crist defnyddiwyd y gair *tlodion* i ddisgrifio'r gweddill ffyddlon a lynodd wrth eu crefydd yn wyneb erledigaeth a bygythiadau o'r tu allan. Tuedd y cyfoethogion oedd cyfaddawdu ac ildio i ddylanwadau paganaidd tra byddai'r tlodion, oedd heb ddim i'w golli, yn deyrngar i'w crefydd ac i'w Duw. Daeth *cyfoethog* yn gyfystyr â bydol a digrefydd, a *thlawd* yn gyfystyr â ffyddlondeb a gwir dduwioldeb.

Gwelir felly mai term crefyddol yw'r gair *tlodion* ar enau Iesu, ac y mae Mathew yn ei ddefnyddio'n gywir wrth ychwanegu *'tlodion yn yr ysbryd.'* Yr oedd perygl i'r darllenwyr, nad oeddynt yn gyfarwydd â chysylltiadau'r gair, gamgymryd ei ystyr a thybio fod y tlodion yn wynfydedig am y rheswm syml eu bod yn faterol dlawd. *'Gwyn eich byd chwi'r tlodion'* yn unig a geir gan Luc (Luc 6:20). Ond y mae Mathew am ddangos mai cyflwr ysbrydol yw'r tlodi hwn, agwedd meddwl ostyngedig sy'n ymwrthod â phob balchder bydol, pob dibyniaeth ar bethau materol, ac yn fwy na dim yn ymwadu â'r hunan. Y mae dwy athroniaeth yn cystadlu am deyrngarwch dyn. Mae'r naill yn gwneud llwyddiant materol, uchelgais bydol a hunan-les yn brif nod bywyd. Ei phrif ffocws yw'r hunan. Mae'r llall yn gosod hunanymwadiad, gostyngeiddrwydd a gwasanaeth i gyd-ddyn ac i Dduw yn brif nod. Egwyddor sylfaenol y naill yw 'Trechaf treisied, gwannaf gwaedded', ac yn ôl Richard Dawkins yn ei lyfr *The Selfish Gene*, hon yw'r egwyddor sy'n llywodraethu parhad a ffyniant yr hil ddynol. Ond y mae'n gwbl wahanol i ddysgeidiaeth Iesu. Ar hunanymwadiad y mae ei bwyslais cyson ef. Dywedodd wrth ei ddisgyblion, *'Os myn neb ddod ar fy ôl i, rhaid iddo ymwadu ag ef ei hun a chodi ei groes a'm canlyn i'* (Math. 16:24). Nid ymwadu â phethau, er y gall olygu hynny, ond ymwadu â balchder, hunanbwysigrwydd, myfïaeth ac ysbryd trahaus. Ac nid cyfoeth materol yn unig a all fod yn rhwystr, ond cyfoeth dawn, athrylith, a statws cymdeithasol. Y mae ymwadu â'r hunan filwaith anoddach nag ymwadu â phethau. Nid oherwydd dim a feddwn o gyfoeth o unrhyw fath yr etifeddwn deyrnas nefoedd, ond oherwydd ein dibyniaeth lwyr ar ras a thrugaredd Duw. Dyna'r cam cyntaf yn y bywyd Cristnogol. Credai Luther fod yr adnod hon yn ategu'n gywir athrawiaeth cyfiawnhad drwy ffydd. Nid yn rhinwedd unrhyw beth a feddwn nac unrhyw beth a wnawn yr etifeddwn fywyd tragwyddol, ond yn rhinwedd ein hymwybyddiaeth o'n gwendid a'n hangen a'n hymddiriedaeth lwyr yn ein Harglwydd a'n Gwaredwr.

Gwobr y rhai sy'n *'dlodion yn yr ysbryd'* yw fod teyrnas nefoedd yn eiddo iddynt. O fod yn rhydd o rwystrau materol, ac o ymwadu â'r hunan a phob balchder ac uchelgais bydol, y mae'r tlodion yn yr ysbryd yn rhannu cymdeithas â Duw, yn gosod eu bryd arno ef ac ef yn unig, ac yn derbyn o'r cyfoeth ysbrydol sydd ganddo ef ar eu cyfer. Ni cheir gwell esboniad o'r wobr hon nag yng nghwpled Williams Pantycelyn:

Myfi yn dlawd heb feddu dim,
ac yntau'n rhoddi popeth im.

Cwestiynau i'w Trafod

1. Beth yw'r pethau sy'n rhwystro pobl rhag canfod gwir hapusrwydd mewn bywyd?

2. Beth a olygir wrth 'dlodi ysbrydol' a beth yw ei brif nodweddion?

3. A yw'n wir dweud fod perthyn i gymdeithas oludog yn pylu'r ymwybyddiaeth ysbrydol ac yn peri i bobl droi cefn ar Dduw? Sut mae cyfathrebu'r efengyl i gymdeithas o'r fath?

DEDWYDDWCH Y GALARUS A'R RHAI ADDFWYN

"Gwyn eu byd y rhai sy'n galaru, oherwydd cânt hwy eu cysuro.
Gwyn eu byd y rhai addfwyn, oherwydd cânt hwy etifeddu'r ddaear."

(Mathew 5:4–5)

Y mae galar yn un o'r profiadau dynol mwyaf ysgytiol ac ingol. Pan fu farw Joy, gwraig C. S. Lewis, wedi bywyd priodasol o ychydig dros ddwy flynedd, lloriwyd Lewis gan ei alar a cheisiodd fynegi dryswch a gwewyr ei brofiad mewn cyfrol fechan o dan y teitl *A Grief Observed*. Meddai ym mrawddeg gyntaf y gyfrol, 'Ni ddywedodd neb wrthyf fod galar mor debyg i ofn.' Teimlai'n gwbl amddifad, yn bryderus, yn anniddig, yn ddryslyd ei feddyliau, ei deimladau'n corddi a'r ymdeimlad o wacter ac unigrwydd yn annioddefol. Er ei fod yn Gristion o argyhoeddiad ac wedi cyhoeddi nifer o lyfrau ar bynciau crefyddol, ni allai ganfod Duw ynghanol ei boen. Pan geisiai weddïo ni allai deimlo dim ond absenoldeb Duw. 'Go to him when your need is desperate, when all other help is vain, and what do you find? A door slammed in your face, and a sound of bolting and double bolting on the inside. After that, silence.' A dygymod ag absenoldeb Duw oedd y rhan waethaf o'i unigrwydd. Yn raddol, wrth i'r dyddiau a'r wythnosau fynd heibio, dychwelodd y profiad o bresenoldeb Duw a daeth tangnefedd mewnol yn ei sgil. Ond ar y dechrau profiad erchyll o amddifadrwydd, unigrwydd ac anobaith oedd ei alar. Dywed yr esbonwyr mai'r gair cryfaf posibl am alar a ddefnyddir gan Iesu yn yr adnod hon – y math o dorcalon a thristwch dwfn a gysylltir â phrofedigaeth fawr; y galar na ellir ei guddio, sy'n ei fynegi ei hun mewn wylofain a dagrau.

Ym mha ystyr y gellir dweud bod 'dedwyddwch' i'w ganfod yn y math yna o alaru, a beth yw'r cysur a addewir i'r galarus? I ddeall ystyr y gwynfyd hwn rhaid ei weld fel dilyniant i'r gwynfyd blaenorol, sef *'Gwyn eu byd y rhai sy'n dlodion yn yr ysbryd'* (adn. 3). Y rhai sy'n dlodion yn yr ysbryd yw'r rhai sydd heb gyfoeth materol o unrhyw fath a'r rhai sydd hefyd wedi cefnu ar bob balchder, myfïaeth, hunan-bwysigrwydd ac ysbryd trahaus, ac o ganlyniad yn gosod eu bryd yn gyfangwbl ar Dduw ac yn derbyn y cyfoeth ysbrydol sydd ganddo ef ar eu cyfer. Y mae bod yn ymwybodol o dlodi ysbrydol yn arwain wedyn at yr angen i edifarhau ac i alaru am ein cyflwr. Ni ellir cyrraedd at y dedwyddwch sydd gan Dduw ar ein cyfer na phrofi ei gysuron heb y math o edifeirwch dwfn, galarus sy'n ein gyrru ar ein gliniau o'i flaen.

Gwahanol Fathau o Alar

O fewn y gwynfyd hwn fe all galar olygu mwy nag un peth. Yn gyntaf, gall olygu *profedigaethau a gofidiau bywyd*. Cysylltwn y gair 'galar' yn fwyaf penodol â'r brofedigaeth o golli rhywun annwyl trwy farwolaeth, fel yn achos C. S. Lewis, ac y mae hwnnw'n brofiad ysgytiol o golled, unigrwydd a thristwch. Mae'n brofiad astrus a chymhleth, yn broses ac iddi wahanol gyfnodau a chamau y mae'n rhaid mynd drwyddynt, megis dicter, euogrwydd, yr angen i feio rhywun, unigrwydd llethol, anobaith, ac yn y blaen. Ond hefyd y mae galar yn cynnwys tristwch a gofid o bob math – siom, methiant, colli gwaith, colli iechyd, pryder am rywun annwyl. Fe all gofidiau bywyd ein bwrw i bwll o anobaith llwyr, neu ein gyrru i ymddiried ein hunain yn llwyr i Dduw a'i gariad. Y mae gwersi i'w dysgu a bendithion i'w darganfod ynghanol y tristwch a'r colledion mwyaf – gwerthfawrogiad o gariad, o brydferthwch y byd, o garedigrwydd ein cyd-ddynion ac o agosrwydd a gofal Duw. Yng ngeiriau Moelwyn:

> Fe all mai'r storom fawr ei grym
> a ddaw â'r pethau gorau im;
> fe all mai drygau'r byd a wna
> i'm henaid geisio'r pethau da.

Yn ail, gall galaru olygu *gofid am y genedl a'r drwg sydd yn y byd*. Yr oedd cyflwr y genedl yn destun galar i nifer o'r proffwydi. Ym mhroffwydoliaeth Eseciel disgrifir y ffyddloniaid fel rhai '*sy'n gofidio ac yn galaru am yr holl bethau ffiaidd a wneir ynddi*' (Esec. 9:4). Mynega'r Salmydd ei alar oherwydd fod y bobl yn cefnu ar gyfraith Duw: '*Y mae fy llygaid yn ffrydio dagrau am nad yw pobl yn cadw dy gyfraith*' (Salm

119:136). Ac fe wylodd Iesu wrth nesáu at ddinas Jerwsalem a meddwl am y gosb a'r dinistr oedd yn ei disgwyl: '*Pan ddaeth yn agos a gweld y ddinas, wylodd drosti*' (Luc 19:41). Yn yr un modd mae'r Cristion yn wylo dros gyflwr y byd – wrth weld plant bach yn marw o newyn yn Affrica ac India, wrth weld bywydau a chymunedau'n cael eu darnio gan ryfel a thrais, wrth glywed am bobl yn cael eu cam-drin a'u poenydio gan wladwriaethau gormesol. Nid yw'r bywyd Cristnogol yn wên ac yn hapusrwydd i gyd, fel y byddai rhai am inni gredu. Y mae galaru am y drwg sydd yn y byd yn elfen amlwg ym mywyd ac agwedd dilynwyr Iesu. Galar a chonsýrn am ddioddefiadau pobl sydd wedi rhoi bod erioed i bob mudiad ac ymgyrch o blaid yr anghenus, y tlawd a'r di-lais. Addawai'r proffwydi y deuai'r dydd y byddai Meseia Duw yn dod '*i ddiddanu pawb sy'n galaru, a gofalu am alarwyr Seion; i roi iddynt goron yn lle lludw, olew llawenydd yn lle galar, mantell moliant yn lle digalondid*' (Es. 61:2–3). Mabwysiadodd Iesu y faniffesto Feseianaidd hon ar gychwyn ei weinidogaeth yn synagog Nasareth (Luc 4:16–19). Braint a chyfrifoldeb ei ddilynwyr ym mhob oes yw parhau i weithio i hybu egwyddorion maniffesto'r deyrnas yn y byd. Ni all neb fod yn ddidaro a dideimlad yn wyneb poen a phechod y byd os yw am ddilyn Iesu Grist.

Yn drydydd, gall galaru olygu *edifeirwch dwfn am ein pechodau ein hunain*. Yn ôl Efengyl Marc gair cyntaf Iesu ar ddechrau ei weinidogaeth yng Ngalilea oedd, '*Edifarhewch a chredwch yr Efengyl*' (Marc 1:15). Ond all neb edifarhau mewn gwirionedd heb deimlo galar dwfn am ei bechodau. Yn draddodiadol ystyrid Salm 51 yn fynegiant o edifeirwch Dafydd yn dilyn ei berthynas â Bathseba. Yn sicr y mae'n cyfleu'r galar sy'n codi o gywilydd dwfn y sawl sy'n wynebu ei ddiffygion a'i bechodau ei hun: '*Aberthau Duw yw ysbryd drylliedig; calon ddrylliedig a churiedig ni ddirmygi, O Dduw*' (Salm 51:17). Man cychwyn pererindod y Cristion yw ymdeimlad o gywilydd a thristwch am ei bechodau. Effaith y groes yw agor ein llygaid i erchylltra ac effeithiau pechod ac ennyn edifeirwch yn ein calonnau.

Cysur y Galarus

Un o swyddogaethau'r Meseia, yn ôl proffwydi'r Hen Destament, yw '*cysuro'r toredig o galon ... [ac] i ddiddanu pawb sy'n galaru*' (Es. 61:1–

2). Dro ar ôl tro yn yr Ysgrythur pwysleisir mai proses greadigol yw edifeirwch. Dyrchefir y sawl sy'n ymostwng; adferir urddas y gostyngedig, croesewir y mab afradlon yn nameg Iesu, a rhoddir iddo wisg newydd, modrwy, ac esgidiau am ei draed; a chynhelir gwledd i ddathlu ei adferiad.

Meddai Llythyr Cyntaf Pedr: '*Ymddarostyngwch, gan hynny, dan law gadarn Duw, fel y bydd iddo ef eich dyrchafu pan ddaw'r amser*' (1 Pedr 5:6). Gwraidd y gair Saesneg 'humility' yw'r Lladin *humus*, sy'n golygu pridd (fel yn Saesneg). Mae gostyngeiddrwydd felly yn bridd ffrwythlon. Ohono y tyf ffrwythau ysbrydol: maddeuant pechodau, cymod â Duw, cysur ymhob gofid, urddas newydd, gras i fyw yn deilwng o'n Harglwydd a nerth i'w wasanaethu yn y byd. Daw'r bendithion hyn yn ffordd ac yn amser Duw: '*pan ddaw'r amser*', meddai Pedr. O droi at Iesu Grist cawn ein rhyddhau o bob euogrwydd, ein puro o bob aflendid, tywelltir olew ar ein briwiau a chawn brofi o dangnefedd a dedwyddwch ei anian ei hun. Dyna'r cysur a addewir i'r galarus.

Y Rhai Addfwyn

Tueddwn i feddwl am addfwynder fel rhywbeth gwan, llwfr, di-asgwrn-cefn. Aeth y geiriau Saesneg *meek* a *weak* i olygu'r un peth i ni. Ond gwahanol iawn yw ystyr y gair Groeg *praus*, a gyfieithir fel 'addfwyn' yn y Testament Newydd. Mae'n cynnwys y syniad o dynerwch, gostyngeiddrwydd, cwrteisi, consýrn am eraill a hunan-ddisgyblaeth. Dywed Iesu amdano'i hun: '*addfwyn ydwyf a gostyngedig o galon*' (Math. 11:29). Ac y mae Paul yn cyfeirio at '*addfwynder a hynawsedd Crist*' (2 Cor. 10:1). Er y gellir dweud fod addfwynder yn ganlyniad naturiol i dlodi ysbrydol a galar am bechod a methiant, nid rhinwedd moesol yn unig mohono, ond prif nodwedd bywyd a pherson Iesu Grist. Ef oedd yr addfwynaf a welwyd ar ein daear erioed, ac eto nid oedd arlliw o wendid yn perthyn iddo. Gwelir hynny yn ei weithred yn glanhau'r deml, yn ymosod ar ragrith y Phariseaid, yn wynebu'r milwyr arfog yng Ngethsemane, yn sefyll gerbron Pilat, ac ynghanol poenau erchyll y croeshoelio yn gweddïo dros ei boenydwyr. Y gŵr addfwyn hwn yw'r arwr mwyaf a welodd y byd erioed. '*Y rhai addfwyn*' (adn. 5) yw'r rhai sy'n rhannu yn natur ac anian yr Arglwydd Iesu.

Dywed yr esbonwyr fod pedair prif elfen yn nodweddu addfwynder yn y Testament Newydd, elfennau sy'n amlwg yng nghymeriad Iesu Grist ei hun. Y gyntaf yw *amynedd*, sef y gallu i gydymddwyn â phobl ac i ymdopi â sefyllfaoedd anodd. Mae'r ddawn gan yr addfwyn i reoli ei dymer ac i gadw'i ddicter dan reolaeth. Y mae adegau pan mae'n angenrheidiol mynegi dicter yn wyneb gormes a thwyll ac anghyfiawnder. Mae lle i ddicter anhunanol, ond nid oes lle i ddicter hunanol. Yr addfwyn yw'r sawl sy'n medru ffrwyno ei ddicter yn wyneb anfri, camwri a sen. Yr ail elfen yw *hunanddisgyblaeth*. Defnyddid y gair *praus* gan y Groegiaid i ddynodi dofi anifail a'i ddysgu i ufuddhau i orchmynion. Y person addfwyn felly yw'r un sydd â phob nwyd a theimlad a chymhelliad o dan reolaeth, yn wahanol i'r person ymosodol, treisgar, nad oes ganddo reolaeth arno'i hun. Ond yng nghyswllt y gwynfyd hwn, yr addfwyn yw'r sawl sydd o dan reolaeth Crist. Gras a chariad Iesu Grist sy'n ffrwyno a disgyblu pob dawn a greddf a nwyd sydd ynddo ac yn plannu ei addfwynder ei hun yn ei gymeriad. Y drydedd elfen yw *gostyngeiddrwydd*. Y person addfwyn yw'r un sy'n ymwybodol o'i angen am nerth, am faddeuant ac am hyfforddiant. Cydnabod ein hangen am faddeuant a thrugaredd Duw yw man cychwyn crefydd. Cydnabod ein hangen i dyfu mewn gwybodaeth a doethineb yw cyfrinach aeddfedrwydd. Cydnabod ein dibyniaeth ar ein gilydd a'n hangen am gwmni a chefnogaeth yw amod cariad. Yn wahanol i'r trahaus, y gŵr gostyngedig yw'r un nad yw'n sefyll ar ei hawliau, nac yn gwthio'i hunan i'r amlwg, nac yn ceisio'i les na'i ddibenion ei hun, ond yn ceisio'n gyntaf ewyllys Duw a lles ei gyd-ddyn.

Etifeddu'r Ddaear

Dywed Iesu am yr addfwyn rai: '*cânt hwy etifeddu'r ddaear*' (adn. 5). Mae ei eiriau'n adlais o Salm 37: '*oherwydd dinistrir y rhai drwg, ond bydd y rhai sy'n gobeithio yn yr Arglwydd yn etifeddu'r tir ... bydd y gostyngedig yn meddiannu'r tir ac yn mwynhau heddwch llawn*' (adn. 9, 11). Defnyddir y gair 'etifeddu' i ddisgrifio'r addewid o feddiannu Canaan gan yr Israeliaid (Deut. 1:8). Sôn am etifeddu tir Israel a wna'r cyfeiriadau hyn, ond y mae addewid Iesu'n ehangach: '*etifeddu'r ddaear*'. Nid etifeddu'r nefoedd, sylwer! Gallem ddeall yr addewid honno. Ym mha ystyr felly y gellir dweud y bydd y rhai addfwyn yn etifeddu'r ddaear?

Yn y lle cyntaf, *dywed Iesu mai gan yr addfwyn y mae'r gallu i oroesi*. Mae'r creaduriaid mawr a chryf a fu unwaith ar y blaned hon wedi diflannu. Eu cryfder a'u mawredd oedd achos eu dinistr. Ond mae'r ddafad a'r oen yn dal i bori ar y mynyddoedd.

Yn yr un modd, y mae rhinweddau moesol ac ysbrydol yr addfwyn yn anninistriol. Ni ellir byth orchfygu grym cariad, na diddymu gostyngeiddrwydd, na gwahardd tosturi a gwasanaeth. Meddai Paul am brif rinweddau'r efengyl: '*Mewn gair, y mae ffydd, gobaith, cariad, y tri hyn, yn aros*' (1 Cor. 13:13). Mewn cyferbyniad, y mae'r trahaus, yr uchelgeisiol a'r hunanhyderus yn ymddangos fel pe baent hwy am etifeddu'r ddaear, ond tynged pobl rheibus a threisgar y byd yw diflannu yn y diwedd.

Yn ail, *mae hanes yn profi i Iesu ddweud y gwir*. Nid y cryf arfog sydd yn ennill y dydd. Nid yw hanes o blaid y bwli, y gormeswr a'r llofrudd. Nid yr Ymerodraeth Rufeinig gadarn a orfu, ond yr eglwys fechan, ddiymadferth y ceisiodd Rhufain ei dinistrio trwy ladd ei deiliaid wrth y miloedd. Yn un o'i bregethau y mae H. E. Fosdick yn dychmygu person yn y ganrif gyntaf yn gofyn iddo'i hun pa un ai'r Ymerawdwr Nero neu ynteu Paul o Darsus fyddai'n effeithio fwyaf ar hanes y byd. Ei ateb ar y pryd fyddai Nero, wrth gwrs. Ef oedd yr Ymerawdwr. Nid oedd Paul yn ddim mwy na mymryn o bregethwr crwydrol y byddai pawb wedi anghofio amdano'n fuan. Ond beth fu dyfarniad hanes? Atebodd H. E. Fosdick, 'Men today name their sons Paul and their dogs Nero!' Mae hanes yn dangos mai'r addfwyn rai sy'n etifeddu'r ddaear; nid yw'r trahaus ond yn ei dinistrio.

Yn drydydd, *am fod y ddaear yn eiddo i Dduw, y rhai sy'n byw fel deiliaid ei deyrnas fydd yn etifeddu'r ddaear*. Er i'r rhai addfwyn ymddangos yn dlawd ac yn wan ac yn destun dirmyg gan y cryf, am eu bod yn perthyn i deyrnas Crist byddant, yn y diwedd, yn rhannu gydag ef yn ei fuddugoliaeth derfynol. Gweledigaeth a disgwyliad y credinwyr cynnar oedd y deuai '*nefoedd newydd a daear newydd, lle bydd cyfiawnder yn cartrefu*' (2 Pedr 3:13). Y pryd hynny bydd y rhai addfwyn yn rhannu gyda'u Harglwydd yn ei deyrnasiad tragwyddol ef.

Cwestiynau i'w Trafod

1. Ym mha ystyr y mae'r Cristion i alaru oherwydd cyflwr y byd?

2. Beth yw'r cysur a addewir i'r rhai sy'n galaru?

3. A yw'r addfwynder a ddisgrifir yn adn. 5 yn gorchfygu drygioni, yn ôl eich profiad chi?

DEDWYDDWCH Y CYFIAWN A'R TRUGAROG

"*Gwyn eu byd y rhai sy'n newynu a sychedu am gyfiawnder, oherwydd cânt hwy eu digon. Gwyn eu byd y rhai trugarog, oherwydd cânt hwy dderbyn trugaredd.*"

(Mathew 5: 6–7)

Dwy nodwedd amlwg ym mywyd deiliaid teyrnas nefoedd yw *cyfiawnder* a *thrugaredd*, a dyma ddau beth y mae'r byd heddiw mewn mawr angen amdanynt. Does dim yn peryglu heddwch y byd yn fwy na'r anghyfiawnder a welir yn yr agendor enfawr rhwng y tlawd a'r cyfoethog, y caeth a'r rhydd, y newynog a'r rhai sydd ar ben eu digon, y rhai sy'n dioddef ynghanol rhyfel a therfysg a'r rhai y mae eu bywydau yn gysurus a heddychlon. Yn gyson clywir cri am gyfiawnder i'r rhai dan draed a thrugaredd tuag at y gwan, y difreintiedig a'r di-lais. Nid oes unrhyw ystyr i'r ymadrodd 'teyrnas Dduw' onid yw'n cynnwys y cymdeithasol, y cenedlaethol a'r rhyng-genedlaethol. Ar yr un pryd, rhaid cydnabod mai yng nghalon ac enaid yr unigolyn y mae'r deyrnas yn dechrau. Ni ddaw teyrnas Dduw yn ffaith ym mywyd cymdeithas a chenedl a pherthynas cenhedloedd â'i gilydd onid yw ein bywydau personol o dan deyrnasiad Duw. Mahatma Gandhi a arferai ddweud wrth ei ddilynwyr, 'Byddwch eich hunan y newid y dymunwch ei weld yn y byd.' Rhaid i bob adferiad a gwelliant gychwyn yng nghalon yr unigolyn. Y mae'n filwaith haws sôn am roi'r byd yn ei le na rhoi'n bywyd ein hunain yn ei le. Y nodwedd gyntaf o'r ddau wynfyd o dan sylw yw *'newyn a syched am gyfiawnder'*. Beth yw ystyr *cyfiawnder* yn y cyswllt hwn?

Ystyron Cyfiawnder
Yng Nghân Mair, y *Magnificat,* dywedir bod Duw, yn nyfodiad ei Fab Iesu, wedi gweithredu i sefydlu cyfiawnder ar y ddaear: '*dyrchafodd y*

30

rhai distadl; llwythodd y newynog â rhoddion, ac anfonodd y cyfoethogion ymaith yn waglaw' (Luc 1:52–3). Y rhai y mae Duw yn eu dyrchafu a'u bwydo yw'r rhai sy'n ymdrechu dros gyfiawnder ysbrydol a materol. Un o nodweddion pobl Dduw ymhob oes yw eu bod yn dyheu – *'yn newynu a sychedu'* – nid am lwyddiant, cyfoeth a meddiannau materol iddynt eu hunain, ond am weld cyfiawnder yn ymledu ac yn dwyn gobaith a thegwch yn ei sgil i holl bobl anghenus a difreintiedig y byd.

Y mae tair agwedd i'r cysyniad o gyfiawnder yn y Beibl: yr ysbrydol, y moesol a'r cymdeithasol. Hanfod *cyfiawnder ysbrydol* yw iawn berthynas â Duw, a'r cyfiawnder hwn yw amod iachawdwriaeth. I'r Iddew roedd y cyfiawnder hwn i'w gyrraedd drwy gadw gofynion y Gyfraith. A'r cyfiawnder hwn oedd yn ennill ffafr Duw. Meddai'r Salmydd, *'Yr wyt ti, Arglwydd, yn bendithio'r cyfiawn, ac y mae dy ffafr yn ei amddiffyn fel tarian'* (Salm 5:12). Ond dadl Paul yn ei Lythyr at y Rhufeiniaid yw fod pobl Israel wedi methu ymgyrraedd at y cyfiawnder hwn am iddynt dybio mai drwy gadw gofynion y Gyfraith yr oedd gwneud hynny. Syrthio'n fyr o'i ofynion fu eu hanes erioed gyda'r canlyniad i'r ddeddf droi yn 'faen tramgwydd' iddynt (Rhuf. 9:30–33). I'r Cristion, un ffordd yn unig sydd i ganfod y cyfiawnder sy'n ein dwyn i gymod â Duw, sef ffydd yn yr Arglwydd Iesu Grist. *'Oherwydd credu â'r galon sy'n esgor ar gyfiawnder, a chyffesu â'r genau sy'n esgor ar iachawdwriaeth'* (Rhuf. 10:10). Y mae cyrraedd cyfiawnder ysbrydol felly yn gyfystyr â iachawdwriaeth, ond nid drwy unrhyw weithredoedd dynol, na thrwy ufudd-dod i orchmynion cyfraith y mae ei ennill, ond trwy gredu yn Iesu Grist.

Yn y Beibl y mae cyfiawnder ysbrydol yn mynd law yn llaw â *chyfiawnder moesol*, sef cymeriad ac ymddygiad sy'n gymeradwy gan Dduw. Gwag a ffals yw pob sôn am gyfiawnder ysbrydol onid yw'n mynegi ei hun mewn gweithredoedd gonest ac mewn ymddygiad cyfrifol, unplyg. Dywed y proffwyd Eseia fod y sawl sy'n rhodio'n gyfiawn yn un *'sy'n dweud y gwir, sy'n gwrthod elw trawster, sy'n cau ei ddwrn rhag derbyn llwgrwobr, sy'n cau ei glustiau rhag clywed am lofruddio, sy'n cau ei lygaid rhag edrych ar anfadwaith'* (Eseia 33:15). Yn dilyn y gwynfydau y mae Iesu'n cyferbynnu'r cyfiawnder hwn â ffug-gyfiawnder y Phariseaid oedd yn seiliedig ar gydymffurfio â mân reolau allanol: '*Rwy'n dweud wrthych, oni fydd eich cyfiawnder chwi yn rhagori llawer ar eiddo'r ysgrifenyddion a'r Phariseaid, nid ewch byth i mewn i deyrnas nefoedd*' (5:20). Y mae dilynwyr Crist i ddyheu am gyfiawnder mewnol y galon sy'n amlygu'i hun mewn ymddygiad moesol, cymhellion anhunanol ac ymroddiad diwyd a chyfrifol.

Dywedir i C. H. Spurgeon ofyn i'w forwyn a oedd wedi dod o dan argyhoeddiad crefyddol dwys sut yr oedd mor sicr ei bod wedi'i hachub. Ei hateb oedd, 'Rwyf nawr yn sgubo o dan y matiau, nid o'u cwmpas!' Ansawdd ei gwaith oedd yn cadarnhau dilysrwydd ei phroffes. Dyna yw cyfiawnder moesol.

Ond ni ellir cyfyngu cyfiawnder beibliadd i'r galon ac i ymddygiad personol. Mae'n fwy na mater unigol a phreifat; mae'n cynnwys *cyfiawnder cymdeithasol*. Pwyslais cyson proffwydi mawr yr 8fed ganrif – Amos, Hosea, Eseia a Micah, yn enwedig – oedd y rheidrwydd i hybu tegwch rhwng pobl a'i gilydd. Roedd y pedwar proffwyd yn unfryd eu condemniad o anghyfiawnder a thwyll, hyd yn oed ymysg arweinwyr y genedl. Cyhuddwyd y system gyfreithiol o fod yn bwdr a'r barnwyr o fod yn agored i lwgrwobrwyo. Dywed Amos fod arian yn gwyrdroi cwrs cyfiawnder a bod y gyfraith yn ffafrio'r cyfoethog ar draul y tlawd (Amos 2:6–7). Mae Micha yn mynd mor bell â chyhuddo'r cyfoethogion o flingo'r tlodion: '*yr ydych yn casáu daioni ac yn caru drygioni, yn rhwygo'u croen oddi ar fy mhobl, a'u cnawd oddi ar eu hesgyrn*' (Micha 3:2). Yn eu pwyslais ar gyfiawnder cymdeithasol dywed y proffwydi fod Duw yn cymryd ochr y tlodion a'r anghenus. Ef sy'n gwaredu'r rhai sydd dan draed: '*Y mae'n tosturio wrth y gwan a'r anghenus, ac yn gwaredu bywyd y tlodion. Y mae'n achub eu bywyd rhag trais a gorthrwm, ac y mae eu gwaed yn werthfawr yn ei olwg*' (Salm 72:13–14). Mae a wnelo cyfiawnder â gweinyddu barn ar ormeswyr a thwyllwyr, a thosturio wrth y tlawd a'r gwan. O olrhain datblygiad y gair *cyfiawnder* yn yr Hen Destament a'r Newydd gwelir fod y pwyslais fwyfwy ar dosturi, cymwynasgarwch a chymorth ymarferol i'r anghenus. Rhai sy'n caru cyfiawnder yw deiliaid y deyrnas. Dywed Iesu y diwellir y rhai sy'n dyheu'n angerddol am weld sefydlu cyfiawnder yn y byd – cyfiawnder yn ei holl ystyr, ysbrydol, moesol a chymdeithasol.

Newynu a Sychedu

Nid dymuno cyfiawnder yn unig a wna dilynwyr Iesu, ond dyheu yn angerddol amdano. Defnyddir dau air cryf i gyfleu'r dyhead hwn, sef *newynu* a *sychedu*. Dau angen dyfnaf ein bywyd corfforol yw newyn am fwyd a syched am ddiod. Prin ein bod ni heddiw yn y byd gorllewinol yn gwybod beth yw newyn, ond gwyddai pobl y dwyrain yn nyddiau Iesu am ei bangfeydd ac am dagu a chrino o syched. Nid dymuniad sydêt i weld y da a'r dymunol yn llwyddo a geir yma. Dywed Iesu y dylai'r cri am gyfiawnder, am degwch ac am onestrwydd fod mor ingol â chri y newynog am fara a chri y sychedig am ddur. Ac eto mor brin yw'r dyhead hwn.

Beth pe bai'r newyn am bleser, am gyfoeth ac am boblogrwydd sydd mor nodweddiadol o'n hoes faterol yn troi yn newyn am gyfiawnder, tegwch a heddwch? Buan y gwelem fyd newydd. Diolch am y rhai sy'n sefyll dros gyfiawnder a hawliau dynol, a'r rhai sy'n gweithio i ryddhau'r byd o afael rhyfel, gorthrwm a thrais. Hwy sy'n cadw'r byd rhag cael ei lygru'n llwyr gan bwerau dinistriol, anwar. Yr addewid iddynt hwy ac i bawb sy'n ymdrechu i orseddu cyfiawnder yw, '*cânt hwy eu digon*' (adn. 6). Ystyr hynny yw y cânt brofi'r boddhad o wybod y daw cyfiawnder maes o law i orchuddio'r ddaear. '*Llifed barn fel dyfroedd a chyfiawnder fel afon gref*' meddai Duw drwy'r proffwyd Amos (Amos 5:24). Y mae'r rhai sy'n cymryd ochr cyfiawnder ym mrwydr bywyd yn cael eu digon o wybod eu bod hefyd ar ochr Duw, ar ochr hanes ac ar ochr y deyrnas. Yn ei anerchiad yn Washington ar ddydd ei sefydlu'n Arlywydd yr Unol Daleithiau, galwodd Barack Obama ar frawychwyr a therfysgwyr y byd i newid eu ffordd oherwydd, meddai, '*you are on the wrong side of history!*' Nid felly y rhai sy'n dyheu am gyfiawnder ac yn gweithio i'w hyrwyddo. Cânt hwy eu digon o wybod y daw'r dydd y bydd cyfiawnder yn llenwi'r ddaear. Nid yw hynny'n golygu y bydd y newyn a'r syched yn peidio. I'r gwrthwyneb, tra pery'r frwydr dros gyfiawnder fe bery'r dyhead, ac yn yr ymdrech a'r dyheu y mae'r boddhad.

Y Rhai Trugarog

Yr ydym eisoes wedi sylwi fod y gair 'cyfiawnder' yn y Beibl yn cynnwys tosturi, cyfiawnder a chymwynasgarwch. Fel pe bai am danlinellu hynny y mae Iesu'n cyplysu'r gwynfyd, *'Gwyn eu byd y rhai sy'n newynu a sychedu am gyfiawnder'* â'r gwynfyd *'Gwyn eu byd y rhai trugarog'*. Mae'r naill yn gwrthbwyso'r llall ac yn dangos fod gwir gyfiawnder yn mynd law yn llaw â thrugaredd. Dyn caled, annynol yw'r dyn cyfiawn nad yw hefyd yn drugarog ac yn dyner yn ei ymwneud â phobl. Dyn ydyw â'i linyn mesur ar bawb, yn galed, yn barod ei feirniadaeth o eraill, yn hunangyfiawn. Fel y dywed William Temple yn ei esboniad ar Efengyl Ioan, *'It is possible to be morally upright repulsively!'* Problem fawr y Phariseaid oedd eu bod yn ddynion cyfiawn, yn cadw'r gyfraith yn ei manylion lleiaf, ond yn feirniadol a cheryddgar, yn barod i estyn am gerrig i'w taflu at droseddwyr. Rhag i'w ddilynwyr ef efelychu'r Phariseaid mae Iesu'n pwysleisio fod rhaid wrth drugaredd i atal ein dyhead am gyfiawnder rhag troi'n hunangyfiawnder didostur. Y gamp yw bod yn ddigon cyfiawn i weld a chasáu drygioni ac anghyfiawnder, ond bod yr un pryd yn ddigon trugarog i gydymddwyn â phobl yn eu gofidiau a hyd yn oed i dosturio wrth y troseddwr.

Yn y Beibl mae i'r gair *trugaredd* ystyr cyfoethog yn tarddu o'r gair Hebraeg, *chesedh,* sydd bron yn amhosibl ei gyfieithu'n foddhaol. Golyga lawer mwy na theimlad arwynebol, dros dro. Mae'n ymgais fwriadol i rannu yn nheimladau, gofidiau a phryderon pobl eraill. Mae'n golygu mynd dan groen eu profiadau a chyd-ddioddef â hwy, gan ymuniaethu â hwy – teimlo yr hyn y maen nhw'n ei deimlo, meddwl fel y maen nhw'n meddwl, a gweld pethau fel y maen nhw'n eu gweld. Mae'n golygu *cyd*-ymdeimlo yng ngwir ystyr y gair. Ond y mae hefyd yn fwy na *theimlo*. Mae'n golygu gwneud ymdrech ymarferol i estyn cymorth a chynhaliaeth i'r sawl sy'n dioddef. Mae'n ymgais fwriadol i geisio lles un arall. Mae'n golygu ymddwyn tuag at yr anffodus â thiriondeb a chymorth fel y gwnaeth y Samariad trugarog yn y ddameg. Mae Epistol Iago yn rhoi rhybudd clir rhag y math o dosturi nad yw'n ddim ond geiriau gwag: *'Os yw brawd neu chwaer yn garpiog ac yn brin o fara beunyddiol, ac un ohonoch yn dweud wrthynt, "Ewch, a phob bendith i chwi; cadwch yn gynnes a mynnwch ddigon o fwyd," ond heb roi dim iddynt ar gyfer rheidiau'r corff, pa les ydyw?'* (Iago 2: 15–16). Nid dymuno'n dda yw trugaredd; nid sentiment – peth rhad iawn yw hwnnw. Y *'rhai trugarog'* yw'r rhai sy'n gwneud eu gorau i dreiddio i wewyr a phoen y tlawd a'r anghenus ac i ymateb yn ymarferol i'w hangen trwy estyn llaw i'w cynorthwyo.

Derbyn Trugaredd

Yr addewid i'r trugarogion yw y '*cânt hwy dderbyn trugaredd*' (adn. 7). Ar un olwg, nid yw'r gwynfyd hwn yn ymddangos mor chwyldroadol â'r lleill ac oherwydd hynny y mae'n haws ei dderbyn. Ond pan lefarwyd y geiriau hyn gyntaf yr oeddent yn gwbl groes i safonau cyffredin y dydd. Nid oedd trugaredd yn cael ei hystyried yn rhinwedd yn yr hen fyd. Yn wir fe'i dirmygwyd gan y Rhufeiniaid fel gwendid, ac er i'r Stoiciaid fod yn barod i estyn cymorth i'r anghenus, nid oeddent yn credu mewn dangos teimlad o unrhyw fath. Ar ben hynny tybid yn gyffredinol mai cosb am bechod oedd dioddefaint a bod pob dioddefwr ond yn derbyn ei haeddiant. Yr hyn a wnaeth Iesu oedd gwrthwynebu syniadau ei ddydd a gorseddu trugaredd yng nghydwybod pobl, a hynny oherwydd fod Duw ei hun yn drugarog. Gan fod pob person yn blentyn iddo, y mae Duw yn adnabod pob un yn drwyadl yn ei wendid a'i gryfder ac yn drugarog a graslon yn ei holl ymwneud ag ef. '*Trugarog a graslon yw'r Arglwydd, araf i ddigio a llawn ffyddlondeb ... Fel y mae tad yn tosturio wrth ei blant, felly y tosturia'r Arglwydd wrth y rhai sy'n ei ofni. Oherwydd y mae ef yn gwybod ein deunydd, ac yn cofio mai llwch ydym*' (Salm 103:8, 13–14). Rhannu yn natur a meddwl Duw y mae'r rhai trugarog, ac oherwydd hynny y maent yn derbyn eu hunain o'i drugaredd ef.

Gwyddom ar lefel ddynol fod cymwynasgarwch yn ennyn cymwynasgarwch, fod dangos caredigrwydd yn arwain at dderbyn caredigrwydd, fod y rhai sy'n ymddwyn yn drugarog yn derbyn trugaredd gan eraill. Ond y mae ystyr dyfnach na hyn i eiriau Iesu. Nid cael trugaredd gan ein cyd-ddynion a olygir yma, ond cael trugaredd gan Dduw. Wrth i ni faddau i eraill fe faddeuir i ninnau. Wrth weithredu trugaredd cawn drugaredd gan Dduw. Trwy faddau y mae maddeuant Duw yn ein cyrraedd ni; trwy drugarhau yr ydym yn agored i dderbyn trugaredd Duw.

Cwestiynau i'w Trafod

1. Beth yn eich tyb chi yw prif nodweddion cyfiawnder?

2. Ai o ffydd grefyddol y mae newyn a syched am gyfiawnder yn deillio, neu a yw anffyddwyr a dyneiddwyr hefyd yn rhannu'r un dyheadau â Christnogion?

3. 'Cyfuniad o gydymdeimlad ac o wasanaeth ymarferol yw trugaredd.' A ydych yn cytuno?

Y PUR EU CALON
A'R TANGNEFEDDWYR

"*Gwyn eu byd y rhai pur eu calon, oherwydd cânt hwy weld Duw. Gwyn eu byd y tangnefeddwyr, oherwydd cânt hwy eu galw'n blant i Dduw.*"

(Mathew 5:8–9)

Y mae darllen a myfyrio ar y gwynfydau yn union fel syllu ar gadwyn o berlau neu emau gwerthfawr. Y mae pob un yn hardd, yn ddisglair ac yn werthfawr ac amhosibl yw dweud fod un yn rhagori ar y lleill. Ond o'r gwynfydau i gyd y mae rhyw rin arbennig yn perthyn i'r geiriau, '*Gwyn eu byd y rhai pur eu calon, oherwydd cânt hwy weld Duw,*' gan eu bod yn ein cyfeirio at amcan ac uchelgais uchaf y credadun. Meddai'r Esgob Kenneth Kirk ym mrawddeg gyntaf ei gyfrol fawr, *The Vision of God*, '*The purpose and final aim of human life is to attain to the vision of God.*' Dyna binacl uchaf ffydd – *gweld Duw* – ac y mae'r gwynfyd hwn fel ffenestr yn ein galluogi i edrych drwyddi i ben y mynydd. Yr ymchwil am Dduw a'r dyhead am weledigaeth ohono sydd wedi symbylu mynachod a lleianod dros y canrifoedd i gefnu ar y byd ac i encilio i fynachdai. Ond beth amdanom ni, Gristnogion cyffredin? A yw'n bosibl i ni ymgyrraedd at y fath nod? A fedrwn ni weld Duw? Yn y gwynfyd hwn y mae Iesu'n dangos inni rai camau ar y ffordd.

Yn ei emyn 'I ti dymunwn fyw, O Iesu da,' y mae Elfed yn cyffelybu'r bywyd ysbrydol i ddringo ysgol, sef ysgol y saint a'r angylion:

a gad i mi, wrth ddringo'u hysgol hwy,
gael beunydd weld o'th degwch lawer mwy.

I newid o ddelwedd y mynydd, y mae Iesu'n cynnig ysgol inni ei dringo i weld tegwch Duw ac yn ein cyfeirio at ffyn, neu risiau'r ysgol.

Yr Awydd i Weld Duw

Y ris gyntaf yw teimlo *awydd* dwfn am Dduw yn corddi yn eigion y galon. Does neb yn debygol o ganfod Duw heb iddo'n gyntaf ymdeimlo â dyhead amdano. Mae'r Salmydd yn ei gyffelybu ei hun i ewig yn dyheu am ddyfroedd rhedegog, *'felly y dyhea fy enaid amdanat ti, O Dduw. Y mae fy enaid yn sychedu am Dduw, am y Duw byw'* (Salm 42:1–2). Yn ôl rhai sylwebyddion, yr awydd i ganfod ystyr dyfnach i fywyd sydd wrth wraidd y diwylliant cyffuriau, sef yr ymchwil am brofiadau dwys, cynhyrfus, er mai profiadau ffug a gynhyrchir ganddynt. Ond gall pob ysfa ddynol a phob dyhead materol fod yn ymgais i guddio neu i gymryd lle'r hiraeth am y dwyfol.

Un o awduron ysbrydol mwyaf dylanwadol yr ugeinfed ganrif oedd y mynach Thomas Merton. Yn ei hunangofiant, *The Seven Storey Mountain,* dywed mai ei awydd mawr fel gŵr ifanc oedd gwneud ei ffortiwn mewn busnes. Yna cododd awydd ynddo am yrfa academaidd a chredai y gallai wneud enw iddo'i hun fel ysgolhaig. Ond sylweddolodd nad oedd y cynlluniau ysbeidiol hyn yn ddim ond ymgais i guddio awydd dyfnach, sef yr awydd i dreiddio i ddirgelwch bywyd ac i'r profiad o Dduw. Profiad cyffredin iawn yw ymdeimlo â dyhead dwfn yn corddi yng ngwaelodion dyfnaf yr enaid heb i ddyn ddeall nac adnabod y dyhead hwnnw. *'Gwyn eu byd y rhai pur eu calon,'* meddai Iesu, sef, 'gwyn eu byd y rhai sy'n teimlo hiraeth dwfn am Dduw yn aflonyddu arnynt.'

Y Pur eu Calon

Mae Iesu'n dangos yn glir beth yw amod gweld Duw, sef meithrin calon bur. Defnyddir y gair *calon* yn y Beibl mewn ystyr eang i olygu holl fywyd mewnol person, gan gynnwys ei feddyliau, ei fwriadau, ei gymhellion a'i deimladau, sef holl ogwydd ei gymeriad a'i bersonoliaeth. Ystyr y gair *pur* yw unplyg, cywir, diwyro. Y *'rhai pur eu calon'* yw'r rhai glân eu meddyliau a'u bwriadau. Golyga hefyd unplygrwydd bywyd, sef bywyd wedi ei ganolbwyntio ar un amcan, sef ceisio daioni a rhinwedd. Nid meddyliau glân yn unig a olygir, ond holl reddfau a chyneddfau ac amcanion bywyd wedi eu darostwng a'u cyfeirio tuag at un nod, sef adnabod Duw a mwynhau perthynas ag ef.

Amod gweld ac adnabod Duw, meddai Iesu, yw fod proses o buro yn digwydd yn y galon: cymhellion, serchiadau, meddyliau, gweithredoedd ac amcanion yn cael eu puro o bob hunanoldeb, malais a chasineb. Meddai Williams Pantycelyn:

Chwilia, f'enaid, gyrrau 'nghalon,
chwilia'i llwybrau maith o'r bron,
chwilia bob ystafell ddirgel
sydd o fewn i gonglau hon;
myn i maes bob peth cas
sydd yn atal nefol ras.

Nid hawdd yw cyrraedd gofynion y gwynfyd hwn. Gwyddom i gyd am y gymysgedd o amcanion a chymhellion sy'n ein tynnu oddi ar lwybr purdeb. Gwyddom fod pob gweithred o'n heiddo yn dwyn staen ein hunanoldeb a'n hamcanion annheilwng. Hyd yn oed yn ein dyletswyddau crefyddol mae'r hunan yn gwthio'i hun i'r golwg. Disgwyliwn am gymeradwyaeth a chanmoliaeth. Gosodwn ein hunain ar ganol y llwyfan a mynnwn gael ein ffordd ein hunain. Ond er mor anodd yw amcanu at burdeb calon drwy ein hymdrechion ein hunain, addewid yr efengyl yw fod purdeb Crist ei hun ar gael i'r rhai sy'n agor eu calonnau iddo. Y *'rhai pur eu calon'* yw'r rhai sydd wedi derbyn a gorseddu Iesu Grist yn eu calonnau fel bod ei burdeb a'i sancteiddrwydd ef yn eiddo iddynt.

Gweld Duw

Trwy Iesu Grist y mae purdeb calon yn cael ei wobrwyo ag adnabyddiaeth gyflawn o Dduw: *'cânt hwy weld Duw'*. Nid ei weld yn llythrennol â llygaid o gnawd, ond ei adnabod a mwynhau cymundeb ysbrydol ag ef. I'r Iddew 'gweld' Duw oedd ymddangos ger ei fron a bod yn ei ymyl. Nod uchaf saint a chyfrinwyr yr oesau oedd ymgyrraedd at y weledigaeth hon, ond fe'i cynigir gan Iesu Grist i bob un a ddaw ato. Yn y byd hwn, rhannol ac amherffaith yw'r weledigaeth ohono, ond gwobr derfynol y rhai pur eu calon yw ei weld wyneb yn wyneb yng ngogoniant y nefoedd pan fo llenni'r cnawd a'r byd materol hwn wedi eu symud ymaith. *'Yn awr, gweld mewn drych yr ydym, a hynny'n aneglur,'* meddai Paul, *'ond yna cawn weld wyneb yn wyneb'* (1 Cor. 13:12).

Camgymeriad yw tybio mai â'r deall y mae canfod Duw. Mae athronwyr a diwinyddion wedi cynnig dadleuon a damcaniaethau i brofi bodolaeth Duw, ond y mae Duw yn rhy fawr i'w wasgu i gategorïau haniaethol. Â'r galon, yn hytrach na'r deall, y mae ei weld a'i adnabod. Y mae dwy ffordd o adnabod – trwy *glywed* a thrwy *brofiad*. Gellir dod i wybod am harddwch Cymru – ei mynyddoedd, ei dyffrynnoedd a'i hafonydd – trwy ddarllen llyfrau neu drwy wersi daearyddiaeth. Peth arall yw dod i wybod am ogoniannau'r wlad o'n cwmpas drwy'r profiad o gerdded a dringo a blasu ei phrydferthwch yn uniongyrchol. Yn yr un ffordd, gellir dod i wybod am Dduw drwy glywed amdano, ond amod ei adnabod yw profiad ohono. Ac amod y profiad yw meithrin calon bur.

Y Tangnefeddwyr

Y mae'r gair Cymraeg *tangnefedd* yn gyfuniad o *tanc* (hen air am *heddwch*), a *nefedd* (neu *nefoedd*). Tangnefedd felly yw 'heddwch nefol'. Ond nid yw hynny'n cyfleu ystyr y gair a ddefnyddir gan Iesu yn y cyswllt hwn. Nid cyflwr tawel, goddefol a olygir; nid absenoldeb rhyfel a gorffwys ar ôl yr ymladd; nid sŵn a chynnwrf wedi peidio, a thawelwch yn dilyn; nid distawrwydd llonydd, digyffro. Yn anffodus, dyna'r syniad sydd gan lawer am dangnefedd. Ond y mae'n golygu mwy na llonyddwch a thawelwch meddwl ac ysbryd oddi mewn, er ei fod yn cynnwys hynny. Golyga'r gair a ddefnyddiodd Iesu 'wneuthurwyr heddwch' (*peacemakers* yn Saesneg), sef pobl sy'n ymroi i greu heddwch drwy eu bywyd a'u hymddygiad. Yr hyn y mae Iesu'n gofyn amdano yw nid derbyn pethau fel y maent yn dawel a di-stŵr, ond eu hwynebu'n greadigol ac ymroi i greu heddwch yn y byd ac yn ein perthynas â'n cyd-ddynion. Ac nid *sôn* am dangnefedd yn unig sydd gan Iesu mewn golwg chwaith. Hawdd iawn yw siarad am dangnefedd a thraethu'n huawdl am bwysigrwydd heddwch cydwladol. Llawer mwy anodd yw creu heddwch yn ein cymdogaeth ein hunain ac yn y byd oddi allan. Amod creu heddwch yw gweithio er lles a ffyniant pobl eraill. *'Shalôm'* yw gair yr Hen Destament am dangnefedd, sy'n golygu perthynas o gytgord â'r hunan, â'r amgylchfyd, â chyd-ddyn ac â Duw. Os yw dyn i fyw mewn harmoni â phawb a phopeth o'i gwmpas, rhaid iddo ymroi i godi pontydd rhwng pobl ac i gael gwared â chasineb, rhagfarn, drwgdybiaeth a phopeth sy'n bygwth heddwch. Yn fwy na dim rhaid iddo geisio tangnefedd Duw, canoli ei feddwl arno a derbyn ei dangnefedd ef i'w galon. Meddai'r proffwyd Eseia, '*Yr wyt yn cadw mewn heddwch perffaith y sawl sydd â'i feddylfryd arnat, am ei fod yn ymddiried ynot*' (Es. 26:3). Man cychwyn creu heddwch yw agor y galon i dangnefedd Duw ei hun a bod mewn perthynas o harmoni ag ef, ffynhonnell pob tangnefedd. Ond wedyn nid rhywbeth i'w gadw i ni ein hunain yw'r tangnefedd hwn; rhaid ei gyfryngu i eraill ac i'r byd o'n cwmpas. Y mae'r weddi a briodolir i Ffransis o Assisi yn gyfarwydd inni i gyd:

> Arglwydd, gwna fi'n gyfrwng dy dangnefedd,
> i hau cariad lle bo casineb,
> i faddau lle bo cam,
> i uno lle bo ysgar,
> i blannu ffydd lle bo amheuaeth,
> a gobaith lle bo digalondid;
> i hau goleuni lle bo tywyllwch,
> a llawenydd lle bo tristwch.

Braint a chyfrifoldeb pob Cristion yw bod yn gyfrwng tangnefedd Duw ym mhob cylch o'i fywyd, ac adfer cariad, maddeuant, ffydd a gobaith i berthynas pobl â'i gilydd, yn ogystal ag ymgyrchu dros heddwch yn wyneb pob sefyllfa o ryfel a thrais yn y byd. Trwy weithio tuag at gytgord ym mhob cylch o fywyd y mae bod yn gyfryngau *shalôm*.

Yn gyntaf, *cytgord ynom ein hunain*. Gwyddom i gyd am y greddfau, yr anniddigrwydd a'r teimladau cymysg sy'n creu tyndra o fewn ein natur ein hunain. Mae seicoleg fodern yn cadarnhau yr hyn a wyddai awduron y Beibl ers canrifoedd, sef fod ym mhob un ohonom gymysgfa ryfedd a brawychus o elfennau croes – cymhellion cymysg, meddyliau amhur, rhagfarnau dall, dychmygion ofer, ofnau cyntefig, nwydau anystywallt – a'r cyfan yn brwydro am oruchafiaeth arnom. Cwestiwn Iesu i'r dyn gorffwyll yn Gerasa oedd, '*Beth yw dy enw?*' Yr ateb a gafodd oedd, '*Lleng yw fy enw, oherwydd y mae llawer ohonom*' (Marc 5:9). O gyfeirio'r holl elfennau croes, gwrthryfelgar hyn at Dduw y mae ei dangnefedd ef yn ein dwyn i gytgord ac i undod.

Yn ail, *cytgord â'r amgylchfyd*. Mae gan y Beibl lawer i'w ddweud am berthynas dyn â natur a'r pwysigrwydd o fyw mewn harmoni â'r byd o'n cwmpas. Canlyniad cam-drin ac ecsploetio a llygru'r amgylchfyd yw fod y dyn modern wedi creu argyfwng ecolegol difrifol sy'n bygwth dyfodol y blaned. Gwaith 'tangnefeddwyr' yw creu harmoni rhwng dyn a chreadigaeth Duw; bod yn gyfryngau *shalôm* ym mherthynas dyn â'r anifeiliaid, y ddaear, yr afonydd, y moroedd, a phopeth byw.

Yn drydydd, *cytgord rhwng pobl*. I'r Iddew yr oedd tangnefedd yn un o fendithion yr oes feseianaidd. Deuai'r dydd pan fyddai'r cenhedloedd yn dysgu byw mewn cytgord, *'yn curo'u cleddyfau'n geibiau, a'u gwaywffyn yn grymanau'* (Micha 4:3). Tywysog Tangnefedd fyddai'r Meseia a pha le bynnag y byddai pobl yn dod o dan ei lywodraeth ef, yno y byddai heddwch. Oherwydd hynny y mae rhyfel yn gwbl groes i feddwl ac ewyllys Duw, a braint a chyfrifoldeb deiliaid ei deyrnas yw gwneud popeth o fewn eu gallu i greu cytgord rhwng pobl a rhwng cenhedloedd. Mewn byd rhanedig, lle mae rhyfel a thrais yn darnio cymunedau, a bywydau gwŷr, gwragedd a phlant bach yn cael eu difa wrth eu miloedd, y mae angen tangnefeddwyr – pobl â thangnefedd Crist yn eu calonnau yn ymdrechu i greu harmoni rhwng du a gwyn, tlawd a chyfoethog, Arab ac Iddew, Pabydd a Phrotestant. Gweithredu *shalôm* yw troi sŵn a dwndwr aflafar terfysg a rhyfela yn harmoni brawdol.

Rai blynyddoedd yn ôl fe dynnodd y cenhadwr David Aggrey o Dde Affrica, ffotograff o ddau fachgen bach yn eistedd wrth biano yn chwarae deuawd. Yr oedd un yn ddu ei groen a'r llall yn wyn. Pan gyhoeddwyd y darlun fe argraffwyd oddi tano y geiriau, 'Fe fedrwch chwarae rhyw fath o alaw ar nodau gwyn yn unig, ac fe fedrwch chwarae rhyw fath o alaw ar nodau du yn unig, ond i gael gwir harmoni rhaid chwarae'r nodau du a'r nodau gwyn hefo'i gilydd!'

'Cânt hwy eu galw'n blant i Dduw.' Priod waith Duw ei hun yw creu tangnefedd, ac o ganlyniad y mae'r rhai sy'n gwneud yr un gwaith ag ef yn deilwng i'w galw'n blant iddo. Pobl Israel oedd plant Duw yn yr Hen Destament, ond yn ôl Iesu y rhai sy'n teilyngu'r enw bellach yw'r bobl hynny sydd, fel Duw ei hun, yn creu tangnefedd rhwng pobl a'i

gilydd. Duw yr heddwch yw Duw, a gwneuthurwyr tangnefedd yw ei blant.

Cwestiynau i'w Trafod

1. Ai canlyniad ymdrech ddynol yw calon bur ynteu canlyniad agor y galon i Dduw drigo ynddi?

2. Beth a olygir wrth 'y weledigaeth o Dduw'?

3. 'Ni ellir bod yn wneuthurwyr tangnefedd yn y byd heb brofi tangnefedd Duw yn y galon.' Trafodwch.

Y RHAI A ERLIDIWYD

"Gwyn eu byd y rhai a erlidiwyd yn achos cyfiawnder, oherwydd eiddynt hwy yw teyrnas nefoedd. Gwyn eich byd pan fydd pobl yn eich gwaradwyddo a'ch erlid, ac yn dweud pob math o ddrygair celwyddog yn eich erbyn, o'm hachos i. Llawenhewch a gorfoleddwch, oherwydd y mae eich gwobr yn fawr yn y nefoedd; felly yn wir yr erlidiwyd y proffwydi oedd o'ch blaen chwi."

(Mathew 5:10–12)

Un o lyfrau pwysicaf a mwyaf dylanwadol y diwinydd a'r merthyr Cristnogol, Dietrich Bonhoeffer, yw *The Cost of Discipleship*. Meddai yn y gyfrol honno, 'Pan mae Crist yn galw dyn i'w ddilyn, mae'n ei alw i farw.' Mae'n wir bod mwy nag un math o 'farw' – marw i'r hunan, marw i bechod, yn ogystal â marw'n llythrennol. I Bonhoeffer yr oedd dilyn Crist yn golygu herio grym Natsïaeth, wynebu carchar, bygythiadau i'w deulu, ac yn y diwedd ddienyddiad ym mis Ebrill 1945 yng ngharchar Flossenburg, ychydig wythnosau cyn i'r rhyfel ddod i ben. Nid oedd Bonhoeffer ond un o gannoedd o filoedd o Gristnogion a ferthyrwyd am eu ffydd yn ystod yr ugeinfed ganrif. Amcangyfrifwyd i fwy o bobl farw dros eu proffes Gristnogol yn ystod y ganrif ddiwethaf nag yn ystod holl ganrifoedd eraill Cristnogaeth gyda'i gilydd. A hyd heddiw y mae Cristnogion yn dal i gael eu herlid mewn llawer o wledydd drwy'r byd. Mae'r olaf o'r gwynfydau yn arbennig o berthnasol felly i'n hoes ni: '*Gwyn eu byd y rhai a erlidiwyd yn achos cyfiawnder.*'

Erledigaeth yn yr Eglwys Fore

Pan alwodd Iesu ei ddisgyblion cyntaf i'w ganlyn, rhybuddiodd hwy y byddai ei ddilyn ef yn golygu ymwadu â'r hunan a cherdded ffordd y groes. Ceisiodd eu paratoi fwy nag unwaith drwy eu rhybuddio o'r dioddefiadau y byddai'n rhaid iddo ef, a hwythau, eu dioddef . '*Dechreuodd Iesu ddangos i'w ddisgyblion fod yn rhaid iddo fynd i Jerwsalem, a dioddef llawer gan yr henuriaid a'r prif offeiriaid a'r ysgrifenyddion, a'i ladd'* (Math. 16:21). O glywed hyn protestiodd Pedr, *'Na ato Duw, Arglwydd. Ni chaiff hyn ddigwydd i ti.'* Bu'n rhaid i Iesu ei geryddu am fod â'i fryd ar bethau dynol, nid ar bethau Duw. Bu'n rhaid i Bedr, a'r eglwys fore yn gyffredinol, ddysgu mai calon yr Efengyl yw'r groes, nid yn unig fel ffaith ym mywyd Iesu ei hun ac nid yn unig fel symbol canolog o'u ffydd Gristnogol, ond y groes honno y byddai galw ar bob disgybl ei dwyn. A daeth dioddefaint a merthyrdod i ran y rhan fwyaf o arweinwyr cyntaf yr eglwys. Carcharwyd a fflangellwyd Pedr ac Ioan. Llabyddiwyd Steffan. Lladdwyd Iago â'r cleddyf. Carcharwyd a fflangellwyd Paul nifer o weithiau. Yn ôl traddodiad merthyrwyd bron bob un o'r apostolion cynnar a dioddefodd yr eglwys fore bron i dair canrif o erledigaeth o dan nifer o wahanol ymerawdwyr Rhufeinig: Nero, Domitian, Trajan, Pliny, Marcus Aurelius, Decius a Diocletian. Taflwyd Cristnogion i'r llewod a llosgwyd hwy wrth y stanc. Ar orchymyn Nero gorchuddiwyd cyrff nifer o Gristnogion â phyg cyn eu rhoi ar dân a'u defnyddio fel ffaglau i oleuo ei erddi. Byddai eraill yn cael eu gwisgo mewn crwyn anifeiliaid cyn gosod cŵn hela arnynt i'w darnio i farwolaeth. Roedd arteithiau eraill yn rhy erchyll i'w disgrifio. Mater costus oedd dilyn Iesu. Bywyd o aberth ac o ddioddefaint oedd bywyd y Cristion yn y canrifoedd cynnar.

Yn adn. 11 y mae Iesu'n manylu ar natur yr erlid: *'Gwyn eich byd pan fydd pobl yn eich gwaradwyddo a'ch erlid, ac yn dweud pob math o ddrygair celwyddog yn eich erbyn, o'm hachos i.'* Ceir adlais o'r un geiriau yn rhybudd Iesu i'w ddisgyblion o'r dioddefiadau a ddeuai i'w rhan yn eu cenhadaeth i'r byd: *'Fe'ch traddodant chwi i lysoedd, ac fe'ch fflangellant yn eu synagogau. Cewch eich dwyn o flaen llywodraethwyr a brenhinoedd o'm hachos i ... Bradycha brawd ei frawd i farwolaeth, a thad ei blentyn, a chyfyd plant yn erbyn eu rhieni a pheri eu lladd. A chas fyddwch gan bawb o achos fy enw i'* (Math. 10:17–18, 21–2). Mae'n debyg fod profiadau'r eglwys fore wedi lliwio rhywfaint ar y geiriau hyn. Gwelir mai perthynas y Cristnogion cynnar â Christ oedd prif achos eu herlid: *'o'm hachos i'*. Ond beth am y celwyddau a'r cyhuddiadau a ddygwyd yn eu herbyn? Yr oedd llawer o'r celwyddau'n seiliedig ar ensyniadau a sïon cwbl ddi-sail – storïau oedd yn cael eu taenu ar led, yn bennaf gan yr Iddewon.

Yn y lle cyntaf, cyhuddwyd hwy o *ganibaliaeth*. Gan fod y geiriau, 'Hwn yw fy nghorff' a 'y cwpan hwn yw'r testament newydd yn fy ngwaed' yn cael lle amlwg yn eu gwasanaethau, ymledodd stori eu bod yn aberthu plentyn ac yn bwyta ei gnawd.

Yn ail, cyhuddwyd hwy o *arferion anfoesol* ac o gymryd rhan mewn gloddestau rhywiol o bob math, a hynny oherwydd mai un enw a roddwyd i'w gwasanaeth cymun oedd *Agapé* – Cariad Wledd, ac oherwydd eu harfer o gyfarch ei gilydd â chusan tangnefedd. Ar sail hyn gwnaed cyhuddiadau enllibus yn eu herbyn.

Yn drydydd, cyhuddwyd hwy o *gynnau tanau*. Gan fod y Cristnogion cynnar yn sôn llawer am ddiwedd y byd ac yn darlunio dydd y farn yn nhermau tân a chenllysg a mwg, camddehonglwyd eu geiriau a thybiwyd eu bod yn cynllunio gwrthryfel a therfysg.

Yn bedwerydd, cyhuddwyd hwy o *beryglu undod yr ymerodraeth*. Gan fod yr Ymerodraeth Rufeinig mor eang ac yn cynnwys cymaint o wahanol bobloedd a chenhedloedd, disgwylid i'w holl ddinasyddion gydnabod awdurdod a grym yr ymerawdwr unwaith y flwyddyn. Dros y blynyddoedd tyfodd y syniad o ddwyfoldeb yr ymerawdwr ac fel mynegiant o ymostyngiad iddo ac o undod yr ymerodraeth, yr oedd yn orfodol ar bob dinesydd, unwaith y flwyddyn, i gydnabod bod yr ymerawdwr yn dduw ac i wneud hynny trwy losgi dogn o arogldarth a datgan yn gyhoeddus, 'Cesar sydd Arglwydd!' Dyna un peth na allai Cristnogion mo'i wneud. Iddynt hwy, un Arglwydd yn unig oedd yn hawlio'u haddoliad a'u hufudd-dod llwyr, sef yr Arglwydd Iesu Grist. Wyneb yn wyneb â'r dewis rhwng Cesar a Christ gwrthodai'r Cristion ffyddlon addoli Cesar ac o ganlyniad câi ei gyhuddo o deyrnfradwriaeth ac o beryglu undod a heddwch yr Ymerodraeth. Y gosb am hynny oedd marwolaeth. Trosedd y Cristnogion oedd iddynt osod teyrngarwch i Grist o flaen teyrngarwch i Gesar, ac am yr ymrwymiad goruchel hwn bu i filoedd ohonynt ddioddef a marw.

Yn Achos Cyfiawnder

Peth rhyfedd i ni yw clywed Iesu'n canmol rhai dan erledigaeth ac yn addo iddynt ddedwyddwch. Dymuno gwerthfawrogiad a phoblogrwydd a wnawn ni, ond nid dyna'r pethau sy'n bwysig yng ngolwg Iesu. Y mae i bobl gael eu herlid yn destun llongyfarch oherwydd y mae'n arwydd clir eu bod yn herio'r drefn ac yn cwestiynu safonau eu dydd a'u cymdeithas. Cânt eu herlid '*yn achos cyfiawnder*'.

Nid eu drygioni sy'n ennyn gwrthwynebiad, ond eu daioni; nid eu hymddygiad terfysglyd, ond eu caredigrwydd, eu tynerwch a'u tosturi tuag at bawb mewn angen. Mae cymdeithas bob amser yn erlid y rhai sy'n peryglu ei threfn sefydledig. Ar y naill law y mae'n erlid y rhai sy'n peryglu'r drefn gyda'u drygioni – lladron, llofruddion, terfysgwyr a'u tebyg. Ar y llaw arall y mae'n erlid hefyd y rhai sy'n peryglu'r drefn â'u daioni, â'u safiad diwyro dros gyfiawnder, heddwch, rhyddid, parch at gyd-ddyn a'u hymgyrchoedd dros y tlawd, y newynog a'r difreintiedig. At yr ail ddosbarth y cyfeiria Iesu – y bobl hynny sy'n llunio'u bywydau a'u hymddygiad yn ôl egwyddorion teyrnas Dduw, nid yn ôl safonau'r gymdeithas o'u cwmpas. O ganlyniad y maent yn aml yn niwsans i'r awdurdodau ac yn fygythiad i'r *status quo*.

Gwaith yr eglwys yw bod yn gydwybod i'r genedl ac i gymdeithas. Pan wêl ddaioni, ei dyletswydd yw canmol a chefnogi. Pan wêl ddrygioni ac anghyfiawnder, ei dyletswydd yw protestio a gwrthwynebu. Yn anorfod bydd rhai yn ceisio rhoi taw ar lais cydwybod, gan gyhuddo'r eglwys o fusnesa mewn gwleidyddiaeth neu o ymhél â materion cymdeithasol. A phan fydd Cristion unigol yn mynegi ei farn, yn sefyll yn erbyn annhegwch, twyll neu anwiredd ac yn estyn cymorth i'r anghenus a'r unig, nid yw'n derbyn clod na chanmoliaeth am ei ymdrechion; yn hytrach bydd yn fwy tebygol o gael ei feirniadu, ei ddifrïo a'i wrthwynebu. Os na fydd yn cael ei gam-drin yn gorfforol, bydd ei onestrwydd yn destun gwawd; ei ysbryd maddeugar a'i garedigrwydd yn ennyn dirmyg; a'i ffydd yn ei wneud yn destun sbort. Nid am fod pobl yn ei gasáu fel person, ond o '*achos cyfiawnder*' ac '*o'm hachos i*'. Mae'n anochel fod rhai sydd wedi cefnu ar Grist ac ar werthoedd ac egwyddorion y ffydd Gristnogol yn elyniaethus i'r rhai sy'n arddel yr hyn y maent hwy wedi ei wrthod.

Llawenhewch a Gorfoleddwch!

Hyd yn oed o ddeall y rhesymau pam y mae'r byd yn gwrthwynebu'r eglwys a'i thystiolaeth, ym mha ystyr y mae Iesu am i'r rhai a erlidir lawenhau a gorfoleddu? '*Gwyn eich byd pan fydd pobl yn eich gwaradwyddo a'ch erlid*,' meddai. Fel arall yn hollol y byddem ni wedi dweud: 'Gwyn eu byd y rhai sy'n osgoi cael eu herlid.' Ond na, y rhai a erlidir sydd yn wynfydedig yng ngolwg Iesu, a hynny oherwydd fod eu gwobr yn fawr yn y nefoedd. Nid ydynt i rwgnach am eu cyflwr. Nid ydynt i geisio talu'r pwyth yn ôl a chosbi eu herlidwyr. Nid ydynt i bwdu nac i ymdrybaeddu mewn hunandosturi. Yn sicr, nid ydynt i smalio'n fasocistaidd eu bod yn chwennych erledigaeth. Yn hytrach y maent i lawenhau am fod eu dioddefiadau'n dystiolaeth i'w ffyddlondeb diwyro i'w Harglwydd, ac na fydd eu ffyddlondeb yn ddiwerth na'u dioddefiadau'n ofer yng ngolwg Duw.

'*Y mae eich gwobr yn fawr yn y nefoedd.*' Nid bod y rhai a erlidir yn *ennill* gwobr. Mae Iesu'n ymwrthod ag unrhyw syniad o ennill ffafr Duw neu o hawlio gwobr ddwyfol yn haeddiant. Nid ofn cosb nac addewid o wobr yw cymhellion y Cristion. Meddai Charles Wesley (yng nghyfieithiad Dafydd Jones o Gaeo):

> Mae arnaf eisiau sêl
> i'm cymell at dy waith,
> ac nid rhag ofn y gosb a ddêl
> nac am y wobor chwaith.

Ac eto y mae gwobr i'r rhai a erlidir. Nid gwobr a enillir ganddynt, ond rhodd Duw o'i ras a'i gariad, sef yr addewid y gwelant yn y nefoedd ffrwyth eu llafur a'u haberth.

O safbwynt y nefoedd y mae gweld gwerth a gogoniant aberth y merthyron. O safbwynt y byd y mae eu haberth yn wastraff ac yn golled. Ond y mae llygaid ffydd yn gallu gweld y tu hwnt i'r poen a'r dioddef a'r arteithio a gweld mawredd a gogoniant gorchestion y rhai a erlidiwyd.

Yn gyntaf, wrth ddioddef erledigaeth yr oeddent yn cerdded yr un llwybr â phroffwydi, saint a merthyron yr oesau: '*felly yn wir yr erlidiwyd y proffwydi oedd o'ch blaen chwi.*' Wrth ddioddef dros y ffydd y mae'r sawl a erlidir yn rhan o olyniaeth ryfeddol y rhai o bob oes, pob gwlad a phob iaith sydd wedi dioddef dros eu Harglwydd. Yn yr Hen Destament ceir hanes erlid Elias (1 Bren. 19) a Jeremeia (Jer. 37:11 ymlaen). Dros y blynyddoedd rhoddwyd sylw i'r hanesion hyn a rhai tebyg iddynt, a thyfodd rhai chwedlau o'u cwmpas. Cyhuddodd Iesu yr ysgrifenyddion a'r Phariseaid o *'fod yn blant i'r rhai a lofruddiodd y proffwydi'* (Math. 23:31) ac y byddent eto yn erlid ac yn lladd rhai a anfonid atynt oddi wrth Dduw. Pan welodd Ioan ar ynys Patmos y dyrfa ryfeddol honno oedd wedi eu gwisgo â mentyll gwynion, a phan ofynnodd o ble y daethant, yr ateb a gafodd oedd, *'Dyma'r rhai sydd wedi dod allan o'r gorthrymder mawr; y maent wedi golchi eu mentyll a'u cannu yng ngwaed yr Oen'* (Dat. 7:14). Bellach maent yn rhan o banorama merthyron yr oesau. Llawenydd y rhai a erlidir yw sylweddoli eu bod yn perthyn i *'ardderchog lu y merthyri'*, chwedl y Te Deum.

Yn ail, wrth ddioddef erledigaeth *yr oeddent yn dangos eu teyrngarwch llwyr i'r Arglwydd Iesu Grist.* Ni allai neb wneud mwy i gyffesu ffydd yn Iesu Grist ac i arddangos ymrwymiad llwyr iddo na'r sawl oedd yn barod i wynebu dioddefaint a marwolaeth er ei fwyn. Un o'r enwocaf o'r merthyron cynnar oedd Polycarp, esgob oedrannus Smyrna. Pan lusgwyd ef gerbron tribiwnlys Rhufeinig rhoddwyd iddo'r dewis rhwng cydnabod dwyfoldeb Cesar neu wynebu marwolaeth. Atebodd, 'Yr wyf wedi gwasanaethu Crist am wythdeg a chwech o flynyddoedd, ac ni wnaeth ef unrhyw gam â mi. Sut y gallaf gablu fy Mrenin a'm gwaredodd?' Ar y stanc gweddïodd, 'Diolchaf iti, Arglwydd, am fy nghyfrif yn deilwng o'r dydd hwn a'r awr hon.' Roedd ei farwolaeth yn gyfle iddo ddangos ei ymlyniad llwyr i Grist fel ei Arglwydd a'i Waredwr.

Yn drydydd, wrth ddioddef erledigaeth *yr oeddent yn paratoi ffordd rwyddach i'r rhai oedd i'w dilyn.* Yr ydym ni heddiw yn mwynhau bendithion rhyddid oherwydd i rywrai yn y gorffennol ddioddef ac aberthu er mwyn eu hennill inni. Wedi ugain mlynedd o erledigaeth chwerw yr enillodd hen Ymneilltuwyr yr ail ganrif ar bymtheg y rhyddid a'r hawl i godi eu capeli eu hunain ac i addoli yn ôl eu cydwybod. 'Gwaed y merthyron yw had yr eglwys,' meddai un o'r Tadau Eglwysig cynnar. Dro ar ôl tro gwelwyd pa mor wir yw ei eiriau. Yn dilyn pob cyfnod o erlid cafwyd cyfnodau o lwyddiant, twf a chynnydd ysbrydol. Y mae Duw yn dyrchafu'r gostyngedig, yn galw'r olaf i fod yn gyntaf, yn gosod urddas ar y gwas, yn addo i'r addfwyn mai hwy fydd yn etifeddu'r ddaear ac yn datgan wrth y rhai a erlidiwyd, *'y mae eich gwobr yn fawr yn y nefoedd.'*

Cwestiynau i'w Trafod

1. Ym mha sefyllfaoedd y mae'n cymdeithas gyfoes yn gwrthwynebu tystiolaeth yr eglwys?

2. Sut dylen ni yn y gorllewin ymateb i'r erledigaeth o Gristnogion mewn gwledydd Comiwnyddol ac Islamaidd heddiw?

3. Ym mha ystyr y mae gwaed y merthyron yn had yr eglwys? Ystyriwch enghreifftiau o hynny yn ystod yr ugeinfed ganrif.

HALEN A GOLEUNI

"Chwi yw halen y ddaear; ond os cyll yr halen ei flas, â pha beth yr helltir ef? Nid yw'n dda i ddim bellach ond i'w luchio allan a'i sathru dan draed. Chwi yw goleuni'r byd. Ni ellir cuddio dinas a osodir ar fryn. Ac nid oes neb yn goleuno cannwyll ac yn ei rhoi dan lestr, ond yn hytrach ar ganhwyllbren, a bydd yn rhoi golau i bawb sydd yn y tŷ. Felly, boed i'ch goleui chwithau lewyrchu gerbron eraill, er mwyn iddynt weld eich gweithredoedd da chwi a gogoneddu eich Tad, yr hwn sydd yn y nefoedd."

(Mathew 5:13–16)

Ym mhedwardegau a phumdegau'r ganrif ddiwethaf sefydlwyd yn Ffrainc Fudiad yr Offeiriaid-Gwaith (*Worker-Priest Movement*). Aeth rhai miloedd o offeiriaid Pabyddol i weithio'n amser llawn mewn ffatrïoedd ym Mharis, Lyon a Marseille gyda'r bwriad o godi pont rhwng yr eglwys a'r dosbarth gweithiol oedd wedi pellhau oddi wrth yr eglwys ac i fod yn ddylanwad Cristnogol o fewn ffatrïoedd a mannau gwaith. Ymdaflodd nifer ohonynt i ymgyrchoedd undebau llafur i frwydro dros gyflogau gwell ac amodau gwaith i'r gweithwyr. Er i'r mudiad gael ei ddiddymu dros dro gan y Fatican, y mae bron i 2,000 yn dal i weithredu fel offeiriaid-gwaith yn Ffrainc heddiw. Amcan y mudiad yw bod yn 'bresenoldeb Cristnogol' o fewn diwydiant – yn *halen* ac yn *oleuni* yn y byd.

Ni fwriadodd Iesu i'w ddilynwyr ymwrthod â'r byd nac encilio oddi wrth ei broblemau a'i anghenion, ond yn hytrach i hydreiddio pob rhan o fywyd y byd er mwyn dylanwadu arno er daioni. Er gwaethaf agwedd elyniaethus y byd tuag at ddeiliaid y deyrnas ac er iddynt yn aml brofi gwrthwynebiad ac erledigaeth, nid ydynt i gadw draw o'r byd. Nid ydynt chwaith i fyw er eu mwyn eu hunain yn unig, ond er mwyn bod yn gyfryngau i Dduw drwyddynt gyflawni ei amcanion yn y byd. Defnyddir dau ddarlun i egluro lle a chyfraniad dilynwyr Crist ar y ddaear, sef *halen* a *goleuni*. Heb halen i'w puro a'u cadw mae pethau'n dirywio ac yn pydru. A heb ddylanwad eglwys Iesu Grist y mae bywyd cymdeithas hefyd yn mynd yn sathredig ac amhur. Yn yr un modd, lle tywyll yw'r byd onid yw goleuni'r efengyl yn ei oleuo. Y mae dwy nodwedd yn gyffredin i halen a goleuni – y maent yn anhepgor, ac ni wna dim byd arall yn eu lle. Y mae'r presenoldeb a'r dylanwad Cristnogol yn anhepgorol i iechyd a ffyniant cymdeithas. Gall y byd ddirmygu ac erlid yr eglwys, ond hi yn unig fedr ddiogelu'r gwerthoedd hynny sy'n sail i gymdeithas iach ac i fywyd gwâr.

Dibenion Halen

Wrth ddefnyddio'r ffigur o halen i ddisgrifio'i ddilynwyr roedd Iesu'n cyfeirio at nwydd a ystyriwyd yn eithriadol werthfawr yn yr hen fyd. Yr awdur Rhufeinig Pliny a ddywedodd nad oedd dim yn fwy defnyddiol na haul a halen (*sole et sale*). Yn nyddiau Iesu defnyddid halen i dri phwrpas.

Yn gyntaf, *i buro*. Mynnai'r Rhufeiniaid mai halen oedd y deunydd mwyaf pur a hynny oherwydd ei fod yn tarddu o ddwy ffynhonnell bur, sef yr haul a'r môr. Defnyddiwyd halen fel offrwm i'r duwiau er mwyn sicrhau fod aberth yn bur. Os yw Cristnogion i fod yn halen y ddaear rhaid iddynt fod yn esiamplau o burdeb a gweithio i warchod purdeb yn y gymdeithas ac yn y byd. Un o nodweddion amlycaf ein cyfnod yw'r dirywiad mewn safonau moesol – cynnydd mewn troseddau, mewn fandaliaeth, mewn lladrata ac ymosodiadau treisgar, yn y camddefnydd o gyffuriau, mewn pornograffi a'r fasnach ryw, mewn tor-priodas a chwalfa teuluoedd, a'r holl broblemau sy'n tanseilio bywyd cymdeithas. Gwaith Cristnogion yw diogelu safonau moesol a cheisio creu cymdeithas iach a glân. Ni ellir gwneud hynny drwy esiampl ddynol yn unig, ond drwy ddwyn dylanwad iachusol yr efengyl i gyswllt â'r gymdeithas o amgylch. Ar Sul cyntaf y flwyddyn 1953 gofynnodd W. E. Sangster, y pregethwr Wesleaidd poblogaidd, mewn pregeth yn y Central Hall, Westminster, beth fyddai effaith adfywiad crefyddol ar fywyd y genedl. Cynigiodd ddeg ateb: byddai hen ddyledion yn cael eu talu; byddai anfoesoldeb rhywiol yn lleihau; byddai nifer yr ysgariadau'n gostwng; byddai'r theatr yn lanach; byddai troseddau ymysg pobl ifanc yn lleihau; byddai poblogaeth y carchardai'n gostwng; byddai ansawdd a chynnyrch gwaith yn gwella; byddai'r genedl yn ailddarganfod nod aruchel; byddai cymdeithas yn coleddu gwerthoedd creadigol; byddai pobl yn canfod hapusrwydd a heddwch. Y bore wedyn roedd cynnwys y bregeth yn llenwi tudalennau'r papurau dyddiol a bu lle a dylanwad crefydd ar fywyd cymdeithas yn destun trafod am ddyddiau. Tynnodd Sangster sylw at alwad Iesu Grist i'w ddilynwyr fod yn halen i buro cymdeithas.

Yn ail, diben arall halen yw *cadw,* cadw yn yr ystyr *'to preserve'.* Mewn dyddiau cyn i'r rhewgell ddod yn ddodrefnyn pwysig yn ein ceginau byddai pobl yn cadw cig yn ffres drwy ei halltu. A gwerth mawr halen yn nyddiau Iesu oedd cadw bwyd rhag llygru. Rhaid bod Iesu yn ystod ei blentyndod wedi gwylio'i fam droeon yn halltu cig yn y gegin yn Nasareth. Wrth ddefnyddio'r darlun y mae Iesu'n pwysleisio fod ei ddilynwyr i gadw bywyd cymdeithas rhag mynd yn hollol lwgr. Ceir yr un syniad yn yr Hen Destament yn hanes Sodom a Gomora a Duw yn chwilio am nifer fach o rai cyfiawn yn y ddinas er mwyn ei harbed (Gen. 18–19). Pe bai ond deg ynddi – *'Ni ddinistriaf hi er mwyn y deg,'* (Gen. 18:32) – buasai hynny'n ddigon o halen i gadw'r cyfan rhag llygru'n llwyr. Pa mor ddrwg bynnag yw cyflwr ein cymdeithas heddiw, nid yw'n gwbl ddiobaith tra bod dylanwad dilynwyr Iesu Grist ar waith o'i mewn.

Yn drydydd, y mae halen *yn rhoi blas.* Mae'n amlwg mai dyma'r diben oedd yn meddwl Iesu: *'os cyll yr halen ei flas, a pha beth yr helltir ef?'* Y mae bwyd heb halen yn ddiflas. Trasiedi miloedd o bobl heddiw yw fod bywyd wedi mynd yn ddiflas hollol iddynt. Rhedant o un pleser i'r llall i chwilio am lawenydd a boddhad a blas ar fyw, ond cânt eu siomi. Daeth Iesu i adfer ei flas i fywyd: *'Yr wyf wedi dod er mwyn i ddynion gael bywyd, a'i gael yn ei holl gyflawnder'* (Ioan 10: 10): bywyd o anturiaeth, o ramant, o foddhad ac o lawenydd diddarfod. Meddai W. Rhys Nicholas am Iesu yn ei emyn mawr: *'Tydi a roddaist imi flas ar fyw'.* Ond gwae ni fel dilynwyr Crist os methwn adlewyrchu gwefr a llawenydd y bywyd Cristnogol. Yn rhy aml y mae'r byd yn meddwl amdanom fel pobl sychdduwiol, cul, yn gwgu ar bob pleser ac yn lladd pob llawenydd. Dave Allan, y digrifwr, a ofynnodd rhyw dro, 'Pam mae crefyddwyr yn mynd i'r capel yn edrych fe 'taen nhw'n mynd at y deintydd? A pham maen nhw'n dod oddi yno'n edrych fel 'taen nhw wedi *bod* at y deintydd?!' Mewn byd anhapus ein braint yw cyfeirio pobl at lawenydd yr antur Gristnogol. Mewn byd o ofn a phryder ein gwaith yw adlewyrchu'r tangnefedd a ddaw o bwyso ar ofal a chariad Duw. Gelwir ni i fod yn dystion byw i'r wefr a'r blas a ddaw o dderbyn a dilyn Iesu Grist.

Halen yn Colli'i Flas

Dywed Iesu nad yw halen sy'n colli ei flas yn dda i ddim ond i'w daflu allan a'i sathru dan draed. Nid yw halen pur byth yn colli'i flas. Ond ym Mhalestina yn nyddiau Iesu, lle roedd treth drom arno, byddai halen yn aml yn cael ei lygru drwy ei gymysgu â defnyddiau eraill fel tywod. Gwyddai'r tlodion yn dda beth oedd prynu halen heb flas arno. Deuai un math o halen o'r Môr Marw, ond am ei fod yn gymysg â mwynau eraill byddai'n hollol ddi-flas ac felly'n dda i ddim ond i'w daflu allan. Defnyddid halen eilradd o'r fath i wneud sment, ac efallai fod yr ymadrodd ei '*sathru dan draed*' yn cyfeirio at hynny. Rhybudd Iesu yw y gall y byd lygru cymeriad disgyblion Crist a'u gwneud yn gwbl aneffeithiol. Gallant gael eu llygru gan y byd yn hytrach na'u bod hwy yn puro'r byd. Gall dylanwad cymdeithas faterol eu gwneud hwythau yn faterol eu hagwedd. Gallant golli eu brwdfrydedd, eu gweledigaeth, eu defosiwn a'u hymrwymiad i'w Arglwydd, a mynd yn llugoer a difater. Does dim byd gwaeth na chrefydd ddiflas. '*Nid yw'n dda i ddim bellach ond i'w luchio allan a'i sathru dan draed.*' Heddiw, a chymaint o bobl wedi cefnu ar yr eglwys, rhaid gofyn tybed ai rhan o'r rheswm yw fod ein crefydda cyfoes wedi colli ei flas?

Goleuni'r Byd

'*Chwi yw goleuni'r byd,*' meddai Iesu. Gelwir ei ddilynwyr nid yn unig i weithio'n dawel o'r golwg fel halen, ond hefyd i fod yn amlwg yn y byd. Nid eu gwaith yw cario'r goleuni, ond *bod* eu hunain yn oleuni. Nid dweud *am* y gwirionedd, ond ei *fyw*. Yn y gorchymyn hwn i fod yn oleuni'r byd mae Iesu'n gofyn iddynt fod yn debyg iddo'i hun. '*Tra byddaf yn y byd, goleuni'r byd ydwyf,*' meddai (Ioan 9:5). Yn ystod dyddiau ei gnawd ef yw'r goleuni, ond y mae hefyd yn dirprwyo'r gwaith i'w ddisgyblion. Roedd yr ymadrodd 'goleuni'r byd' yn gyfarwydd i'r Iddewon. Disgrifiwyd Jerwsalem fel 'goleuni i'r cenhedloedd'. Ond pwysleisiwyd mai Duw oedd ffynhonnell y goleuni. Nid goleuni a gynhyrchwyd gan ddynion mohono. Ni ofynnir i'r Cristion gynhyrchu ei oleuni ei hun ond i adlewyrchu goleuni Iesu Grist. Ambrose, esgob Milan yn y bedwaredd ganrif, a ddywedodd fod yr eglwys fel y lleuad. Nid taflu ei oleuni ei hun a wna'r lleuad ond adlewyrchu goleuni'r haul. Llusern i ddal ac i adlewyrchu goleuni Iesu yn y byd yw'r Cristion, yn ôl T. Eirug Davies yn ei emyn, sydd hefyd yn weddi:

> Fy ngweddi fo am gael
> yr Iesu'n Arglwydd im,
> ac ef yn bopeth mwy
> a mi fy hun yn ddim,
> yn ddim ond llusern frau
> i ddal ei olau ef,
> i'm tywys heibio i'r nos
> at fore claer yn nef.

Defnyddia Iesu ddwy gymhariaeth i egluro swyddogaeth y goleuni – *dinas ar fryn*, sy'n amlwg i bawb, a *channwyll* sy'n rhoi golau i bawb yn y tŷ. Mae'r cymhariaethau'n dweud rhai pethau arwyddocáol am Gristnogion fel goleuni'r byd. Yn y lle cyntaf, *rhaid i'r goleuni fod yn amlwg.* Fel y mae dinas ar fryn yn amlwg i bawb ei gweld rhaid i'n Cristnogaeth ninnau fod yn weladwy. Mae Cristion sy'n cuddio'i dystiolaeth mor aneffeithiol â phe bai rhywun yn cuddio cannwyll dan lestr. Rhaid i'w Gristnogaeth amlygu ei hun, nid yn unig o fewn yr eglwys, ond ym mhob cylch o fywyd y byd: yn ei waith, yn ei gartref, yn ei ymneud â chyfeillion a chydnabod, yn ei siarad ac yn ei chwarae. Meddai William Barclay, 'There can be no such thing as secret discipleship, for either the secrecy destroys the discipleship, or the discipleship destroys the secrecy.'

Yn ail, *rhaid i'r goleuni amlygu ei hun er mwyn bod o wasanaeth i eraill.* Nid er mwyn gweld y gannwyll a'i hedmygu y goleuir hi, ond er mwyn i bobl fedru gweld yn ei goleuni hi. Mae Cristnogion i fod, nid fel goleuadau Nadolig yn tynnu sylw atynt eu hunain er mwyn i bobl eu hedmygu, ond fel lampau stryd concrid yn taflu goleuni i alluogi pobl i weld y ffordd o'u blaenau. Dangos y llwybr i eraill gael ei gerdded yn ddiogel yw swyddogaeth y goleuni, nid ennill sylw ato'i hun.

Yn drydydd, *rhaid i'r goleuni gyfeirio'r byd at ogoniant Duw*. Mae rhywbeth atyniadol a swynol mewn gwir ddaioni. *'Boed i'ch goleuni chwithau lewyrchu gerbron eraill, er mwyn iddynt weld eich gweithredoedd da chwi,'* meddai Iesu. Nid *da* o'i gyferbynnu â drwg, ond y da sydd hefyd yn *brydferth*. Cymhelliad bod yn oleuni yn ein bywyd a'n gweithredoedd yw nid hunan-ogoniant ond adlewyrchu gogoniant Duw. Y demtasiwn yw dangos ein goleuni ein hunain a disgwyl clod ac edmygedd eraill. Braint a chyfrifoldeb Cristnogion yw dangos Duw y Tad. Dywed Dietrich Bonhoeffer mai canlyniad dilyn Crist yn ffyddlon a cheisio'i efelychu ef yw y bydd pobl yn gweld bywyd y deyrnas ynom ni: 'They will inevitably recognize that it is by the grace of God we are what we are, that *our* light is *his* light, that our works are his works done in us and through us. So it is the light they will praise, not the lamp which bears it; it is our Father in heaven whom they will glorify, not we his unworthy children.'

Cwestiynau i'w Trafod

1. Ym mha ffordd y mae'r presenoldeb Cristnogol yn anhepgorol i iechyd a ffyniant cymdeithas?

2. Gan fod cymaint o bobl heddiw wedi cefnu ar yr eglwys, sut mae adfer lliw a blas i'n bywyd a'n tystiolaeth?

3. Beth yw'r gwahaniaeth rhwng gweithredoedd da sy'n tynnu sylw atom ni, a gweithredoedd da sy'n adlewyrchu gogoniant Duw?

DYSGEIDIAETH AR Y GYFRAITH

"Peidiwch â thybio i mi ddod i ddileu'r Gyfraith na'r proffwydi; ni ddeuthum i ddileu ond i gyflawni. Yn wir, rwy'n dweud wrthych, hyd nes i nef a daear ddarfod, ni dderfydd yr un llythyren na'r un manylyn lleiaf o'r Gyfraith nes i'r cwbl ddigwydd. Am hynny, pwy bynnag fydd yn dirymu un o'r gorchmynion lleiaf hyn ac yn dysgu i eraill wneud felly, gelwir ef y lleiaf yn nheyrnas nefoedd. Ond pwy bynnag a'i ceidw ac a'i dysg i eraill, gelwir hwnnw'n fawr yn nheyrnas nefoedd. Rwy'n dweud wrthych, oni fydd eich cyfiawnder chwi yn rhagori llawer ar eiddo'r ysgrifenyddion a'r Phariseaid, nid ewch byth i mewn i deyrnas nefoedd."

(Mathew 5:17–20)

Mewn rhai eglwysi a chapeli gwelir y Deg Gorchymyn wedi eu gosod mewn man amlwg o flaen y gynulleidfa, naill ai y tu ôl i'r allor neu o bobtu'r pulpud. Bu adeg pan oedd disgwyl i blant ddysgu'r Deg Gorchymyn ar eu cof, yn enwedig cyn cael eu derbyn yn aelodau cyflawn o'r eglwys. Mae Cristnogion erioed wedi ystyried Deddf Moses yn orchmynion Duw ac yn safon greiddiol a thragwyddol i ddysgu i'r ddynoliaeth y gwahaniaeth rhwng da a drwg, y gwir a'r gau, y cyfiawn a'r anghyfiawn. Meddai'r Salmydd, '*Y mae cyfraith yr Arglwydd yn berffaith, yn adfywio'r enaid; y mae tystiolaeth yr Arglwydd yn sicr, yn gwneud y syml yn ddoeth; y mae deddfau'r Arglwydd yn gywir; yn llawenhau'r galon; y mae gorchymyn yr Arglwydd yn bur, yn goleuo'r llygaid*' (Salm 19:7–9). Ond er i Gristnogion ystyried y Deg Gorchymyn yn fynegiant o feddwl Duw, nid ar y Gyfraith Iddewig yr oedd seilio'r bywyd da. Roedd safonau'r Gyfraith yn rhy uchel i fodau dynol amherffaith, hyd yn oed y mwyaf ffyddlon a duwiol, ymgyrraedd atynt. Profiad Paul oedd na allai neb gael ei gyfiawnhau gerbron Duw ar dir y Gyfraith. Yn hytrach, swyddogaeth y Gyfraith oedd arwain pobl at Grist: '*Bu'r Gyfraith yn hyfforddwr i'n tywys ni at Grist*' (Gal. 3:24). Nid yw'r efengyl yn diddymu'r Gyfraith, yn hytrach y Gyfraith sy'n argyhoeddi person o'i bechod ac yn ei gyfeirio at ras Duw yn Iesu Grist. Yn yr adran hon o'r Bregeth ar y Mynydd y mae Iesu'n mynegi'n glir ei berthynas ef â Chyfraith Moses: '*Peidiwch â thybio i mi ddod i ddileu'r Gyfraith a'r proffwydi, ni ddeuthum i ddileu ond i gyflawni.*'

Mae'n amlwg i Iesu roi'r argraff i rai o'i ddilynwyr ei fod â'i fryd ar ddileu'r Gyfraith ac felly ar danseilio bywyd moesol a chrefyddol y genedl. Nid oedd yn cadw mân reolau'r Ddeddf mewn perthynas â golchiadau seremonïol; roedd yn torri'r Saboth ac yn beirniadu'r Phariseaid a'r ysgrifenyddion am eu gofal am fanion pitw'r Gyfraith. Un o'r cyhuddiadau a arweiniodd at ei gondemnio a'i groeshoelio oedd ei fod yn dilorni Cyfraith Duw. Ond y mae Iesu'n datgan yn glir yn adnodau 17 a 20 na ddaeth i ddiddymu'r hen drefn ond i'w *chyflawni*, hynny yw, i sylweddoli ei phwrpas dwyfol, gwreiddiol. Ar yr un pryd, y mae'n pwysleisio fod ei ofynion ef ar ei ddilynwyr yn wahanol a thu hwnt i ofynion yr hen drefn.

Y mae rhai esbonwyr yn awgrymu mai ychwanegiad gan Fathew ei hun yw adnodau 18 a 19, gan fod eu cynnwys yn ymddangos yn groes i arfer Iesu ei hun, er enghraifft ynglŷn â chadw'r Saboth ac ynglŷn â bwydydd glân ac aflan. Mae'n bosibl fod Mathew yn awyddus i gymeradwyo'r efengyl i Iddewon ei ddydd oedd yn naturiol yn rhoi pwyslais ar y Ddeddf. Yr oedd am ddangos fod Iesu wedi dirymu crefydd deddf ond eto heb ddiddymu ei gofynion moesol gan fod iddynt eu lle yng nghynllun Duw. Ond hyd yn oed os oes ôl llaw golygydd ar y geiriau hyn, nid yw hynny'n gwrth-ddweud prif neges yr adran, sef y berthynas rhwng yr Hen Destament a'r Newydd, rhwng yr efengyl a'r Gyfraith, a diffiniad Iesu o gyfiawnder Cristnogol. Mae'r adran yn ymrannu'n ddwy: yn gyntaf Crist a'r Gyfraith (adn. 17–18) ac yn ail y Cristion a'r Gyfraith (adn. 19–20).

Crist a'r Gyfraith

Dywed Iesu'n glir a diamwys nad yw wedi dod i ddileu'r Gyfraith a'r proffwydi: '*ni ddeuthum i ddileu ond i gyflawni.*' Yn y geiriau hyn dywed ddau beth am y grefydd Iddewig: ei bod o werth amhrisiadwy, a bod angen ei chyflawni. Wrth ddweud '*hyd nes i nef a daear ddarfod, ni dderfydd yr un llythyren na'r un manylyn lleiaf o'r Gyfraith*' mae'n cadarnhau gwerth parhaol Cyfraith Duw. Ond wrth ddweud ei fod wedi dod i *gyflawni'r* Gyfraith a'r proffwydi mae'n datgan mai annigonol ac amherffaith yw'r grefydd Iddewig ar ei gorau a bod rhaid ei harwain at gyflawnder. Ar y naill law dywed fod y Gyfraith Iddewig yn ddigyfnewid yn ei chynnwys a'i gwerth. Ar y llaw arall, dywed fod rhaid treiddio'n ddyfnach i'w hystyr a deall fod ufuddhau iddi yn golygu, nid cadw'r mân reolau a ddyfeisiwyd dros y blynyddoedd gan Phariseaid a rabiniaid, ond ufuddhau i'w hysbryd a'i gofynion mewnol. Ystyr *cyflawni* yw 'llenwi allan' – deall cynnwys ac ymhlygiadau dyfnaf y Gyfraith a'r proffwydi a chrefydd yr Hen Destament. Mae Iesu'n cyflawni pob agwedd ar grefydd yr Hen Destament.

Yn gyntaf, *athrawiaeth yr Hen Destament.* Yn Ysgrythurau'r Iddewon gwelir portread o Dduw yn dod i'r amlwg ac yn araf ddatblygu. Ceir dehongliad o berthynas Duw â'i fyd, ac yn arbennig â chenedl yr Iddewon, dysgeidiaeth am y Cyfamod rhwng Duw a'i bobl, ystyr iachawdwriaeth a gweledigaeth o deyrnasiad Duw dros yr holl fyd. Ond rhannol ac amherffaith yw'r datguddiad o dan yr hen oruchwyliaeth. Yn Iesu Grist, yn ei berson, ei ddysgeidiaeth a'i waith y cyflawnir athrawiaethau'r Hen Destament. Ynddo ef y gwelwn sut un yw Duw. Trwyddo ef y mae dod i wir berthynas â Duw. Trwyddo ef y daw teyrnas Dduw i'r amlwg ym mywyd y byd.

Yn ail, *proffwydoliaethau'r Hen Destament.* Yn nysgeidiaeth y proffwydi cyfeirir at yr addewid o ddyfodiad Meseia Duw a rhagfynegir effeithiau ei deyrnasiad ar fywyd y genedl. Rhannol ac anghyson yw pob gweledigaeth o berson a swydd y Meseia. Ond daeth Iesu i 'gyflawni' yr hyn a ragfynegwyd amdano. '*Y mae'r amser wedi ei gyflawni,*' meddai Iesu ar gychwyn ei weinidogaeth (Marc 1:14). Dro ar ôl tro y mae Mathew yn datgan fod yr Ysgrythurau wedi eu cyflawni ym mywyd a pherson Iesu Grist: '*Digwyddodd hyn oll fel y cyflawnid y gair a lefarwyd gan yr Arglwydd trwy'r proffwyd*' (Math. 1:22), a defnyddir yr un fformiwla sawl gwaith yn Efengyl Mathew (e.e. 2:23; 3:3; 4:14, ac eraill).

Yn drydydd, *gorchmynion moesol yr Hen Destament.* Yng Nghyfraith Moses gwnaed gorchmynion Duw yn hysbys i'w bobl. Fe'u derbyniwyd gan bawb fel y safon foesol y disgwyliwyd iddynt ymgyrraedd ati. Ond methu cyrraedd y safon fu eu hanes. Daeth Iesu i 'gyflawni'r' Gyfraith drwy ei chadw'n llwyr ac yn berffaith. Ond gwnaeth fwy nag ufuddhau iddi; dysgodd i'w ddilynwyr wir ystyr ufudd-dod.

Gwrthododd esboniad deddfol, arwynebol y Phariseaid a'r ysgrifenyddion o'r Gyfraith a'u dull mecanyddol o gadw ei gorchmynion. Er mwyn ufuddhau'n fanwl i'r Gyfraith roedd yr ysgrifenyddion wedi amcangyfrif fod ynddi 248 o orchmynion a 365 o waharddiadau. Yn ychwanegol at y rheiny roedd miloedd o fân is-reolau i esbonio sut oedd cadw'r holl orchmynion a'r gwaharddiadau. Bwriad Iesu oedd nid newid y Gyfraith, ac yn sicr nid ei diddymu, ond dangos ei gwir ystyr a'i hysbryd. Bai mawr y Phariseaid a'r ysgrifenyddion yn eu ffwdandod dros fanion oedd iddynt golli golwg ar egwyddor sylfaenol y Gyfraith, sef ceisio deall ewyllys Duw a'i gweithredu yn eu bywydau. Cadw at lythyren y Gyfraith oedd pwyslais y Phariseaid o'i gymharu â dealltwriaeth Iesu o'i gwir ystyr.

Wedi datgan mai ei bwrpas yw cyflawni'r Gyfraith dywed Iesu mai ei reswm am hynny yw y bydd Cyfraith Duw yn aros: '*Hyd nes i nef a daear ddarfod, ni dderfydd yr un llythyren na'r un manylyn lleiaf o'r Gyfraith nes i'r cwbl ddigwydd.*' Ni fydd unrhyw ran o'r datguddiad dwyfol yn yr Hen Destament yn darfod nac yn diflannu nes i'r cyfan gael ei gyflawni, ac ni ddigwydd hynny nes i nef a daear ddarfod. Mae Cyfraith Duw mor barhaol â'r bydysawd ac ni ddaw i ben nes iddi gael ei chyflawni'n berffaith, pan fydd yr holl greadigaeth hefyd yn dod i'w chyflawnder yn niwedd amser. Dyna pa mor bwysig i Iesu Grist yw Ysgrythurau'r Hen Destament.

Y Cristion a'r Gyfraith

Mae'r geiriau '*am hynny*' (adn. 19) yn gyflwyniad i anogaeth Iesu i'w ddilynwyr barchu'r Gyfraith ac ufuddhau iddi. Er mai rhannol yw'r datguddiad yn yr Hen Destament a rhannol ac amherffaith yw crefydd y Gyfraith, ni ellir eu hanwybyddu na'u diddymu. Mae gorchmynion y Gyfraith yn werthfawr fel y mae ffyn isaf ysgol yn werthfawr. Nid yw'r sawl sy'n dringo ysgol yn aros yn hir ar y ffyn isaf, ond ar yr un pryd ni fedr gyrraedd i ben yr ysgol heb ddringo'r ffyn isaf yn gyntaf. Rhaid wrth ffyn isaf Cyfraith Moses os yw'r Cristion i ddringo ysgol yr efengyl. Am i Iesu ddod i gyflawni'r Gyfraith, nid i'w dileu, y mae disgwyl i'w ddilynwyr hefyd ufuddhau iddi. Yn wir, bydd pwy bynnag fydd yn meiddio dirymu'r lleiaf o orchmynion Duw, ac yn dysgu eraill i wneud hynny, yn cael ei ystyried '*y lleiaf yn nheyrnas nefoedd*'. Er bod rhai gorchmynion yn bwysicach nag eraill, y mae hyd yn oed y lleiaf ohonynt yn bwysig gan eu bod yn orchmynion Duw. Mae hynny'n wir am y Deg Gorchymyn. Fel cyfanwaith y maent yn bwysig, i'r Cristion yn ogystal ag i'r Iddew, i gymdeithas yn ogystal ag i'r eglwys, gan eu bod yn cynnwys yr egwyddorion moesol hynny sy'n sail i wareiddiad.

Gellir crynhoi egwyddor sylfaenol y Deg Gorchymyn mewn un gair, sef *parch*. Ynddynt dysgir pobl i barchu Duw ac i barchu ei enw, i barchu dydd Duw, i barchu rhieni, i barchu bywyd, i barchu eiddo, i barchu urddas a hawliau pob person, i barchu'r gwirionedd, ac i barchu eu hunain, fel na fydd na phechod na chymhellion drwg yn eu meistroli. Yr egwyddorion hyn – parch at Dduw, at gyd-ddyn ac at yr hunan – yw seiliau cyfraith gwlad yn ogystal â hanfod cyfraith Duw. Dyna pam y mae'r Gyfraith yn dal yn bwysig i'r Cristion a pham y mae Iesu'n pwysleisio pwysigrwydd ufudd-dod iddi.

Fodd bynnag, mae Iesu'n mynd ymhellach ac yn gofyn am ufudd-dod rhagorach nag eiddo'r ysgrifenyddion a'r Phariseaid. Anodd meddwl am neb yn medru rhagori ar yr ysgrifenyddion a'r Phariseaid. Dyma ddynion oedd yn enwog am eu hymgais i gadw'r ddeddf yn ei holl fanylder. Ufuddhau i orchmynion Duw oedd hanfod eu crefydd a phrin y gallai neb gystadlu â hwy yn eu disgyblaeth a'u hymdrech i gyrraedd delfrydau uchaf Cyfraith Moses.

Os oedd Iesu am safon y medrai ei chymharu â'r hyn a ddisgwyliai oddi wrth ei ddilynwyr, ni allai ddewis yn well na'r safon a osodai'r Phariseaid a'r ysgrifenyddion. Nid am fod eu ffyddlondeb hwy yn llai a'u hufudd-dod yn fwy gwallus na'r eiddo pobl eraill. I'r gwrthwyneb, dyma'r safon uchaf a fodolai ar y pryd. Ac eto roedd yn syrthio'n fyr o'r hyn y disgwyliai Iesu i'w ddisgyblion ei chyrraedd: '*Rwy'n dweud wrthych, oni fydd eich cyfiawnder chwi yn rhagori llawer ar eiddo'r ysgrifenyddion a'r Phariseaid, nid ewch byth i mewn i deyrnas nefoedd.*'

Mae'n amlwg oddi wrth y geiriau hyn fod Iesu'n ystyried bod mwy nag un math o gyfiawnder yn bod. Y mae cyfiawnder person yn dibynnu ar y safon a osoda iddo'i hun. Gellir bod yn gyfiawn yn ôl safon deddf gwlad, neu yn ôl safon yr hyn sy'n dderbyniol gan y gymdeithas y perthynwn iddi, neu yn ôl safon cyfraith Moses. Ond y mae safon uwch eto, sef yr un a osodir gan Iesu Grist. Y cyfiawnder rhagorach yw'r cyfiawnder sy'n cyrraedd at ei safon ef. Gellir dweud tri pheth am y cyfiawnder sy'n rhagori ar gyfiawnder yr ysgrifenyddion a'r Phariseaid.

Yn gyntaf, y mae'n *gyfiawnder dyfnach*. Credai'r Phariseaid mai amod cyfiawnder oedd ufudd-dod allanol, ffurfiol, i holl fân reolau'r ddeddf Iddewig. Ond y mae Iesu'n disgwyl mwy na gweithredoedd allanol. Iddo ef, yr ysbryd a'r cymhelliad sydd y tu ôl i'r gweithredoedd sy'n bwysig – cyfiawnder mewnol, wedi ei wreiddio yn y galon. Rhagwelai'r proffwydi mai un o fendithion yr oes Feseianaidd fyddai canfod cyfiawnder y galon: *'rhof fy nghyfraith o'u mewn, ysgrifennaf hi ar eu calon, a byddaf fi'n Dduw iddynt a hwythau'n bobl i mi'* (Jer. 31:33). Cyfiawnder ar yr wyneb yw cadw llythyren y ddeddf, ond y mae Iesu'n galw am gyfiawnder dyfnach, yn deillio o galon lân, sef calon wedi ei meddiannu a'i llenwi gan ei ysbryd ef.

Yn ail, y mae'n *gyfiawnder ehangach*. Gallai'r ysgrifenyddion a'r Phariseaid gadw llythyren y ddeddf a llongyfarch eu hunain eu bod yn llwyddo i wneud hynny. Yr oedd terfyn i'r hyn y gofynnwyd iddynt ei wneud, sef ufuddhau i orchmynion y Gyfraith, ac wedi gwneud hynny gallent ystyried eu hunain yn gyfiawn yng ngolwg Duw. Yr oedd hwn yn gyfiawnder wedi ei seilio ar ddeddf. Ond nid dyna gyfiawnder y deyrnas. Mae Iesu'n symud o fyd deddf i fyd cariad, ac nid oes terfyn ar ofynion cariad. *'Câr dy gymydog a chasâ dy elyn,'* meddai'r Rabiniaid. *'Cerwch eich gelynion,'* meddai Iesu. Nid yw'r sawl sy'n ceisio byw yn ôl rheol cariad byth yn llwyddo i garu'n berffaith. Y mae gofynion cariad yn fwy ac yn ehangach na'n gallu ni i'w cyflawni.

Yn drydydd, y mae'n *gyfiawnder uwch*. Ennill cymeradwyaeth pobl eraill a wnâi'r ysgrifenyddion a'r Phariseaid. Eu nod oedd cael eu canmol a'u hedmygu am eu duwioldeb gan eu cyd-ddynion. Ond nod canlynwyr Iesu yw gwneud yr hyn sy'n gymeradwy gan Dduw. Nid yw o unrhyw bwys os yw hynny'n golygu bod yn amhoblogaidd ymhlith pobl. Y mae ganddynt nod anhraethol uwch na phoblogrwydd. Eu delfryd yw bod yn debyg i Dduw, yn blant i'r Tad, yr hwn sydd yn y nefoedd. Dyna yw'r cyfiawnder rhagorach, a meddu hwn yw amod mynediad i deyrnas nefoedd.

Cwestiynau i'w trafod

1. A ddylid rhoi mwy o sylw i'r Deg Gorchymyn o fewn addysg Gristnogol heddiw?

2. Ym mha ystyr y mae Iesu Grist yn 'cyflawni' holl ddisgwyliadau'r Hen Destament?

3. Beth yw ystyr 'cyfiawnder' yn nysgeidiaeth Iesu a sut mae cyrraedd ato?

DYSGEIDIAETH AR DDICTER

"Clywsoch fel y dywedwyd wrth y rhai gynt, 'Na ladd: pwy bynnag sy'n lladd, bydd yn atebol i farn.' Ond rwyf fi'n dweud wrthych y bydd pob un sy'n ddig wrth ei frawd yn atebol i farn. Pwy bynnag sy'n sarhau ei frawd, bydd yn atebol i'r llys, a phwy bynnag sy'n dweud wrtho, 'Y ffŵl', bydd yn ateb am hynny yn nhân uffern. Felly os wyt yn cyflwyno dy offrwm wrth yr allor, ac yno'n cofio bod gan dy frawd rywbeth yn dy erbyn, gad dy offrwm yno o flaen yr allor, a dos ymaith; myn gymod yn gyntaf â'th frawd, ac yna tyrd a chyflwyno dy offrwm. Os bydd rhywun yn dy gymryd i'r llys, bydd yn barod i ddod i gytundeb buan tra byddwch ar y ffordd yno, rhag i'th wrthwynebydd dy draddodi i'r barnwr, ac i'r barnwr dy roi i'r swyddog, ac iti gael dy fwrw i garchar. Yn wir, rwy'n dweud wrthyt, ni ddoi di byth allan oddi yno cyn talu'n ôl y geiniog olaf."

(Mathew 5:21–6)

Yn yr adran hon y mae Iesu'n mynd ymlaen i egluro natur y cyfiawnder rhagorach y cyfeiriwyd ato yn niwedd yr adran flaenorol (adn. 20). Gwna hynny gydag awdurdod gan honni'r hawl i gywiro a chyflawni deddf Moses hyd yn oed. Ei fwriad yw dangos gymaint mwy treiddgar yw gofynion y deyrnas na gofynion y Gyfraith fel y dehonglwyd hwy gan y rabiniaid. Ar ddechrau'r chwech o enghreifftiau a roddir yma ceir y geiriau gwrthgyferbyniol, *'Clywsoch fel y dywedwyd wrth y rhai gynt ... Ond rwyf fi'n dweud wrthych ...'* (adn. 21–2; 27–8; 31–2; 33–4; 38–9; 43–4). Nid yw'n ceisio amddiffyn ei hawl na'i awdurdod i ddehongli gwir ofynion y Gyfraith, dim ond mynegi ei safbwynt yn dawel a phendant. Dywed y Gyfraith na ddylid dial ar neb; dywed Iesu na ddylid digio. Dywed y Gyfraith na ddylid godinebu; dywed Iesu na ddylid dal meddyliau chwantus. Dywed y Gyfraith y gellid ysgaru ar amod arbennig; dywed Iesu na ddylid ysgaru o gwbl. Dywed y Gyfraith na ddylid tyngu llw twyllodrus; dywed Iesu na ddylid tyngu llw o gwbl. Dywed y Gyfraith, 'llygad am lygad'; dywed Iesu na ddylid talu'n ôl o gwbl. Dywed y Gyfraith y dylid caru cymydog; dywed Iesu y dylid caru gelyn.

Nid dilorni'r Gyfraith fel y cyfryw a wna Iesu ond yn hytrach yr esboniadau diweddarach arni a luniwyd gan y rabiniaid. Y traddodiadau rabinaidd sydd ganddo mewn golwg wrth gyfeirio at '*y rhai gynt*'. Ond fe ystyrid y traddodiadau hynny bron mor gysegredig â'r Gyfraith ei hun. Pa ryfedd felly i elynion Iesu ei gyhuddo o gabledd? Yr oedd yn meiddio dehongli gofynion y Gyfraith yn ei enw ei hun ac ar ei awdurdod ei hun. Os nad yw'n cyhoeddi deddf uwch na'r un a gyhoeddwyd gynt ar Fynydd Sinai, y mae'n cyhoeddi dehongliad uwch o'r ddeddf honno nag a ddysgwyd gan holl rabiniaid yr oesau. Y mae awdurdod unigryw yn perthyn i Iesu na feiddiwn ei wadu. Cyn y gallwn ddechrau deall nac ufuddhau i ofynion y Bregeth ar y Mynydd rhaid ein hargyhoeddi o awdurdod unigryw y sawl sy'n ei thraddodi.

Y mae dau beth yn dilyn o ddehongliad Iesu o ofynion y Gyfraith. Yn gyntaf, y mae'n gosod safon newydd, uwch, i fywyd ac ymddygiad ei ddilynwyr. Nid ufuddhau i reolau allanol yw'r gofyn mwyach, ond ufudd-dod mewnol y galon, sef purdeb meddwl a chymhelliad. Yn ail, y mae ufudd-dod o'r fath y tu hwnt i allu unrhyw fod dynol. Ni all unrhyw un sefyll gerbron Duw a hawlio nad yw erioed wedi meddwl yn ddrwg am neb na gwybod am flysiau a chwantau amhur. O ganlyniad y mae safon newydd Iesu yn atalfa rhag pob balchder a hunangyfiawnder ac yn gyrru ei ddilynwyr i bwyso'n unig ar ras a thrugaredd Duw.

Digio wrth Frawd

Yn y gorchymyn i beidio â digio deuwn at yr esiampl gyntaf o'r safon newydd a osodir gan Iesu. '*Na ladd*,' meddai'r hen ddeddf. Er bod hwn yn orchymyn oddi wrth Dduw nad oedd gan neb hawl i'w liniaru na'i wneud yn ddi-rym, yr oedd y rabiniaid yn caniatáu dienyddio troseddwyr a lladd gelyn mewn rhyfel. Yr esboniad traddodiadol oedd fod y gorchymyn yn cyfeirio'n benodol at lofruddiaeth, ond mae Iesu'n rhoi ei eglurhad ei hun: '*Ond rwyf fi'n dweud wrthych ...*' ac yn gosod ei hun ar wahân i'r traddodiad ac uwchlaw iddo. Gyda'r awdurdod foesol honno na feiddiai neb arall ei honni dywed fod y sawl '*sy'n ddig wrth ei frawd*' (adn. 22), yr un mor euog â llofrudd a dedfryd Duw arno yr un mor sicr. Y mae llofruddio'n weithred allanol, ond y mae dicter yn agwedd fewnol, yn perthyn i fyd y galon a'r ysbryd. Pan fo cyfraith mewn llyfr yn unig y mae ufuddhau iddi yn fater o gadw rheolau allanol. Ond pan fo cyfraith yn y galon y mae a wnelo hi â theimladau, dyheadau a chymhellion. Yn yr hen gyfieithiad condemnir y sawl sy'n ddig wrth ei frawd '*heb ystyr*', hynny yw, heb achos. Ond nid yw'r ychwanegiad i'w gael yn y llawysgrifau hynaf. Yn hytrach, y mae Iesu'n gwahardd dicter yn llwyr. Rhaid i ddyn nid yn unig ymatal rhag taro ei frawd, rhaid iddo fod yn rhydd o unrhyw ddymuniad i wneud hynny. Nid yw i roi lle i unrhyw deimladau cas yn ei erbyn.

Yn y Groeg ceir dau air am ddicter, sef *thumos*, a olyga wylltineb dros dro, colli limpyn, neu ffrwydriad o dymer wyllt sy'n gostegu'n fuan, ac *orgizesthai*, a olyga atgasedd dwfn, parhaol, di-baid, yn gwenwyno'r galon a'r ysbryd, yn lladd perthynas ac yn achosi llu o broblemau teuluol a chymdeithasol. Dyna'r dicter a ddisgrifir gan Iesu yn yr adran hon. Ac fe'i hystyrir ganddo'n elfen mor niweidiol a pheryglus fel bod person dicllon '*yn atebol i farn*' (adn. 22). Y mae'r sawl sy'n ymatal rhag llofruddio'i frawd yn gwbl ddieuog yng ngolwg cyfraith gwlad, ond os yw ei galon yn llawn dicter nid yw'n ddieuog yng ngolwg Duw. Gan mai yn y galon y mae gwraidd pob drwg, dicter yn y galon yw gwraidd llofruddiaeth. Gwyddom mai o fewn teuluoedd y digwydd nifer fawr o lofruddiaethau. Bydd rhywun yn colli ei dymer, yna'n colli rheolaeth arno'i hun ac yn ymosod yn ffyrnig ar ŵr neu wraig neu bartner, neu hyd yn oed blentyn bach. Nid amgylchiadau allanol yw man cychwyn y drwg sydd yn y byd ond calonnau drygionus. Newid calonnau yw amcan chwyldroadol Iesu Grist, sef mynd at wraidd y drwg yn nyfnder y galon ddynol. Nid bod pob dicter yn ddrwg. Y mae math o ddicter sydd yn gyfiawn, sef y dicter sy'n codi o weld anghyfiawnder ar waith, y tlawd yn cael eu gormesu a'r diniwed yn dioddef gormes a chamdriniaeth. Cyfeiria Luther at 'ddicter cariad, nad yw'n dymuno drwg i neb, sy'n garedig tuag at bawb, ond yn wrthwynebus i bob drygioni'. Cyfeirio a wna Iesu at ddicter anghyfiawn, yn codi o falchder, casineb, malais ac ysbryd dialgar.

Sarhau Brawd

Symudir oddi wrth deimladau mewnol o ddicter at eiriau sarhaus a dirmygus: '*Pwy bynnag sy'n sarhau ei frawd, bydd yn atebol i'r llys*' (adn. 22). Yn yr hen gyfieithiad ceir, *'A phwy bynnag a ddywedo wrth ei frawd, Raca ...'* – term o ddirmyg yn golygu twpsyn, dwlyn, hurtyn. Erbyn dyddiau Iesu roedd i'r gair ystyron crefyddol a moesol, yn dynodi person oedd yn gwadu bodolaeth Duw ac o ganlyniad yn byw yn ofer ac afradlon.

Er enghraifft, meddai Salm 14:1, *'Dywed yr ynfyd yn ei galon, "Nid oes Duw." Gwnânt weithredoedd llygredig a ffiaidd; nid oes un a wna ddaioni.'* Mae'r gair *Raca*, felly, yn awgrymu'r dirmyg eithaf, yn bwrw sen ar allu meddyliol dyn a'i gymeriad moesol, ac y mae'r sawl sy'n ei ddefnyddio am ei gyd-ddyn yn haeddu ei ddwyn o flaen llys y Sanhedrin. Dull o siarad yw hyn i ddangos maint y pechod. Ond y mae Iesu'n mynd ymhellach ac yn dweud fod y sawl sy'n dweud wrth ei frawd, *'Y Ffŵl'* – term llawer llai sarhaus – yr un mor euog. Yn nehongliad Iesu o'r gorchymyn 'Na ladd', y mae'r sawl sydd ag ysbryd llofruddiaeth yn ei galon, er iddo fynegi ei hun mewn geiriau yn unig, yr un mor euog â'r sawl sy'n llythrennol yn cyflawni llofruddiaeth. Y mae meddyliau a bwriadau atgas, cudd, mor niweidiol â gweithredoedd dinistriol agored. Sylfaen moesoldeb Iesu yn y Bregeth ar y Mynydd yw parch tuag at bersonoliaeth. Ymosod ar bersonoliaeth y mae'r sawl sy'n lladd, yn digio, yn sarhau ac yn casáu ei gyd-ddyn. Ni roddai Iesu ddim byd yn uwch ei werth na bywyd dynol. Nid oedd cyfoeth materol i'w gymharu â gwerth dyn: *'Gymaint mwy gwerthfawr yw dyn na dafad'* (Math. 12:12). Nid oedd na thraddodiad na sefydliad i flaenori ar berson mewn angen: *'Y Saboth a wnaethpwyd er mwyn dyn, ac nid dyn er mwyn y Saboth'* (Marc 2:27). Trais yn erbyn personoliaeth yw hanfod pob pechod. Egwyddor sylfaenol Albert Schweitzer oedd ei bwyslais ar 'barch at fywyd' – egwyddor a ddysgodd Iesu Grist ugain canrif yn ôl. Ond nid fel syniad haniaethol y dysgai Iesu barch at bersonoliaeth. Hawdd yw siarad yn gyffredinol am garu'r ddynoliaeth. Y gamp yw caru'r bobl y deuwn i gyswllt â hwy bob dydd, yn gymdogion, yn gyd-weithwyr, yn berthnasau ac yn aelodau o'r un eglwys â ni. Caru pobl bob yn un ac un a wna Iesu, a phan ddirmygwn berson arall mewn unrhyw fodd, yr ydym yn pechu yn erbyn plentyn i Dduw, ac felly yn erbyn Duw ei hun.

Dyna pam y mae'r sawl sy'n sarhau ei frawd yn agored i gael ei gosbi *'yn nhân uffern'* (adn. 22); yn llythrennol, 'yn nyffryn Gehenna'.

Enw ar geunant serth ar gyrion Jerwsalem oedd Gehenna. Yno y llosgwyd ysbwriel y ddinas ac yng nghyfnod Iesu defnyddiwyd y lle fel man i gosbi pechaduriaid. O ganlyniad aeth yn symbol o uffern, ond ni ddylid dehongli'r geiriau'n llythrennol i olygu fod cosb yn nhân uffern. Yn hytrach, dweud y mae Iesu fod y sawl sy'n sarhau cyd-ddyn yn dwyn niwed arno'i hun.

Faint bynnag o boen a achosa i'w gyd-ddyn, y troseddwr ei hun sy'n dioddef fwyaf . Mae ei feddyliau atgas a'i ysbryd maleisus yn ei suro oddi mewn, yn gwenwyno'i enaid ac yn lladd ei gymeriad.

Wrth yr Allor ac yn y Llys

Ceir cymhwysiad o'r ddysgeidiaeth i beidio â digio a pheidio â sarhau person arall mewn dwy enghraifft o bwysigrwydd cymodi rhwng dau. Y mae a wnelo'r gyntaf â'r arferiad o ddwyn offrwm i'r deml fel arwydd o edifeirwch ac i geisio cymod â Duw. Yr oedd disgwyl i'r Iddew a ddygai ei aberth i'r deml i gyflawni defodau arbennig o buredigaeth cyn y gallai nesáu at yr allor. Ond y mae Iesu yma eto yn rhoi ystyr ysbrydol i'r arferiad drwy bwysleisio'r cymhelliad mewnol yn fwy na'r weithred allanol. Nid dwylo glân yw unig amod agosáu at yr allor, ond calon lân. Ni all yr addolwr brofi perthynas o gymod â Duw ond drwy fod mewn cymod â'i frawd. Y mae ei safle gerbron Duw yn dibynnu'n llwyr ar ei agwedd tuag at ei gyd-ddynion. Wrth ddweud hyn nid yw Iesu ond yn ail-ddweud yr hyn a ddysgai'r Rabiniaid, sef fod rhaid i ddyn geisio maddeuant gan gymydog y gwnaeth gam ag ef cyn y gallai ofyn maddeuant gan Dduw. Yr oedd hyn yn cadarnhau dysgeidiaeth y proffwydi mawr. Condemniodd Amos rai oedd yn huawdl yn eu gweddïau yn y deml, ond yn twyllo'r tlodion drwy ddefnyddio mesurau prin a chloriannau twyllodrus yn eu marchnadoedd. Pobl hael eu haberthau, ond yn *'gwerthu'r cyfiawn am arian a'r anghenog am bâr o sandalau'* (Amos 2:6). Meddai Duw, trwy ei broffwyd, wrth y bobl hyn, *'Yr wyf yn casáu, yr wyf yn ffieiddio eich gwyliau; nid oes imi bleser yn eich cymanfaoedd'* (Amos 5:21). Nid yw Duw yn derbyn offrwm y sawl sydd ddim mewn cymod â'i frawd. A cheir yr un pwyslais yn y Testament Newydd. *'Câr yr Arglwydd dy Dduw â'th holl galon ac â'th holl enaid ac â'th holl feddwl ... Câr dy gymydog fel ti dy hun'* (Math. 22:37, 39). Nid dau orchymyn ar wahân yw'r rhain ond un gorchymyn hollgynhwysfawr. Ac oni ddywedodd Iesu fod gweithred o wasanaeth i gyd-ddyn yn weithred o wasanaeth iddo ef (Math. 25:40)? Datblygir yr un thema yn Epistol Cyntaf Ioan: *'Os dywed rhywun, "Rwy'n caru Duw", ac yntau'n casáu ei gydaelod, y mae'n gelwyddog; oherwydd ni all neb nad yw'n caru cydaelod y mae wedi ei weld, garu Duw nad yw wedi ei weld'* (4:20).

Does dim amdani felly ond i'r addolwr adael ei offrwm o flaen yr allor a mynd i gymodi'n gyntaf â'i frawd. Yna, wedi cymodi, gall ddychwelyd a chyflwyno'i offrwm. Mae'r un egwyddor yn berthnasol i ninnau. Ni fedrwn dderbyn o fendithion y Cymun Sanctaidd â rhywbeth rhyngom a'n cyd-ddyn. Meddai A. M. Hunter, 'The breach between man and God cannot be healed until the breach between man and man is healed.' Pan dorrir y berthynas rhyngom a'n cyd-ddyn y mae addoli Duw yn amhosibl. Dyna gosb fwyaf diffyg cymod â'n brawd. Er y byddai Iddew yn dehongli'r cyfeiriad at *'frawd'* i olygu ei gyd-Iddew, i Iesu golyga gyd-ddyn, pwy bynnag y bo.

Tanlinellu'r un neges yw amcan yr ail eglureb yn pwysleisio nad oes dim amser i'w golli cyn unioni cam a chymodi: *'Os bydd rhywun yn dy gymryd i'r llys, bydd barod i ddod i gytundeb buan tra byddwch ar y ffordd yno'* (adn. 25). Gellir dehongli'r geiriau hyn yn gwbl lythrennol fel cyngor doeth ac ymarferol i setlo pethau gynted â phosibl ag unrhyw un y mae dyn mewn dyled iddo. O beidio â gwneud hynny yr arferiad mewn llys barn Iddewig oedd i'r dyledwr gael ei drosglwyddo i swyddog y llys ac i hwnnw ei garcharu hyd nes iddo dalu'r ddyled yn ôl yn llawn. Gwyddom o brofiad mai doeth yw delio ag unrhyw anghydfod yn gyflym cyn i sefyllfa waethygu ac i ffrae ymledu. Bu oedi cyn gwneud hynny'n achos rhwyg yn aml o fewn teuluoedd, eglwysi a chymdogaethau. Dylid setlo pob cweryl a cheisio cytundeb yn ddiymdroi.

Ond y mae'r rhybudd difrifol yn adn. 26 yn awgrymu bod ystyr dyfnach i'r geiriau. Mae Luc yn defnyddio'r un geiriau mewn perthynas â Dydd y Farn (Luc 12:58), fel anogaeth i frysio i gymodi cyn gorfod wynebu barn Duw. Yr un yw'r egwyddor: ni all person fod mewn iawn berthynas â Duw onid yw mewn iawn berthynas â chyd-ddyn.

Cwestiynau i'w Trafod

1. Beth yw'r gwahaniaeth rhwng dicter cyfiawn a dicter anghyfiawn?

2. Pam mae anghydfod rhwng dyn a'i frawd yn gwneud cymod rhyngddo a Duw yn amhosibl?

3. Pam y mae'n bwysig setlo anghydfod yn ddiymdroi? Beth yw peryglon oedi?

DYSGEIDIAETH AR ODINEB

"Clywsoch fel y dywedwyd, 'Na odineba.' Ond rwyf fi'n dweud wrthych fod pob un sy'n edrych mewn blys ar wraig, eisoes wedi cyflawni godineb â hi yn ei galon. Os yw dy lygad de yn achos cwymp iti, tyn ef allan a'i daflu oddi wrthyt; y mae'n fwy buddiol iti golli un o'th aelodau na bod dy gorff cyfan yn cael ei daflu i uffern. Os yw dy law dde yn achos cwymp iti, tor hi ymaith a'i thaflu oddi wrthyt; y mae'n fwy buddiol iti golli un o'th aelodau na bod dy gorff cyfan yn mynd i uffern."

(Mathew 5: 27–30)

Yn stori'r creu yn Llyfr Genesis dywed Duw wrth yr anifeiliaid a'r adar, '*Byddwch ffrwythlon ac amlhewch*' (Gen. 1:22). Yn yr un modd, wedi creu dyn, yn wryw ac yn fenyw, dywed wrthynt hwythau, '*Byddwch ffrwythlon ac amlhewch, llanwch y ddaear a darostyngwch hi*' (Gen. 1:28). Yn ôl cynllun a bwriad y Creawdwr yr oedd anifeiliaid a bodau dynol fel ei gilydd i epilio a lluosogi yn yr un modd, sef trwy berthynas rywiol, ond gyda hyn o wahaniaeth: yr oedd cenhedlu dynol i ddigwydd o fewn cyd-destun priodas. Gan fod y Creawdwr yn gosod bodau dynol ar wastad uwch nag anifeiliaid, a chan fod i genhedlu dynol bwysigrwydd neilltuol yn ei olwg, darparodd Duw iddo amddiffynfa arbennig. Ond y mae priodas yn fwy na chlawdd amddiffynnol i genhedlu plant o'i fewn, y mae'n bod hefyd i roi gofal iddynt, i'w meithrin a'u hyfforddi. Rhaid i blentyn wrth ofal, cariad a chyfarwyddyd ei rieni. A hyd yn oed wedi iddo aeddfedu a thyfu y mae'n dymuno parhau mewn perthynas â'i dad a'i fam. Y mae i blentyn gael ei amddifadu o dad neu fam, neu golli cyswllt â'r naill neu'r llall, yn gallu achosi ansicrwydd a phryder. Y mae priodas a theulu yn ffurfio gwarchodfa sefydlog o gariad a gofal sy'n angenrheidiol yn gymdeithasol, yn seicolegol ac yn ysbrydol.

Y mae diogelwch y warchodfa hon yn dibynnu ar ffyddlondeb gŵr a gwraig, y naill i'r llall. Dyna pam y dywed seithfed gorchymyn y Gyfraith, '*Na odineba*' (Exodus 20:14). Y mae'r sawl sy'n godinebu yn chwalu clawdd gwarchodfa gysegredig priodas. Yn ôl dehongliad y

71

rabiniaid, ystyr 'godinebu' oedd cael cysylltiad anfoesol â gwraig briod. A chan fod godineb yn cael ei ystyried yn weithred mor ysgeler, yn ôl cyfreithiau Lefiticus, yr oedd godinebwyr i'w dienyddio: '*Os bydd unrhyw un yn godinebu gyda gwraig ei gymydog, y mae'r godinebwr a'r odinebwraig i'w rhoi i farwolaeth*' (Lef. 20:10). I'r rabiniaid, fel i ddeddfwyr Lefiticus, y weithred allanol oedd yn bechadurus. Nid yw Iesu'n gwadu euogrwydd y weithred, ond iddo ef y mae'r gorchymyn yn cynnwys llawer mwy na hynny. Y mae'n gwneud yr un peth â'r gorchymyn hwn ag a wnaeth â'r chweched gorchymyn, 'Na ladd,' sef ei symud o fyd y weithred allanol i fyd y cymhelliad mewnol. Fel roedd y gwaharddiad 'Na ladd' yn cynnwys meddwl dicllon a geiriau sarhaus, felly hefyd y mae'r gwaharddiad 'Na odineba' yn cynnwys edrychiad chwantus a dychymyg amhur. Gellir lladd â geiriau; gellir godinebu yn y galon a'r dychymyg.

Crefydd a Rhyw

Cyn dadansoddi geiriau Iesu ymhellach rhaid gwneud dau bwynt am yr athrawiaeth feiblaidd am ryw. Nid oes unrhyw awgrym yng ngeiriau Iesu yn yr adran hon nac ychwaith yn yr Hen Destament yn gyffredinol fod rhyw yn bechadurus. I'r gwrthwyneb, ystyrir perthynas rywiol o fewn priodas fel rhodd Duw i'w mwynhau a'i dathlu. '*Creodd Duw ddyn ar ei ddelw ei hun; ar ddelw Duw y creodd ef; yn wryw ac yn fenyw y creodd hwy*' (Gen. 1:27). Mor gysegredig yw'r berthynas hon rhwng gŵr a gwraig fel i awdur Genesis ychwanegu, '*Dyna pam y bydd dyn yn gadael ei dad a'i fam, ac yn glynu wrth ei wraig, a byddant yn un cnawd*' (Gen. 2:24). Ac yng Nghaniad Solomon ceir cyfres o gerddi serch yn dathlu cariad mab a merch a'r mwynhad a gânt yng nghwmni ei gilydd. Nid oes unrhyw arlliw o anghymeradwyaeth, o gulni meddwl nac o fursendod ynglŷn â rhyw yn y Beibl. Mae'n syndod felly fod Cristnogion wedi cymryd agwedd mor negyddol tuag at ryw, rhai hyd yn oed, yn y gorffennol, wedi ystyried y weithred rywiol yn rhywbeth cynhenid bechadurus.

Yr ail beth i'w ddweud yw mai un agwedd ar gariad yw rhyw. Y mae cariad yn amlweddog. Defnyddiai'r Groegiaid dri gair gwahanol i ddynodi gwahanol agweddau ar y gair 'cariad', sef *philia, eros* ac *agapé*. Ystyr *philia* yw cyfeillgarwch; y math o gariad sy'n bodoli rhwng ffrindiau.

Hwn yw'r cariad sy'n creu cymdeithas, yn dyfnhau perthynas pobl â'i gilydd, yn meithrin cymwynasgarwch ac yn creu cymdogaeth dda. Y mae i *philia* le pwysig o fewn cariad gŵr a gwraig, sef bod yn gyfeillion, mwynhau cwmni ei gilydd, rhannu'r un diddordebau a thyfu mewn ymddiriedaeth. Sawl priodas sydd wedi methu oherwydd fod yr agwedd arbennig hon wedi darfod ym mherthynas gŵr a gwraig?

Eros yw'r gair a ddefnyddir i ddisgrifio cariad rhywiol. Ohono y daw'r gair 'erotig'. Y mynegiant *corfforol* o gariad yw *eros.* Ond onid yw rhyw yn fynegiant o gariad, y mae'n dirywio i fod yn ddim ond chwant cnawdol – yr hyn y mae Iesu'n ein rhybuddio amdano yn yr adran hon. Un o nodweddion ein cymdeithas gyfoes yw fod rhyw wedi ei gwahanu oddi wrth gariad ac wedi dod yn fasnach yn cael ei hybu gan gylchgronau, fideos, llenyddiaeth a ffilmiau pornograffig. Cynnydd a dylanwad y fasnach hon, ynghyd â'r diwylliant goddefol sydd bellach yn nodweddu'r rhan fwyaf o wledydd Ewrop, sy'n gyfrifol am y cynnydd brawychus mewn tor-priodas a'r cynnydd hefyd yn nifer y parau ifanc sy'n dewis cyd-fyw yn hytrach na phriodi. Mae hynny eto'n tanseilio priodas a theulu – cerrig sylfaen cymdeithas waraidd.

Os yw *philia* ac *eros* i fynd law yn llaw o fewn perthynas gŵr a gwraig, rhaid hefyd wrth y drydedd wedd ar gariad, sef *agapé*. Dyma'r gair a ddefnyddir yn y Testament Newydd i ddynodi cariad Duw. Hwn yw'r cariad perffaith, anhunanol, aberthol a fynegwyd ym mywyd, gweinidogaeth a chroeshoeliad Iesu Grist. Er ei fod yn uwch ac yn rhagorach nag unrhyw fath o gariad dynol, eto, drwy'r Ysbryd Glân, y mae'n hydreiddio bywyd y Cristion. Dyma wedd arall ar gariad – y wedd ysbrydol. Ystyr priodas o safbwynt y ffydd Gristnogol yw fod yr *agapé* dwyfol yn llenwi a sancteiddio'r cariad dynol sy'n dwyn mab a merch at ei gilydd ac yn puro a grymuso'r *philia* a'r *eros* dynol sydd hefyd yn elfennau hanfodol o fewn eu perthynas. Rhaid cadw'r agweddau gwahanol hyn ar briodas Gristnogol mewn undod: y gymdeithasol, y rhywiol a'r ysbrydol. O'u gwahanu, fel sy'n digwydd yn ein cymdeithas gyfoes, y mae'r elfen rywiol, heb ei ffrwyno gan y gymdeithasol a'r ysbrydol, yn mynd ar gyfeiliorn ac yn achosi anhrefn – yn tanseilio priodas, yn rhwygo teuluoedd ac yn bygwth sefydlogrwydd cymdeithas. Dyna pam y mae Iesu Grist yn dyfynnu ac yn cymeradwyo'r seithfed gorchymyn, 'Na odineba'. Ond, fel y dywedwyd eisoes, aeth Iesu ymhellach a dangos mai ym myd y dychymyg a'r galon y mae gwraidd pechod: *'Ond rwyf fi'n dweud wrthych fod pob un sy'n edrych mewn blys ar wraig, eisoes wedi cyflawni godineb â hi yn ei galon'* (adn. 28). Codi allan o chwantau'r galon y mae gweithredoedd allanol y corff. I Iesu y mae ystyr ac ansawdd pob gweithred i'w canfod, nid yn y weithred ei hun, ond yn yr ysbryd, y dychymyg a'r cymhelliad sydd tu ôl iddi. Nid yn aelodau'r corff y mae tarddiad da a drwg ond yn y galon. Yno y mae ennill neu golli'r frwydr foesol.

Y Llygad a'r Llaw

Gan iddo sôn am odineb fel cyflwr meddwl a dychymyg golyga hynny fod Iesu'n cyfeirio at anfoesoldeb yn gyffredinol. Er iddo sôn am *'edrych mewn blys ar wraig'* (adn. 28), camgymeriad yw tybio mai dynion yn unig sy'n euog o chwantau anfoesol a'i fod yn cyfeirio'n unig at ddynion priod, nid dynion dibriod. Yn hytrach y mae ei bwyslais ar unrhyw anfoesoldeb rhywiol, o du gwŷr neu wragedd, mewn meddwl a gweithred, mewn edrychiad a dychymyg. Mae cyfeiriad Iesu at *edrych* yn mynd at wraidd neu fan cychwyn pob ymddygiad anfoesol. Yn amlach na pheidio, dechrau gyda'r llygaid y mae pechod. Gwelir hynny yn hanes cynnar gardd Eden. Gweld fod y pren *'yn deg i'r golwg'* (Gen. 3:6) a wnaeth Efa yn y lle cyntaf. O'r hyn a welodd ei llygaid y cododd dymuniad yn ei chalon i fwyta o'i ffrwyth, a'r dymuniad a arweiniodd at y weithred. *Gweld* fod offrwm Abel yn fwy ffafriol yng ngolwg yr Arglwydd a barodd i Gain ddigio yn ei galon ac i'w ddig arwain at y weithred o ladd ei frawd.

Man cychwyn stori drist godineb Dafydd gyda Bathseba oedd i Ddafydd *weld* Bethseba'n ymolchi (2 Samuel 11). Arweiniodd y gweld at holi pwy oedd y wraig, ac arweiniodd yr holi at anfon amdani a hynny at gydorwedd â hi. Yn hanes Dafydd gwelir fod torri un gorchymyn, *'Na odineba'*, yn arwain at dorri gorchymyn arall, *'Na ladd'*. Dechrau'r drychineb oedd edrych yn chwantus ar wraig gŵr arall, yna godinebu â hi, ac yn y diwedd llofruddio'i gŵr. Yn wahanol i'r brenin Dafydd y mae Job yn gallu hawlio ei fod wedi disgyblu ei lygaid: *'Gwneuthum gytundeb â'm llygaid i beidio â llygadu merch'* (Job 31:1). Yna dywed am ei galon: *'Os gwyrodd fy ngham oddi ar y ffordd, a'm calon yn dilyn fy llygaid ... os denwyd fy nghalon gan ddynes'* (31:7, 9), byddai'n cydnabod ei bechod ac yn derbyn cosb yr Arglwydd. Ond nid oedd Job yn euog o'r pethau hyn. Roedd wedi llwyddo i feistroli ei lygaid ac felly heb lygru ei galon.

Y mae dysgeidiaeth Iesu ac esiampl Job yn berthnasol i bob oes ac yn enwedig i'n dyddiau ni. Cychwyn anlladrwydd ac anfoesoldeb yw ffantasïau aflan; tanio'r dychymyg â darluniau amhur y galon. John Ruskin a ddisgrifiodd y dychymyg fel 'the art gallery of the mind'. Gellid ychwanegu mai'r llygaid yw ffenestri'r oriel gan mai drwyddynt y daw'r darluniau i lenwi'r dychymyg. Y dychymyg dynol fu tarddiad celfyddyd, cerddoriaeth a llenyddiaeth fawr y byd, yn ogystal â dyfeisiadau a gorchestion aruchel. Y mae'r dychymyg yn cyfoethogi bywyd, yn ehangu profiad ac yn ysbrydoli gallu creadigol dyn. Y mae'n un o roddion gwerthfawrocaf Duw. Ond fel pob dawn a chynneddf arall rhaid ei warchod a'i ddefnyddio'n gyfrifol. Hawdd iawn yw difwyno a llygru'r dychymyg, yn enwedig pan ddaw darluniau aflednais iddo drwy'r llygaid. Dyma pam y mae pornograffi, mewn darluniau, ffilmiau, cylchgronau a chyfryngau eraill, yn niweidiol; yn baeddu'r dychymyg, yn gwyrdroi ymddygiad, yn hybu anniweirdeb ac yn tanseilio priodas a theulu.

Yn y frwydr fewnol i geisio sylweddoli purdeb meddwl a dychymyg y mae rhai rhwystrau y mae'n rhaid delio â hwy. '*Os yw dy lygad de yn achos cwymp iti, tyn ef allan a'i daflu oddi wrthyt*' (adn. 29). I ambell un, methiant i ddisgyblu ei lygaid sy'n ei arwain ar gyfeiliorn; i un arall ei '*law dde*' sy'n creu anawsterau. Y feddyginiaeth, yn ôl Iesu, yw, '*tor hi ymaith a'i thaflu oddi wrthyt*' (adn. 30). Defnyddio iaith ffigurol a wna Iesu wrth gwrs. Ni fuasai tynnu'r llygad yn llythrennol na thorri ymaith y llaw dde yn symud y meddwl chwantus o'r galon. Pledio y mae Iesu am hunanddisgyblaeth; bod unrhyw beth a all fod yn achos i ddyn bechu, i'w dorri allan o'i fywyd; bod rhaid i bob rhan o'i gyfansoddiad – pob greddf a dawn a chynneddf – gael eu dwyn o dan ddisgyblaeth gras Duw a'u defnyddio i'r amcanion uchaf. Llygad wedi ei ddisgyblu a'i hyfforddi i edrych ar y cain a'r prydferth yw llygad yr arlunydd. Llygad annisgybledig, yn edrych ar yr aflednais ac ar ddelweddau rhywiol, yw llygad y godinebwr. Llaw wedi ei haddysgu a'i chyfeirio i greu ac i wneud daioni yw llaw y crefftwr, y cerddor a'r llawfeddyg. Llaw heb ei ffrwyno a'i rheoli yw llaw y llofrudd a'r lleidr. Y mae ym mhob dawn a greddf y posibilrwydd o wneud da neu o wneud drwg, o gyfoethogi bywyd neu o'i lygru. Os yw dawn neu gynneddf yn cael ei gwyrdroi a'i llygru fel ei bod yn taflu enaid oddi ar ei echel, rhaid torri ymaith yr hyn sy'n peri iddo fynd ar gyfeiliorn.

Ceir yr un gorchymyn yn Efengyl Marc (Marc 9:4–8), ond nid mewn perthynas â godineb fel y cyfryw, ond â phopeth sy'n achosion cwymp, gan gynnwys y droed yn ogystal â'r llaw a'r llygad. Ond nid yw Iesu am inni'n llythrennol wneud niwed corfforol i ni ein hunain. Yr hyn a olyga wrth '*lygad de*' a '*llaw dde*' yw'r pethau hynny sy'n atyniadol inni ond sydd yn ysbrydol niweidiol. Y mae ceisio ymgyrraedd at burdeb moesol yn anodd ac yn galw am aberth, ymroddiad a disgyblaeth. Yn wir nid yw'n bosibl ar lefel foesol yn unig, ond yn hytrach ar lefel yr efengyl. Gwyddom yn dda na fedrwn, drwy ein hymdrech ein hunain, buro'r galon a'r dychymyg o bob meddwl drwg; ond tdwy orseddu Crist yn y galon, drwy bwyso ar ras a chariad Duw, a thrwy weddïo gyda Phantycelyn:

> O! sancteiddia f'enaid, Arglwydd,
>   ymhob nwyd ac ymhob dawn;
> rho egwyddor bur y nefoedd
>   yn fy ysbryd llesg yn llawn:
> n'ad im grwydro
>   draw nac yma fyth o'm lle.

Cwestiynau i'w Trafod:

1. Pa ffactorau sy'n gyfrifol am y dirywiad moesol sydd wedi digwydd yn y Gorllewin dros y deugain mlynedd diwethaf?

2. Ym mha ystyr y mae'r dychymyg yn effeithio ar ymddygiad a gallu creadigol dyn?

3. Beth dybiwch chi a olygai Iesu wrth dynnu'r llygad de a thorri ymaith y llaw dde?

DYSGEIDIAETH AR YSGARIAD

"*Dywedwyd hefyd, 'Pwy bynnag sy'n ysgaru ei wraig, rhodded iddi lythyr ysgar.' Ond rwyf fi'n dweud wrthych fod pob un sy'n ysgaru ei wraig, ar wahân i achos o anffyddlondeb, yn peri iddi hi odinebu, ac y mae'r sawl sy'n priodi gwraig a ysgarwyd yn godinebu.*"

(Mathew 5:31–2)

Yn ddigon naturiol daw pwnc ysgariad ar ôl trafodaeth ar odineb yn yr adran flaenorol. Dyfynnir i ddechrau yr hyn a ddywedir yng nghyfraith Moses ar y pwnc, "*Dywedwyd hefyd, 'Pwy bynnag sy'n ysgaru ei wraig, rhodded iddi lythyr ysgar'*" (adn. 31). Nid sefydlu ysgariad fel arferiad derbyniol a wnâi'r Gyfraith gyda'r cyfarwyddyd hwn ond ei dderbyn yn ffaith a gosod i lawr ganllawiau i'w gyfyngu ac i atal camddefnydd ohono. Nid hybu ysgariad oedd bwriad cyfarwyddiadau'r Gyfraith ond yn hytrach ddiogelu priodas. Dyfynnu o'r cyfarwyddiadau hynny fel y ceir hwy yn Llyfr Deuteronomium a wnaeth Iesu: '*Os bydd dyn wedi cymryd gwraig a'i phriodi, a hithau wedyn heb fod yn ei fodloni am iddo gael rhywbeth anweddus ynddi, yna y mae i ysgrifennu llythyr ysgar iddi, a'i roi yn ei llaw a'i hanfon o'i dŷ. Wedi iddi adael ei dŷ, os daw yn wraig i rywun arall, a hwnnw wedyn yn ei chasáu ac yn ysgrifennu llythyr ysgar iddi, a'i roi yn ei llaw a'i hanfon o'i dŷ, neu os bydd yr ail ŵr yn marw, yna ni all ei phriod cyntaf, a oedd wedi ei hysgaru, ei hailbriodi wedi iddi gael ei halogi. Byddai hynny'n beth ffiaidd gerbron yr Arglwydd, ac nid ydych i ddwyn pechod ar y wlad y mae'r Arglwydd eich Duw yn ei rhoi'n feddiant ichwi*' (Deut. 24:1–4). Yn ôl y cyfarwyddiadau hyn gallai dyn ysgaru ei wraig drwy roi iddi lythyr ysgar, ond nid oedd unrhyw gyfarwyddiadau i alluogi gwraig i ysgaru ei gŵr. Yr oedd dau reswm am hynny. Yn gyntaf, ym mhob achos o odineb y wraig a ystyrid yn euog, nid y gŵr. Ac yn ail, yn ôl y Gyfraith Iddewig, yr oedd y wraig yn eiddo i'w gŵr ac felly ni allai dyn droseddu yn erbyn yr hyn oedd yn eiddo iddo yn gyfan gwbl. Ond yn ôl y ddeddf gallai dyn ysgaru ei wraig os oedd yn cael '*rhywbeth anweddus ynddi*'. Y cwestiwn allweddol oedd sut oedd diffinio beth oedd yn 'anweddus' a beth nad oedd.

Dwy Ysgol Rabinaidd

Bu dadl hir ar fater ysgariad rhwng dwy ysgol o rabiniaid – ysgol geidwadol Shammai ac ysgol fwy rhyddfrydol Hillel. Unig ystyr yr ymadrodd *'rhywbeth anweddus'* yn ôl Shammai oedd godineb. Meddai, 'Boed gwraig mor anystywallt â gwraig Ahab, ni ellid ei hysgaru ond am odineb.' Ystyriai ef odineb yn drosedd ddifrifol a chredai mai dyna oedd ystyr gwreiddiol geiriau'r ddeddf. Ar y llaw arall, cymerai'r Rabi Hillel agwedd lawer mwy llac. Dadleuai ef fod Cyfraith Moses yn cynnwys unrhyw reswm a fyddai'n peri i ddyn ddymuno cael gwared o'i wraig. Rhestrai ef a'i ddilynwyr yr holl droseddau a allai fod yn eu barn hwy yn achos ysgariad. Er enghraifft, pe bai gwraig yn rhoi gormod o halen ym mwyd ei gŵr; pe bai'n ymddangos yn gyhoeddus heb ddim am ei phen; pe bai'n siarad yn agored â gwŷr eraill ar y stryd; pe bai'n anufuddhau i'w gŵr, neu'n meiddio dadlau ag ef, neu'n siarad yn amharchus am ei deulu; pe bai'n gecrus; pe bai'n colli ei thymer; pe bai'n peidio â bod yn atyniadol iddo, a phe bai ei gŵr yn dymuno cymryd merch arall, mwy deniadol, yn wraig iddo – ar sail rhesymau o'r fath, yn ôl Hillel, gallai gŵr roi llythyr ysgar i'w wraig a'i throi o'i dŷ. Mewn geiriau eraill, gallai ddefnyddio unrhyw esgus os oedd am gael gwared o'i wraig ac nid oedd gan y wraig unrhyw fodd i'w hamddiffyn ei hun nac unrhyw hawl i ddadlau'i hachos. Doedd dim syndod fod dehongliad llac Hillel yn boblogaidd ymhlith dynion Iddewig!

Wrth ddatgan na ddylai gŵr ysgaru ei wraig ond mewn achos o odineb yr oedd Iesu'n mynd yn ôl at amcan gwreiddiol gorchymyn y Gyfraith a gwahardd ysgariad yn gyfan gwbl, *'ar wahân i achos o anffyddlondeb'* (adn. 32). Tybia rhai esbonwyr mai ychwanegiad diweddarach yw'r cyfeiriad at anffyddlondeb ac nad oedd Iesu'n caniatáu ysgariad o dan unrhyw amgylchiad. Nid yw Marc yn sôn am yr eithriad (Marc 10:11), ac nid yw Luc na'r Apostol Paul chwaith yn cyfeirio ato (Luc 16:18; 1 Cor. 7:10, 11). Y mae'n bur debyg mai cymal ydyw a roddwyd i mewn gan awdur Efengyl Mathew oherwydd yr arfer Iddewig ac oherwydd achosion arbennig a godai yn yr eglwys fore.

Ond hyd yn oed pe bai Iesu wedi cynnwys yr eithriad, nid oedd yn gwneud dim mwy na dilyn cyfarwyddiadau Cyfraith Moses.

Dysgeidiaeth Iesu

Beth felly oedd dysgeidiaeth Iesu ar ysgariad? Prin y gellir derbyn fod y ddwy adnod yma yn y Bregeth ar y Mynydd yn cynnwys y cyfan sydd ganddo i'w ddweud ar y mater. Crynodeb o'i ddysgeidiaeth yn unig a geir yn yr adnodau hyn. Ym mhennod 19 o'i Efengyl y mae Mathew yn cynnwys hanes Iesu'n trafod yn llawnach gwestiwn ysgariad gyda'r Phariseaid. Felly, mantais yw ystyried neges y ddwy adnod yma yng ngoleuni'r drafodaeth honno:

Daeth Phariseaid ato i roi prawf arno gan ofyn, 'A yw'n gyfreithlon i ŵr ysgaru ei wraig am unrhyw reswm a fyn?' Atebodd yntau gan ofyn, 'Onid ydych wedi darllen mai yn wryw a benyw y gwnaeth y Creawdwr hwy o'r dechreuad?' A dywedodd, 'Dyna pam y bydd dyn yn gadael ei dad a'i fam ac yn glynu wrth ei wraig, a bydd y ddau yn un cnawd. Gan hynny, nid dau mohonynt mwyach, ond un cnawd. Felly, yr hyn a gysylltodd Duw, ni ddylai neb ei wahanu.' Meddent hwy wrtho, 'Pam felly y gorchmynnodd Moses roi llythyr ysgar iddi a'i hanfon ymaith?' Atebodd ef hwy, 'Oherwydd eich ystyfnigrwydd y rhoddodd Moses ganiatâd ichwi i ysgaru eich gwragedd, ond nid felly yr oedd o'r dechreuad. Rwy'n dweud wrthych, pwy bynnag sy'n ysgaru ei wraig, ond am anffyddlondeb, ac yn priodi un arall, y mae'n godinebu. (Math. 19:3–9)

Gwelwn o ffurf eu cwestiwn fod y Phariseaid o blaid agwedd eang a goddefol Hillel a'i ddilynwyr: 'A yw'n gyfreithlon i ŵr ysgaru ei wraig *am unrhyw reswm a fyn*?' Roeddent am wybod pa ochr a gefnogai Iesu, ai'r ochr geidwadol ynteu'r ochr oddefol. Yr oedd tair rhan i ateb Iesu a phob un yn dangos ei anghytundeb â safbwynt y Phariseaid.

Yn gyntaf, *yn amodau ysgariad roedd diddordeb y Phariseaid; diogelu priodas oedd diddordeb Iesu.* Fel roedd ysgol Hillel yn cynnig pob math o achosion dros ysgaru gwraig, roedd y Phariseaid hefyd o blaid rhesymau, neu esgusodion, mor eang â phosibl. Roeddent am wybod beth oedd safbwynt Iesu. A oedd ef yn credu mewn un achos, neu sawl achos, neu unrhyw achos? Ni roddodd Iesu ateb uniongyrchol i'w cwestiwn. Yn hytrach cyfeiriodd hwy at Lyfr Genesis, at hanes creu dyn yn wryw ac yn fenyw, at sefydlu priodas fel rhan o gynllun Duw ac at yr ymrwymiad sydd mewn priodas, yn golygu bod dyn yn gadael ei dad a'i fam ac yn glynu wrth ei wraig fel bod y ddau fel un cnawd. Mae'r diffiniad beiblaidd hwn yn golygu fod priodas yn gyfyngedig i ŵr a gwraig, o ddwyfol osodiad, ac felly'n barhaol – '*nid dau mohonynt mwyach, ond un cnawd*'. Er mwyn tanlinellu ei bwyslais ar bwysigrwydd a chysegredigrwydd priodas, meddai Iesu, '*Felly, yr hyn a gysylltodd Duw, ni ddylai neb ei wahanu.*' Yng ngoleuni esboniad Iesu y mae priodas yn sefydliad dwyfol sy'n galw am ymrwymiad difrifol gŵr a gwraig, y naill i'r llall, fel bod y ddau yn creu uned newydd o fewn cymdeithas ac yn dod yn '*un cnawd*'.

Yn ail, *ystyriai'r Phariseaid ganiatâd Moses i ddyn ysgaru ei wraig yn orchymyn; i Iesu nid oedd ond trefniant ar gyfer achlysuron arbennig.* Mae'n amlwg o ddarllen Deuteronomium 24:1–4, nad gwneud ysgariad yn haws oedd bwriad cyflwyno llythyr ysgar ond ffordd o atgoffa gŵr i bwyllo cyn cymryd cam mor dyngedfennol. Yn ôl cyfarwyddiadau'r ddeddf, pe bai dyn yn rhoi llythyr ysgar i'w wraig a'i hanfon o'i dŷ, a hithau'n priodi gŵr arall, a hwnnw eto yn ei hysgaru, nid oedd hawl gan ei gŵr cyntaf ei hailbriodi. Amcan y cyfeiriadau hyn oedd rhwystro pobl rhag '*dwyn pechod ar y wlad*' (Deut. 24:4), sef gwarchod cymdeithas rhag anlladrwydd ac anniweirdeb. Cadarnhaodd Iesu fwriad gwreiddiol gorchymyn Moses, gan ychwanegu mai'r rheswm i Foses ei ganiatáu yn y lle cyntaf oedd oherwydd ystyfnigrwydd dyn. Ychwanegodd fod gŵr oedd yn ysgaru ei wraig am unrhyw reswm ar wahân i'w hanffyddlondeb, '*yn peri iddi odinebu, ac y mae'r sawl sy'n priodi gwraig a ysgarwyd yn godinebu*' (adn. 32). Unwaith eto y mae pwyslais Iesu ar atal anniweirdeb a diogelu sefydlogrwydd priodas. Nid ar sail unrhyw esgus, pa mor dila bynnag y bo, yr oedd caniatáu ysgariad.

Yn drydydd, *diddordeb mawr y Phariseaid oedd hawliau gwŷr, tra oedd Iesu am ddiogelu urddas a hawliau gwŷr a gwragedd.* Effaith ysgaru am resymau llac ac annigonol oedd diraddio merched a'u bwrw i warth a thlodi ac o bosib i buteindod. Dywed Iesu fod gŵr oedd yn ysgaru ei wraig, a hithau wedyn yn priodi dyn arall, '*yn peri iddi hi odinebu*' (adn. 32). Syniad dieithr i'r Phariseaid oedd y gallai gŵr odinebu yn erbyn ei wraig. Yn ôl y ddeddf gallai odinebu yn erbyn ei wraig yn gwbl ddi-gosb – y wraig druan a ystyrid yn euog bob tro. Nid oedd ganddi unrhyw hawliau cynhenid ac nid oedd fawr gwell na chaethferch. Gwelai Iesu anghyfiawnder y sefyllfa, ond yn fwy na hynny, gwelai ei bod yn gwbl groes i ddysgeidiaeth Genesis, sef bod Duw wedi creu gŵr a gwraig i gynnal a charu ei gilydd. I Iesu roedd gan y naill fel y llall eu hawliau a'u hurddas fel plant i Dduw a gwrthrychau ei gariad. I'r Phariseaid y peth olaf a ddeuai i'w meddwl oedd hawliau'r wraig neu'r niwed a wneid iddi, ond gwelai Iesu fel y gallai ysgariad wneud cam mawr â hi.

Gwelai Iesu felly mai man gwan y Gyfraith oedd diffyg pwyslais ar wir natur priodas. Nid canoli ar gyfarwyddiadau deddf Moses oedd yn bwysig iddo ef, ond pwrpas Duw wrth sefydlu priodas yn y dechreuad. A chan fod syniadau llac yn ei ddydd yn gwneud ysgariad yn haws, gwrthwynebai Iesu yr hyn oedd yn bygwth tanseilio priodas a bywyd teuluol. Ond rhaid cofio mai trafod priodas yng nghyd-destun teyrnas Dduw a wna Iesu yn y Bregeth ar y Mynydd. Pregeth i'w ddisgyblion yw hon ac felly nid oes gan Gristnogion hawl i orfodi safon uchel Iesu ar rai o'r tu allan. Ond pa mor anodd bynnag y gall derbyn ei safon uchel ef ymddangos i ni heddiw, nid oes unrhyw amheuaeth nad un o'n hanghenion mwyaf yw ailddarganfod y syniad o gysegredigrwydd priodas a'i lle o fewn pwrpas Duw ar gyfer y ddynoliaeth.

Priodas ac Ysgariad Heddiw

Ym marn Iesu yr oedd caniatáu ysgariad am unrhyw reswm yn newid holl natur priodas ac yn ei gwneud yn ddim mwy na chytundeb dynol, cyfreithiol – partneriaeth i fynd iddi'n wirfoddol a'i diddymu'n rhwydd. Ond roedd Iesu'n mynnu ailbwysleisio natur gysegredig priodas fel rhodd Duw i'r ddynoliaeth ac yn gwneud hynny ar sail ei ddehongliad o hanes y creu. Am ganrifoedd lawer bu priodas yng ngwledydd y Gorllewin yn drwm o dan ddylanwad dysgeidiaeth Crist a'r ffydd Gristnogol. Fe'i hystyrid yn sacrament gan yr Eglwys Babyddol, ac roedd eglwysi eraill yn ei hystyried yn gyfamod cysegredig yn galw am ymrwymiad o gariad a ffyddlondeb gan ŵr a gwraig, y naill i'r llall. Ond erbyn heddiw bu newid sylfaenol yn agwedd pobl tuag at ystyr priodas. O dan ddylanwad ysbryd seciwlar yr oes y mae llawer nad ydynt yn gweld unrhyw arwyddocâd crefyddol i briodas ac yn ei hystyried yn bennaf yn ddathliad o gariad rhwng dau ac yn gytundeb cyfreithiol a chymdeithasol. Effaith hynny yw fod llai a llai yn dewis priodi mewn eglwys neu gapel ond yn hytrach mewn swyddfa gofrestru neu westy. Ffactor arall yw fod nifer gynyddol, na welant unrhyw ddiben mewn priodi o gwbl, yn dewis cyd-fyw neu yn penderfynu cyd-fyw am gyfnod cyn priodi. Canlyniad y newid yma yn agwedd cymdeithas tuag at briodas yw cynnydd enfawr mewn ysgariadau. Dros y chwarter canrif diwethaf gwelwyd cynnydd o 600% yn niferoedd yr ysgariadau ym Mhrydain – y ganran uchaf yn y Gymuned Ewropeaidd. Bellach, ym Mhrydain, y mae mwy nag un briodas ymhob tair yn diweddu mewn ysgariad ac yn yr Unol Daleithiau dros hanner y priodasau.

Beth yw cyfrifoldeb yr eglwys yn wyneb y newidiadau hyn? Ar y naill law rhaid iddi gynnig gofal bugeiliol a phob cydymdeimlad â'r rhai sydd wedi dioddef gwewyr ysgariad. Mae'r mwyafrif o eglwysi erbyn hyn yn barod i ailbriodi rhai y mae eu priodas gyntaf wedi methu. Ar yr un pryd, rhaid iddi lynu wrth y safonau beiblaidd a Christnogol, sef, yn gyntaf, *fod priodas yn rhan o fwriad Duw*. O ganlyniad y mae priodas i'w hystyried yn anrhydeddus ac ni ddylai neb gymryd y cam pwysig hwn yn ddifeddwl ac yn anystyriol. Yn ail, *y mae priodas yn uniad cysegredig o gariad*. Hynny yw, y mae'n bod er mwyn i wŷr a gwragedd gynnal a chynorthwyo ei gilydd drwy gydol eu hoes. Yn drydydd, *Y mae priodas yn bod er mwyn meithrin teuluoedd ac i fagu plant mewn cariad a diogelwch*. Nid perthynas rhwng dau yn unig yw priodas ond cnewyllyn teulu, y mae plant o'i fewn yn tyfu ac yn aeddfedu dan gysgod cariad a gofal tad a mam. Priodas, nid ysgariad, yw bwriad Duw, a dyletswydd Cristnogion mewn cymdeithas seciwlar yw gwneud popeth o fewn eu gallu i warchod a hybu rhodd Duw i'w blant.

Cwestiynau i'w trafod

1. Pa ffactorau yn ein cymdeithas gyfoes sy'n tanseilio priodas a bywyd teuluol?
2. Ym mha ystyr y gellir dweud fod priodas a theulu yn gonglfeini cymdeithas iach?
3. 'Os ceir undeb gwirioneddol rhwng gŵr a gwraig, dylai fod yn undeb am byth.' A ydych yn cytuno?

DYSGEIDIAETH AR LWON

"Clywsoch hefyd fel y dywedwyd wrth y rhai gynt, 'Na thynga lw twyllodrus', a 'Rhaid iti gadw pob llw a roist i'r Arglwydd.' Ond rwyf fi'n dweud wrthych: peidiwch â thyngu llw o gwbl; nac i'r nef, gan mai gorsedd Duw ydyw; nac i'r ddaear, gan mai ei droedfainc ef ydyw; nac i Jerwsalem, gan mai dinas y Brenin mawr ydyw. Paid â thyngu chwaith i'th ben, oherwydd ni elli wneud un blewyn yn wyn nac yn ddu. Ond boed eich 'ie' yn 'ie', a'ch 'nage' yn 'nage'; beth bynnag sy'n ychwanegol at hyn, o'r Un drwg y mae."

(Mathew 5:33-7)

Er mai rhybuddio'i wrandawyr rhag tyngu llwon yn anystyriol y mae Iesu yn y geiriau hyn, mewn gwirionedd y mae'n gwneud llawer mwy na hynny, sef eu herio i ystyried pwysigrwydd iaith a geiriau. Un o ddoniau'r hil ddynol yw'r gallu i gyfathrebu ar lafar, ond y mae'n ddawn y gellir ei defnyddio er da neu er drwg. Gall dyn ddefnyddio geiriau i ddweud y gwir neu i ddweud celwydd, i egluro neu i gamarwain, i hybu dealltwriaeth neu i greu anghydfod, i feithrin undod neu i achosi rhwyg, i galonogi neu i danseilio hyder. Stori symbolaidd yn dangos fel y mae'r camddefnydd o iaith yn amharu ar gytgord y teulu dynol yw hanes Tŵr Babel. Gan i'r cenhedloedd ddefnyddio iaith i dwyllo'i gilydd cymysgodd Duw eu hiaith rhag iddynt ddeall ei gilydd a chwalwyd eu hundod a gwasgarwyd hwy dros wyneb y ddaear (Gen. 11:1-9). Effaith tywalltiad yr Ysbryd Glân, Ysbryd y gwirionedd, ar Sul y Pentecost oedd fod pobl o wahanol ieithoedd a chenhedloedd yn deall ei gilydd ac yn canfod undod yng nghenadwri'r apostolion.

Gallwn ddeall felly pam y mae Iesu, wedi iddo ddysgu'r pwysigrwydd o warchod bywyd a gwarchod priodas, yn mynd ymlaen i sôn am bwysigrwydd gwarchod iaith. Gwelir bod cysylltiad annatod rhyngddynt. Y mae camddefnyddio iaith i dwyllo a dweud celwydd yn chwalu perthynas rhwng pobl ac yn arwain at anghydfod a gwrthdaro, yr union bethau sy'n dinistrio heddwch ac yn dinistrio priodas. Fel y seiliodd ei ddysgeidiaeth ar ddicter ac ar odineb ar y chweched a'r

83

seithfed o'r gorchmynion, sef *'Na ladd'* a *'Na odineba'*, y mae'n seilio'i rybudd yn erbyn llwon ar y trydydd gorchymyn, *'Na chymer enw'r Arglwydd dy Dduw yn ofer, oherwydd ni fydd yr Arglwydd yn ystyried yn ddieuog y sawl sy'n cymryd ei enw'n ofer'* (Ex. 20:7). Nid oes yr un gorchymyn a gamddeallwyd yn amlach na hwn. Nid cyfeirio at regi y mae, ond at alw Duw yn dyst i osodiad er mwyn cadarnhau ei wirionedd. Ceir nifer o rybuddion tebyg yn yr Hen Destament. *'Nid ydych i dyngu'n dwyllodrus yn fy enw, a halogi enw eich Duw'* (Lef. 19:12). *'Os bydd dyn yn gwneud adduned i'r Arglwydd, neu'n tyngu llw, ac yn ei roi ei hun dan ymrwymiad, nid yw i dorri ei air, ond y mae i wneud y cyfan a addawodd'* (Nu. 30:2). *'Os byddi'n gwneud adduned i'r Arglwydd dy Dduw, paid ag oedi cyn ei chyflawni ... Pe bait heb addunedu, ni fyddet yn euog'* (Deut. 23:21–2). Amcan y dywediadau hyn yw gwahardd tyngu llwon twyllodrus, hynny yw, gwneud adduned a'i thorri.

Llwon a'r Gyfraith

Yr oedd y Gyfraith Iddewig yn caniatáu cymryd llwon, a cheisiai ddiogelu cysegredigrwydd llw drwy rybuddio pobl i gadw'n ffyddlon ato. Ond yr oedd rhai ymysg y Phariseaid oedd yn llwyddo i osgoi cadw llw trwy ddadlau bod llwon a gynhwysai enw *Duw* yn rhwymedig ar bobl i'w cadw, tra oedd eraill a wnaed yn enw'r *nefoedd* neu'r *ddaear* neu *Jerwsalem* heb fod felly. Eu dadl hwy oedd fod y gorchymyn i beidio â chymryd enw'r Arglwydd yn ofer, yn cyfeirio nid at lwon ond at gabledd, sef at amharchu *enw* Duw. Aethant ati i lunio rhestr o fân reolau yn ymwneud â chymryd llwon. Yr unig lwon yr oedd rhaid eu cadw oedd llwon a wnaed yn enw Duw; nid oedd rhaid poeni'n ormodol am gadw llwon eraill. Ymosododd Iesu ar ragrith yr esboniad Phariseaidd. Yn ei gyhuddiadau yn eu herbyn ym mhennod 23 o Efengyl Mathew, dywed:

Gwae chwi, arweinwyr dall sy'n dweud, 'Os bydd rhywun yn tyngu llw i'r deml, nid yw hynny'n golygu dim; ond os bydd yn tyngu i'r aur sydd yn y deml, y mae'n rhwymedigaeth arno. Ffyliaid a deillion, prun sydd fwyaf, yr aur, ynteu'r deml sy'n gwneud yr aur yn gysegredig? A thrachefn fe ddywedwch, 'Os bydd rhywun yn tyngu llw i'r allor, nid yw hynny'n golygu dim; ond os bydd yn tyngu i'r offrwm sydd ar yr allor, y mae rhwymedigaeth arno. Ddeillion, prun sydd fwyaf, yr offrwm, ynteu'r allor sy'n gwneud yr offrwm yn gysegredig? Felly y mae'r sawl sy'n tyngu llw i'r allor yn tyngu iddi hi ac i bopeth sydd arni, ac y mae'r sawl sy'n tyngu llw i'r deml yn tyngu iddi hi ac i'r hwn sy'n preswylio ynddi. Ac y mae'r sawl sy'n tyngu llw i'r nef yn tyngu i orsedd Duw ac i'r hwn sy'n eistedd arni' (Math. 23:16–22).

Mae geiriau Iesu yn y Bregeth ar y Mynydd yn grynodeb o'r 'gwae' hwn. Hollti blew yw gwahaniaethu rhwng gwahanol fathau o lwon. A chwarae â'r gwirionedd yw cymryd llw heb unrhyw fwriad i'w gadw.

Dysgeidiaeth Iesu

Gwadu y gellir gwahaniaethu rhwng llwon a'i gilydd y mae Iesu. Os tyngai dyn lwon i'r nefoedd, i'r ddaear, i Jerwsalem, llwon i Dduw yw pob un ohonynt gan fod perthynas rhwng Duw a phopeth yn y nef ac ar y ddaear, ac unrhyw wrthrych arall y gellid ei enwi mewn llw. Gan fod Duw yn Arglwydd nef a daear, y mae popeth o dan ei arglwyddiaeth ef. Nefoedd Duw yw'r nefoedd; eiddo Duw yw'r ddaear; dinas Duw yw Jerwsalem. Syniad hollol gyfeiliornus oedd y byddai Duw yn digio pe torrid llw a wnaed yn bersonol yn ei enw, ond nad oedd ganddo ddiddordeb mewn llw neu addewid rhwng dau berson. Mae Iesu'n mynnu fod Duw yn ymddiddori ymhob addewid a wneir gan bobl i'w gilydd. Nid oes raid iddynt alw ar Dduw ynghanol amgylchiadau a phroblemau bywyd; y mae yno eisoes, ac felly y mae pob adduned, sut bynnag y'i gwneir, i'w pharchu a'i chadw.

Wrth ddweud hyn y mae Iesu yn ysgubo ymaith yr holl arfer o gymryd llwon: '*Ond rwyf fi'n dweud wrthych: peidiwch â thyngu llw o gwbl*' (adn. 34). Ac fe ellir deall pam y dywed hyn. Tu ôl i'r arfer o dyngu llwon yr oedd y dybiaeth na ddywedai dyn y gwir heb ei orfodi i wneud hynny; ond y gellid ei gredu pan ddefnyddiai enw Duw i gadarnhau ei addunedau, ond heb iddo dyngu yn enw Duw ni ellid ei gredu. Nid oes angen galw ar Dduw i fod yn dyst i air neu weithred gan ei fod bob amser yn dyst anweledig i bopeth a wna ac a ddywed dyn. Y mae pob gair a leferir rhwng dyn a dyn yn air hefyd rhwng dyn a Duw ac am hynny'n gysegredig.

Pwynt Iesu yw y dylai bywyd deiliaid y deyrnas fod yn gyfryw fel na oes angen iddynt wrth lwon i ategu eu geiriau. Mewn byd nad oes ynddo na thwyll na chelwydd, nid oes ystyr i lwon. A byd felly yw byd teyrnas Dduw. Nid llw dilynwyr Iesu ond eu cymeriad yw'r warant y gellid dibynnu arnynt. Mewn gwirionedd y mae dau fath o berson nad oes unrhyw ystyr i'w llwon – rhai gonest, geirwir a rhai anonest, celwyddog – y cyntaf am nad yw eu llwon yn ychwanegu dim at eu gonestrwydd sy'n hysbys i bawb sy'n eu hadnabod; a'r ail am na ellir eu credu hyd yn oed pan fyddant ar eu llw. Os yw calon dyn yn onest nid oes angen iddo gymryd llw. Os yw ei galon yn anonest nid yw cymryd llw yn mynd i'w wneud yn onest. Pobl y galon onest yw deiliaid y deyrnas.

Beth felly sydd i gymryd lle llwon o fewn teyrnas Dduw? Ateb Iesu yw, "*Ond boed eich 'ie' yn 'ie', a'ch 'nage' yn 'nage'*" (adn. 37). Ei bwynt yw y dylai '*ie*' a '*nage*' plaen ar wefusau Cristion fod yn ddigon. '*Beth bynnag sy'n ychwanegol at hyn, o'r Un drwg y mae.*' Hynny yw, y mae'n deillio o'r drwg sydd yn y galon a hwnnw, yn ei dro, yn deillio o ffynhonnell pob drwg, sef y diafol ei hun. Mae'r un geiriau i'w cael yn Iago 5:12, ac yn haws eu deall yn y fan honno: '*bydded eich "ie" yn "ie" yn unig, a'ch "nage" yn "nage" yn unig, rhag i chwi syrthio dan farn.*' Nid deddfu ar fater llwon fel y cyfryw y mae Iesu, ond datgan na ddylai fod angen am lwon o unrhyw fath. Yr angen mwyaf yw ar i gymeriad dyn oddi mewn fod yn gywir ac yn onest. Pan geir hynny nid oes angen am lw i sicrhau ei fod yn dweud y gwir.

Parch at y Gwir

Beth sydd a wnelo'r adran hon o'r Bregeth ar y Mynydd â bywyd ac ymddygiad y Cristion heddiw? Y mae rhai Cristnogion fel y Morafiaid a'r Crynwyr wedi cymryd geiriau Iesu'n hollol lythrennol ac ni chymerant lw hyd yn oed mewn llys barn. Wedi i William Penn, arweinydd cynnar y Crynwyr, ymfudo i America, prynodd randiroedd eang a sylfaenodd dalaith Pennsylvania. Gwnaeth gytundebau â'r Indiaid brodorol, ac er na chymerodd lwon ar y cytundebau hynny, cadwodd bob un cytundeb, yn wahanol iawn i lawer o arloeswyr Ewropeaidd eraill. Ond nid tyngu llw neu beidio sy'n bwysig, ond bod yn gwbl eirwir a pheidio byth â dweud celwydd. Yng ngolwg cyfraith gwlad amhosibl yw dweud a yw tyst yn dweud y gwir ai peidio. Dyna pam y mae'n rhaid ei osod ar ei lw, ac anodd gweld bod rheswm digonol mewn byd fel hwn dros wrthod cymryd llw mewn llys barn. Ond gall dyn gymryd llw neu beidio, ac eto dweud celwydd yr un pryd. Galw am barch at eirwirdeb a wna Iesu, a hynny bob amser ac o dan bob amgylchiad. Pam felly y mae parch at y gwir yn bwysig ym mywyd y Cristion?

Yn gyntaf, *am fod celwydd a thwyll yn drais ar bersonoliaeth* – personoliaeth yr un a dwyllir, ac yn fwy fyth ar bersonoliaeth yr hwn sydd yn twyllo. Eisoes, wrth sôn am ddicter dangosodd Iesu fel roedd geiriau creulon yn ymosodiad ar berson arall, yn dinistrio perthynas ac yn pellhau person oddi wrth Dduw. Yn Epistol Iago ceir rhybudd clir rhag peryglon y tafod. Fel y rhoddir ffrwyn yng ngenau'r march i'w wneud yn ufudd, ac fel y gellir troi llong fawr â llyw, felly hefyd y mae'n rhaid rheoli'r tafod. '*Ystyriwch fel y mae gwreichionen fechan yn gallu rhoi coedwig fawr ar dân. A thân yw'r tafod ... yn halogi'r corff i gyd, ac yn rhoi holl gylch ein bodolaeth ar dân*' (Iago 3:5–7). Ac mae Iago'n gwneud y pwynt mai gwneud niwed iddo'i hun, yn fwy nag i eraill, y mae'r sawl sy'n methu rheoli ei dafod. Â Iago ymlaen i ddweud mai â'r tafod yr ydym yn bendithio Duw ac â'r tafod hefyd yr ydym yn melltithio pobl eraill. Y mae ganddo'r gallu i fendithio, i lefaru'n garedig ac i feithrin cyfeillgarwch; mae ganddo hefyd y gallu i felltithio, i gollfarnu, i regi a thyngu ac i ddinistrio perthynas. Y pregethwr a'r ysgolhaig J. S. Stewart a ddywedodd y dylid gofyn tri chestiwn cyn hel clecs am neb: 'A yw'n wir? A yw'n garedig? A oes rhaid eu hailadrodd?' Oni ellir ateb y tri chwestiwn yn gadarnhaol gwell yw ymatal a dweud dim.

Yn ail, *y mae dweud y gwir yn rhan holl bwysig o'n tystiolaeth i'r Efengyl*. Dywedodd Iesu, "*Myfi yw'r ffordd, a'r gwirionedd a'r bywyd,*' (Ioan 14:6). Y mae ef yn ymgorfforiad o'r gwirionedd ac y mae'r sawl sy'n ei dderbyn a'i ddilyn ef yn derbyn a rhannu yn ei wirionedd. Rhan annatod o dystiolaeth y Cristion felly yw dilyn a dweud y gwir bob amser. Diffiniad enwog Philips Brookes o bregethu oedd, 'Gwirionedd drwy bersonoliaeth'. Nid drwy eiriau yn unig y mae cyfathrebu'r gwir, ond drwy ymddygiad, tdwy garedigrwydd, drwy esiampl a thrwy'r gostyngeiddrwydd sy'n cydnabod bod y gwir yn fwy o lawer na'n dealltwriaeth ni ohono. Fel y mae llwon yn gallu codi amheuon a yw'r sawl sy'n cymryd llw yn dweud y gwir, y mae dogmatiaeth a phendantrwydd gor-hyderus yn codi amheuon ynglŷn â natur y gwirionedd a gyhoeddir gan rai. '*Gydag addfwynder a pharchedig ofn,*' meddai Pedr, y mae rhannu'r gwirionedd ag eraill (1 Pedr 3:15), nid yn drahaus ac awdurdodol. Rhaid i'r gwirionedd ddisgleirio drwy bob rhan o fywyd ac o dystiolaeth y Cristion. H. H. Farmer fyddai'n rhybuddio darpar weinidogion i beidio â dweud celwyddau bychain yn eu pregethau, yn arbennig felly wrth ddefnyddio eglurebau: 'Never illustrate great truths with little lies!'

Yn drydydd, *y mae'r Duw hollbresennol yn adnabod y gwir a'r gau sydd ynom*. Beth sy'n ein cymell i fod yn eirwir? Ateb Iesu yw, bod yn ymwybodol o bresenoldeb Duw bob amser ac ymhob man. *'Peidiwch â thyngu llw o gwbl,'* meddai, *'nac i'r nef, gan mai gorsedd Duw ydyw; nac i'r ddaear, gan mai ei droedfainc ef ydyw; nac i Jerwsalem, gan mai dinas y brenin mawr ydyw'* (adn. 34–5). Nid mewn rhyw fannau neilltuol, nac ar ryw adegau arbennig y byddwn ym mhresenoldeb Duw, ond bob amser ac ym mhob lle. Dynion a merched meidrol yw barnwyr mewn llys barn. Ond dim ond un Barnwr sy'n gweld i eigion calon dyn ac yn gweld y gwir a'r gau, y da a'r drwg sy'n gymysg o'n mewn. Os yw Duw a'i deyrnas ar ochr gwirionedd, yna y mae'n dilyn nad oes yr un twyll na'r un celwydd yn talu'r ffordd yn y diwedd. Drwy ddweud y gwir a gweithredu'n onest ac egwyddorol y mae meithrin ymddiriedaeth a chreu perthynas iach rhwng pobl a'i gilydd. Ymwybod â'r presenoldeb dwyfol sy'n sicrhau fod ein 'ie' yn 'ie' a'n 'nage' yn 'nage', ac nad oes twyll yn ein calon na chelwydd yn ein siarad.

Cwestiynau i'w Trafod

1. Beth sydd gan yr adran hon i'w ddweud wrthym am bwysigrwydd geirwiredd a gonestrwydd mewn cyfathrebu?

2. Ym mha ystyr y mae celwydd a thwyll yn drais ar bersonoliaeth?

3. A oes unrhyw adegau pan ellir cyfiawnhau dweud celwydd?

DYSGEIDIAETH AR DDIAL

"Clywsoch fel y dywedwyd, 'Llygad am lygad, a dant am ddant.' Ond rwyf fi'n dweud wrthych: peidiwch â gwrthsefyll y sawl sy'n gwneud drwg i chwi. Os bydd rhywun yn dy daro ar dy foch dde, tro'r llall ato hefyd. Ac os bydd rhywun am fynd â thi i gyfraith a chymryd dy grys, gad iddo gael dy fantell hefyd. Ac os bydd rhywun yn dy orfodi i'w ddanfon am un cilomedr, dos gydag ef ddau. Rho i'r sawl sy'n gofyn gennyt, a phaid â throi i ffwrdd oddi wrth y sawl sydd am fenthyca gennyt."

(Mathew 5:38–42)

Nid oes yr un adran o'r Bregeth ar y Mynydd sy'n dangos yn gliriach hanfod y bywyd Cristnogol a'r math o ymddygiad a ddylai wahaniaethu'r Cristion oddi wrth eraill. Delio y mae Iesu ag ymddygiad y Cristion tuag at y sawl sy'n ceisio gwneud niwed iddo. Dechreua drwy ddyfynnu, nid o'r Deg Gorchymyn y tro hwn, ond o eiriau a roddir yng ngenau Moses oddi wrth Dduw: *'Llygad am lygad, a dant am ddant.'* Eglurir y ddeddf hon yn Ex. 21:22–5; Lef. 24:20 a Deut. 19:21. Y mae a wnelo'r geiriau hyn â'r modd y mae dyn i ymateb i'r sawl sy'n ymosod arno: *'yr wyt i hawlio bywyd am fywyd, llygad am lygad, dant am ddant, llaw am law, troed am droed, llosgiad am losgiad, clwyf am glwyf a chlais am glais'* (Ex. 21:23–4). Amcan y ddeddf oedd dangos y dylai ymateb dyn fod yn gyfiawn drwy osod terfynau i'w ddialedd a dweud fod y gosb i gyfateb i'r niwed – *dim ond* llygad am lygad a *dim ond* dant am ddant. Tuedd naturiol dyn oedd dial yn ôl angerdd ei deimladau ac yn ei wylltineb i gosbi ei ymosodwr yn ddireol a didrugaredd. Os oedd un bywyd yn cael ei golli o lwyth neu o deulu y duedd oedd i dalu'n ôl drwy ladd cynifer ag oedd bosibl. Ceir enghraifft o'r math yma o dalu'n ôl ar ei ganfed yn ngeiriau Lamech, un o ddisgynyddion Cain: *'Lleddais ŵr am fy archolli, a llanc am fy nghleisio. Os dielir am Cain seithwaith, yna Lamech saith ddengwaith a seithwaith'* (Gen. 4:23–4). Rhoddodd cyfraith Moses derfyn ar *vendetta* o'r fath a'r dull cyntefig o gosbi hyd yr eithaf. Ond ni roddodd y ddeddf hon hawl i unigolyn i ddial ei gam ei hun. Deddf oedd hon i gyfarwyddo barnwyr mewn llys barn.

Cyfeirir at y modd y dylai barnwyr weinyddu'r gyfraith hon yn Deut. 19:17–18. Yr enw a roddwyd ar y ddeddf maes o law oedd y *lex talionis*. Ei hegwyddor sylfaenol oedd sicrhau fod unrhyw ddial yn cyfateb yn union i'r cam a wnaed â dioddefwr. Ei diben oedd gosod sylfaen i gyfiawnder, pennu cosb haeddiannol, gwahardd dial, a sicrhau fod dioddefwyr yn cael eu digolledu'n deg. Effaith y ddeddf oedd atal pobl rhag cymryd y gyfraith i'w dwylo'u hunain a chyfyngu ar elyniaeth rhwng teuluoedd a llwythau.

Yn ôl y Mishna, y casgliad swyddogol o esboniadau ar y Gyfraith, nid oedd rhaid gofyn am lygad am lygad na dant am ddant. Gallai dyn ofyn i'r llys beidio â gweinyddu cosb gorfforol ond ei ddigolledu mewn arian. Yn achos caethwas a gâi ei anafu gellid ei ddigolledu drwy ei ryddhau o'i gaethwasiaeth: '*Pan yw rhywun yn taro llygad ei gaethwas neu ei gaethferch, a'i ddifetha, y mae i ollwng y caeth yn rhydd o achos y llygad. Os yw'n taro allan ddant ei gaethwas neu ei gaethferch, y mae i ollwng y caeth yn rhydd o achos y dant*' (Ex. 21:26–7).

Oddi allan i'r llys barn, ym mherthynas pobl â'i gilydd, y mae'r Hen Destament yn annog trugaredd a maddeuant. '*Nid wyt i geisio dial ar un o'th bobl, na dal dig tuag ato, ond yr wyt ti i garu dy gymydog fel ti dy hun*' (Lef. 19:18). '*Paid â thystio yn erbyn dy gymydog yn ddiachos ... Paid â dweud, "Gwnaf iddo fel y gwnaeth ef i mi; talaf iddo yn ôl ei weithred"*' (Diar. 24:28–9). '*Os yw dy elyn yn newynu, rho iddo fara i'w fwyta, ac os yw'n sychedig, rho iddo ddŵr i'w yfed; byddi felly'n pentyrru marwor ar ei ben, ac fe dâl yr Arglwydd iti*' (Diar. 25:21).

Iesu a'r Ddeddf

Erbyn dyddiau Iesu roedd y Phariseaid wedi symud yr egwyddor o ddialedd cyfiawn o'r llysoedd barn i gylch perthynas pobl â'i gilydd gan ei defnyddio i gyfiawnhau dial yn bersonol ar elynion – yr union beth y lluniwyd y ddeddf i'w wahardd yn y lle cyntaf. Ymateb Iesu yw dysgu nad cyfraith llys barn sydd i benderfynu perthynas pobl â'i gilydd, ond cariad, trugaredd a maddeuant. Dyletswydd dilynwyr Crist yw nid dial ar y rhai sydd wedi gwneud cam â hwy ond derbyn y camwri, heb ddymuno cosbi na thalu'r pwyth yn ôl. '*Ond rwyf fi'n dweud wrthych:*

peidiwch â gwrthsefyll y sawl sy'n gwneud drwg i chwi' (adn. 39). Ystyr 'gwrthsefyll' yw 'ymladd yn erbyn' neu 'taro'n ôl'.

Ar fater dial fe welwn felly fod tair lefel o foesoldeb: dial cyntefig, direol; dial yn ôl canllawiau'r ddeddf Iddewig, a'r ymateb Cristnogol o beidio dial o gwbl. Ond pam y mae Iesu'n gwahardd ei ddilynwyr rhag dial ar y rhai a wnaeth gam â hwy? A yw'n caniatáu rhwydd hynt i ddrygioni heb wneud dim i'w atal? Ni wrthwynebodd neb erioed ddrygioni mor rymus ag y gwnaeth Iesu. Yr hyn a ddywed yw na ddylid gwrthwynebu drygioni *ag arfau drygioni*. Ni ellir trechu casineb â chasineb. Ni ellir gorchfygu trais â mwy o drais. Ni ellir trechu dialedd drwy ddial yn ôl.

Methiant Dialedd

Y mae rhesymau amlwg pam y mae Iesu'n gwahardd dial. Yn y lle cyntaf, *ni all neb farnu gweithred yn gyfiawn neu'n anghyfiawn ond Duw.* Yn ôl dywediad Saesneg, 'To know all is to forgive all.' Ychydig iawn a wyddom ni am y rhesymau a'r cymhellion sydd y tu ôl i weithredoedd sy'n ein niweidio. Duw yn unig sy'n medru gweld y darlun cyfan ac ef yn unig sy'n deall cymhlethdod ymddygiad ac ymateb bodau dynol. O ganlyniad, ef yn unig sydd â'r hawl i ddial: '*I mi y perthyn dial a thalu'r pwyth*' (Deut. 32:35). Gan na fedrwn ni fyth ddeall pam y mae rhai pobl yn ymddwyn yn greulon ac yn dreisgar, nid oes gennym yr hawl, fel unigolion, i hawlio dial ar neb.

Yn ail, *wrth ddial yr ydym yn disgyn i lefel y drwg yr ydym yn ei wrthwynebu.* Mae'r sawl sy'n mynnu dial yn cael ei orfodi i ymateb yn ôl y drwg a wneir iddo. Bydd yn mabwysiadu symudiadau a gweithredoedd drwg ei ymosodwr. Canlyniad hynny yw ei fod yn aberthu ei annibyniaeth ac yn cymryd ei reoli gan y drwg a wneir iddo yn hytrach na chan ffordd amgenach cariad Crist. Peth hawdd iawn yw rhoi ergyd am ergyd a sen am sen, ond wrth wneud hynny yr ydym yn colli golwg ar y safon a osodir inni gan Iesu ac yn cael ein tynnu i lawr i lefel yr union ddrwg yr ydym am ei oresgyn.

Yn drydydd, *wrth ddial yr ydym yn cael ein dal mewn cylch cythreulig dinistriol.* Wrth ateb ergyd ag ergyd, sen â sen, casineb â chasineb, cawn ein hunain yn gaeth i ysbryd dialgar nad oes diwedd ar ei effeithiau. Os digwydd inni gweryla â rhywun, fe â'r cweryl o ddrwg i waeth oni fyddwn yn ei setlo'n fuan yn ysbryd Iesu Grist. Ac nid yr un sydd wedi gwneud cam â ni sy'n dioddef fwyaf, ond ni ein hunain wrth i'n hysbryd suro ac wrth i'n calon lenwi â gwenwyn. Dywed seicolegwyr fod person yn gwneud mwy o niwed iddo'i hun nag i neb arall wrth feithrin casineb, drwgdybiaeth a'r awch i ddial. Ond er mor ffôl ac anghyfrifol yw caniatáu i ffrae rhwng cymdogion neu berthnasau neu gydweithwyr droi yn elyniaeth, gwyddom mai fel hyn y mae unigolion a chenhedloedd yn ymddwyn tuag at ei gilydd. Y mae cas yn esgor ar gas, dial ar ddial, trais ar drais, ac mewn dim y mae pobl wedi eu dal mewn cylch anfad, dinistriol a neb yn y diwedd ar eu hennill. Nid oes ond un ffordd o dorri'n rhydd o'r cylch cythreulig hwn, a hynny yw drwy fabwysiadu egwyddor Iesu Grist o wrthod dial.

Pedair Eglureb

Wrth esbonio'n fanylach yr egwyddor o wrthod talu'n ôl y mae Iesu'n defnyddio pedair eglureb i ddangos sut y dylai'r Cristion ymddwyn tuag at y sawl sy'n gwneud cam ag ef. Ond y mae'r safon a osodir ganddo yn gofyn am fwy nag a all yr un ohonom ymgyrraedd ato. Cyn y gellir disgwyl i neb ddangos yr ysbryd mawrfrydig a argymhellir yma rhaid i ysbryd Crist ei hun ei feddiannu ac i feddwl Crist lywio ei ymddygiad. Er hynny mae'r eglurebau'n dangos fel y gellir goresgyn gelyniaeth yn y galon. Goresgyn y *gelyn* yw amcan pobl y byd a hynny drwy ddial a thalu'r pwyth yn ôl. Ond goresgyn yr *elyniaeth* yw amcan deiliaid y deyrnas. Mae'r fuddugoliaeth hon yn galw am arfau newydd. Cleddyfau, gynnau, bwledi a bomiau sydd eu hangen i oresgyn y gelyn. Ond rhaid wrth drugaredd, cariad, amynedd a maddeuant i oresgyn gelyniaeth. Yn yr eglurebau hyn dengys Iesu sut mae defnyddio arfau'r deyrnas mewn pedwar cylch gwahanol.

Yn gyntaf, *ymateb y Cristion i ymosodiad corfforol.* 'Os bydd rhywun yn dy daro ar dy foch dde, tro'r llall ato hefyd' (adn. 39). Gan fod Iesu'n cyfeirio'n benodol at y foch dde golyga hynny mai'r unig ffordd y gallai dyn *llaw dde* daro rhywun arall ar ei *foch dde* yw gyda chefn ei law. Yn ôl cyfraith y rabiniaid yr oedd i ddyn daro cyd-ddyn â chefn ei law yn anfri o'r radd fwyaf ac yn ddwywaith gwaeth na'i daro â chledr y llaw. Nid ymosodiad corfforol yn unig oedd taro dyn ar ei foch dde, ond gweithred o'i sarhau. Dywed Iesu, 'Peidiwch â gadael i'r sawl sy'n eich sarhau eich tynnu i lawr i'w lefel ei hun drwy i chi ymddwyn yn yr un modd tuag ato. Yn hytrach, trowch y foch arall ato hefyd.' Gellir dychmygu syndod yr ymosodwr o weld osgo mawrfrydig y sawl y ceisiodd ei sarhau. Nid gweithred person llwfr yw troi y foch arall, ond gweithred person cryf, hunanddisgybledig, sy'n ymwrthod â dialedd am ei fod yn argyhoeddedig fod taro'n ôl yn dwysáu'r elyniaeth. Wrth fod yn barod i dderbyn gweithred o sarhad y mae'n dangos ffordd amgenach o ymddwyn ac yn efelychu esiampl yr Arglwydd Iesu ei hun. Meddai Pedr am Iesu, '*oherwydd dioddefodd Crist yntau er eich mwyn chwi, gan adael i chwi esiampl, ichwi ganlyn yn ôl ei draed ef ... Pan fyddai'n cael ei ddifenwi, ni fyddai'n difenwi'n ôl; pan fyddai'n dioddef, ni fyddai'n bygwth*' (1 Pedr 2: 21, 23).

Yn ail, *ymateb y Cristion i ymosodiad cyfreithiol ar ei eiddo.* '*Ac os bydd rhywun am fynd â thi i gyfraith a chymryd dy grys, gad iddo gael dy fantell hefyd*' (adn. 40). *Crys* oedd y dilledyn hir a wisgid yn dynn am y corff gyda gwregys am y canol. Dilledyn allanol oedd y *fantell* a wisgid yn llac dros y llall ac a ddefnyddid yn aml fel gorchudd yn ystod y nos. Yr oedd felly'n fwy gwerthfawr na'r crys, ac yn ôl cyfraith Moses nid oedd gan neb hawl i amddifadu dyn o'i fantell (Deut. 24:10). Yma disgrifir cyhuddwr yn hawlio hyd yn oed wisg bwysicaf dyn fel gwystl am ad-dalu dyled. Ond meddai Iesu, '*Yr unig ffordd i ddiarfogi'r gelyn hwn yw drwy roi iddo ddwywaith yr hyn y mae'n gofyn amdano.*' '*Gad iddo gael dy fantell hefyd.*' Yn hytrach na mynd i gyfraith dylai'r Cristion fynd at y sawl sy'n hawlio'i eiddo a dweud wrtho ei fod yn gwrthod bod yn elyn iddo ac y byddai'n well ganddo roi dwywaith yr hyn a hawlia yn hytrach na'i ymladd mewn llys barn a chreu chwerwder pellach rhyngddynt. Nid hawlio eiddo yw amcan y Cristion, ond ceisio cymod â'i gyd-ddyn. Mae meithrin perthynas yn bwysicach iddo na meddiannu pethau. Mae rhoi yn fwy llesol na chadw; rhannu yn fwy buddiol na chael.

Yn drydydd, *ymateb y Cristion i orfodaeth swyddogol.* Gwlad dan ormes Rhufain oedd Israel yn nyddiau Iesu ac yr oedd hawl gan bob milwr Rhufeinig i orfodi unrhyw Iddew i gario'i faich neu i fenthyg ei anifail i'w wasanaeth. Yr amcan oedd argraffu ar y bobl eu bod yn ddarostyngedig ac i sicrhau llafur yn rhad. Yn naturiol, peth cas i bob Iddew oedd gorfod cydnabod goruchafiaeth y Rhufeiniaid a'u cynorthwyo. Ond nid oedd ganddynt ddewis ond ufuddhau dan rwgnach. Ond meddai Iesu, '*Os bydd rhywun yn dy orfodi i'w ddanfon am un cilomedr, dos gydag ef ddau*' (adn. 41). Y mae elfen ddoniol yn y darlun: swyddog yn gorfodi dyn i gario'i faich am un cilomedr, ac yna er mawr syndod iddo yn gweld y dyn yn dal ymlaen am gilomedr arall! Yr unig fodd i ladd yr elyniaeth rhyngddo a'r Rhufeiniwr yw gwneud mwy nag a orchmynnir iddo – cario'r baich am ddau gilometr. Am y cilomedr cyntaf yr Iddew fydd gwas y Rhufeiniwr, ond am yr ail y Rhufeiniwr fydd mewn dyled i'r Iddew. A phwy a ŵyr na fydd y ddau wedi dechrau hoffi cwmni ei gilydd cyn cyrraedd pen y daith! Wrth gyfarfod gormes â charedigrwydd y mae'r Cristion yn tynnu'r elyniaeth o'r berthynas ac y mae'r Rhufeiniwr yn ei gael ei hun yn ddyledwr yn lle'n feistr.

Yn bedwerydd, *ymateb y Cristion i gais am gymorth*. Tuedd naturiol person yw cyfyngu ar ei haelioni pan deimla fod rhywun yn cymryd mantais arno. Ond meddai Iesu, '*Rho i'r sawl sy'n gofyn gennyt, a phaid â throi i ffwrdd oddi wrth y sawl sydd am fenthyca gennyt*' (adn. 42). Y ffordd i ennill y wir fuddugoliaeth yw drwy ymateb yn hael i anghenion y sawl sy'n dod ar ein gofyn. Ond nid yw Iesu'n dweud, 'Rho i'r hwn sy'n gofyn gennyt *beth bynnag a ofynna amdano*.' Byddai hynny'n gwbl anymarferol, ac nid cymwynas â neb yw rhoi iddynt bopeth y gofynnant amdano: nid rhoi popeth, ond rhoi yr hyn sydd o les i'r sawl sy'n gofyn. Meddwl am bethau, ac yn enwedig am arian a wnawn ni, pan fyddwn yn sôn am roi. Efallai mai angen arian yw gwir angen rhywrai ac ni ddylem gau clust na chalon i gri yr anghenus. Ond yn aml iawn nid yw'r cais am arian yn ddim ond cais am gymorth i gyfarfod ag angen dyfnach. Nid aur ac arian oedd gwir angen y dyn wrth Borth Prydferth y Deml ond angen am iachâd a bywyd newydd (Actau 3:1–10). Ac wedi canfod gwir angen dyn, dyletswydd y Cristion yw rhoi heb gwyno a rhoi benthyg heb bwyso am gael dim yn ôl.

Yr eglurhad gorau ar athrawiaeth yr adran hon yw geiriau Paul yn Rhuf. 12:17–21, ac yn enwedig yr adnod olaf: '*Paid â goddef dy drechu gan ddrygioni. Trecha di ddrygioni â daioni.*' Ceir yma gyferbyniad clir rhwng y sawl sy'n ymateb i ddrygioni â drygioni, a'r sawl sydd, yn ysbryd a thrwy nerth Iesu, yn ymateb â daioni.

Cwestiynau i'w Trafod

1. Beth yw rhinweddau a diffygion yr egwyddor 'llygad am lygad a dant am ddant'?

2. Yng ngoleuni'r adran hon, sut dylai Cristnogion wrthsefyll drygioni?

3. Sut mae cyflwyno neges yr adran hon heb roi'r argraff fod cariad Cristnogol yn wan ac yn feddal?

CARU GELYNION

"*Clywsoch fel y dywedwyd, 'Câr dy gymydog a chasâ dy elyn.' Ond rwyf fi'n dweud wrthych: carwch eich gelynion, a gweddïwch dros y rhai sy'n eich erlid; felly fe fyddwch yn blant i'ch Tad sydd yn y nefoedd, oherwydd y mae ef yn peri i'w haul godi ar y drwg a'r da, ac yn rhoi glaw i'r cyfiawn a'r anghyfiawn. Os carwch y rhai sy'n eich caru chwi, pa wobr sydd i chwi? Onid yw hyd yn oed y casglwyr trethi yn gwneud cymaint â hynny? Onid yw'r Cenhedloedd hyd yn oed yn gwneud cymaint â hynny? Felly byddwch chwi'n berffaith fel y mae eich Tad nefol yn berffaith.*"

(Mathew 5:43–8)

Pobl wahanol yw deiliaid teyrnas Dduw ac o ganlyniad disgwylir ymddygiad gwahanol ganddynt. Disgwylir iddynt arddangos 'cyfiawnder helaethach' y rhai sy'n dilyn Iesu ac yn byw yn ôl ei orchmynion ef, sef caru eu gelynion. Gall unrhyw un garu ei gyfeillion a'i anwyliaid. Nid oes unrhyw anhawster caru'r rhai sy'n ein caru ni. Ond gosodir safon uwch i ddilynwyr Crist, safon na ellir byth mo'i chyrraedd ond drwy ei ras a'i gymorth ef.

Er mwyn egluro'r cyfiawnder helaethach hwn i'w ddisgyblion cymer Iesu un o orchmynion pwysicaf y Gyfraith Iddewig: '*Câr dy gymydog*' (Lef. 19:18). Ystyr y gair 'cymydog' yn Lefiticus yw un o feibion Israel. Cymydog i'r Iddew oedd cyd-Israeliad. Ni cheir ail hanner yr adnod, sef '*casâ dy elyn*', yn y Gyfraith. Y mae'n bosibl fod y geiriau hyn yn ychwanegiad gan y rabiniaid. Gwaith y rabiniaid oedd dehongli'r Gyfraith, a'u dehongliad hwy oedd fod caru cymydog, sef cyd-Iddew, yn golygu hefyd gasáu y rhai nad oeddent yn Iddewon. Ceir digon o gyfeiriadau yn yr Hen Destament i gyfiawnhau eu safbwynt. Dywed awdur Deuteronomium nad yw'r Amoniaid na'r Moabiaid i fynychu cynulleidfa pobl yr Arglwydd, ac ychwanega, '*Nid wyt i geisio lles na budd iddynt holl ddyddiau d'oes*' (236). Ac yn rhai o'r Salmau dial, melltithir gelynion Israel a'r Cenedl-ddynion nad ydynt yn cydnabod

Duw Israel. Amcan gorchmynion o'r fath oedd diogelu purdeb Israel a'i hamddiffyn rhag y llygredd a'r annuwioldeb a nodweddai'r cenhedloedd o'i chwmpas. I'r Iddew roedd y gorchymyn yn gwbl glir – yr oedd i garu ei gyd-Iddewon a chasáu gelynion Israel, sef Cenedl-ddynion.

Yr hyn a wna Iesu yn yr adran hon yw cytuno â rhan gyntaf y gorchymyn, '*Câr dy gymydog*', ond fe â ymlaen i ofyn am yr un berthynas â'r rhai sydd y tu allan i gylch cenedl Israel: '*cerwch eich gelynion*'. Protestia yn erbyn y math o genedlaetholdeb gul, annioddefgar oedd yn credu bod caru cyd-Iddew yn golygu hefyd gasáu pob un nad oedd yn Iddew. Mae'n bwysig cofio bod y dicter a fudlosgai ymhlith yr Iddewon yn erbyn gormes Rhufain yn gefndir i'r geiriau hyn. Ond i Iesu roedd rhaid wrth yr un cariad tuag at gymydog a gelyn. Mae ymddygiad y Cristion tuag at bobl eraill i'w benderfynu gan ei gymeriad ef, nid gan eu cymeriadau hwy. Mewn rhai fersiynau ceir brawddeg ychwanegol nad yw'n ymddangos yn y llawysgrifau gorau, sef, '*bendithiwch y rhai sy'n eich melltithio, gwnewch ddaioni i'r rhai sy'n eich casáu*'. O gynnwys y frawddeg hon gyda gweddill y testun gwelir cyferbyniadau amlwg rhwng ymddygiad gelyn *(melltithio, casáu, erlid)* ac ymddygiad y Cristion *(carwch, bendithiwch, gwnewch ddaioni, gweddïwch)*. Mae'r tri olaf yn dangos pa mor ymarferol y dehonglai Iesu y gair *cariad*. Cyn mynd ymhellach rhaid gofyn beth yn union yw ystyr y gair *cariad* pan yw Iesu'n ein gorchymyn i garu ein gelynion.

Ystyr Cariad

Yn sicr nid yw'r gair yn golygu *hoffi* ein gelynion neu *ymserchu* ynddynt. Teimlad greddfol yw serch a hoffter. Byddai gofyn i ni ymserchu mewn gelyn fel yr ydym yn ymserchu mewn perthynas neu ffrind agos yn gwbl amhosibl. Yr oedd gan y Groegiaid nifer o wahanol eiriau i fynegi gwahanol fathau o gariad. Eu gair am gariad ffrindiau oedd *philia*. Serch neu gariad cnawdol oedd ystyr y gair *eros*. I ddynodi cariad teulu a chariad rhwng perthnasau â'i gilydd defnyddiwyd y gair *storgé*, ac i ddynodi cariad at gyd-ddyn, sef tosturi ymarferol tuag at y gwan a'r anghenus, defnyddiwyd y gair *philanthropia*. Ond nid unrhyw un o'r geiriau hyn a ddefnyddir gan Iesu yn yr adran hon ond gair cwbl unigryw yn dynodi cariad Duw a'r math o gariad y dylai Cristnogion ei fynegi tuag at ei gilydd a'u cyd-ddynion yn ddiwahân, sef *agapé*. Ystyr *agapé* yw 'ewyllysio daioni i berson arall'. Ceisio'i les ac ymddwyn tuag ato gydag ewyllys da, a hynny beth bynnag yw ei agwedd ef tuag atom ni. Hyd yn oed os yw'n ymddwyn yn sarhaus tuag atom, yn ein niweidio neu yn ein brifo mewn unrhyw fodd, nid yw *agapé* yn rhoi lle i unrhyw chwerwedd yn y galon nac yn caniatáu unrhyw awydd i dalu'r pwyth yn ôl. Nid i fyd teimlad y perthyn y cariad hwn, ond i fyd ewyllys a bwriad. Ni all neb deimlo hoffter tuag at elyn, ond drwy gymorth Duw fe all ei garu, sef ewyllysio'i les a'i wasanaethu. Ar yr un pryd y mae gwneud hynny yn debygol o ddylanwadu ar ein teimladau tuag ato. Ni all neb gasáu dyn yn hir os bydd yn dymuno'i les. Darlun o'r cariad hwn a geir yn stori'r Samariad Trugarog yn ymateb i angen y teithiwr druan yr ymosodwyd arno gan ladron. Nid oedd unrhyw hoffter yn bod rhwng Iddewon a Samariaid, ond dangosodd y Samariad gariad ymarferol tuag at y truan ar lawr.

Dywed yr Apostol Paul fod y cariad hwn '*yn amyneddgar, yn gymwynasgar, nid yw'n cenfigennu, nid yw'n ceisio'i ddibenion ei hun, nid yw'n gwylltio, nid yw'n cadw cyfrif o gam ... y mae'n goddef i'r eithaf, yn credu i'r eithaf, yn gobeithio i'r eithaf, yn dal ati i'r eithaf*' (1 Cor. 13: 4–7).

Yn yr adran hon y mae Iesu'n gofyn i'w ddilynwyr ymateb i elynion yn ysbryd yr *agapé* hwn ac i wneud hynny drwy garu mewn gweithredoedd, mewn geiriau ac mewn gweddi.

Yn gyntaf, *caru mewn gweithred*. '*Gwnewch ddaioni i'r rhai sy'n eich casáu*' (adn. 44). Nid mater o deimlad ond o *wneud* yw *agapé*. Mae'n golygu bod yn barod i wasanaethu yn ymarferol a thosturiol. Yn ei lyfr *Give Peace a Chance,* y mae John Ferguson, aelod blaenllaw o Gymdeithas y Cymod, yn adrodd hanes nyrs ifanc mewn ysbyty yn Sarajevo yn ystod y rhyfel yn Bosnia. Un noson daethpwyd â milwr ifanc i'r ysbyty wedi ei anafu'n ddifrifol. Ar unwaith sylweddolodd y nyrs mai'r milwr hwn fu'n gyfrifol am ladd ei thad a'i brawd a threisio'i mam. O dan yr amgylchiadau oedd yn bodoli yn yr ysbyty gallai'n hawdd fod wedi gadael i'r milwr farw. Ond yn lle hynny gofalodd yn dyner amdano a gwellhaodd y milwr o'i anafiadau. Pan ofynnodd iddi pam y bu mor ofalus ohono ac yntau wedi achosi'r fath ddifrod i'w theulu, meddai, 'Yr ydw i'n credu yn yr Un a ddywedodd wrthym am wneud daioni i'r rhai sy'n gwneud niwed i ni.' Dostoyevsky a ddywedodd, 'Love in action is more terrible than love in dreams.' Yn lle talu drwg am ddrwg y mae *agapé* yn gofyn inni ymateb i ddrygioni drwy wneud daioni.

Yn ail, *caru ar air. 'Bendithiwch y rhai sy'n eich melltithio'* (adn. 44). Os yw gelynion yn ein rhegi a'n galw wrth bob enw dan haul gan ddymuno drwg a melltith arnom, y mae *agapé* yn gofyn inni ymateb iddyn nhw mewn geiriau sy'n dymuno bendith arnynt. Y reddf naturiol yw bytheirio a melltithio'n ôl, ond gwyddom nad yw hynny ond yn gwneud sefyllfa ddrwg yn waeth. Y mae deiliaid y deyrnas i ddisgyblu eu lleferydd i ymwrthod â geiriau cas, sarhaus ac ymosodol a siarad yn dyner a charedig bob amser. Byddai Martin Luther King yn pwysleisio pwysigrwydd siarad yn gariadus a thystio ar lafar i ffordd tangnefedd. Ymhlith y rheolau y disgwyliai i'w ddilynwyr eu cadw oedd y canlynol: 'Rhodiwch a siaradwch yn gariadus, oherwydd cariad yw Duw. Byddwch yn gwrtais bob amser wrth ymwneud â gelyn ac â chyfaill. Gochelwch drais dwrn, tafod a chalon.'

Yn drydydd, *caru drwy weddïo. 'Gweddïwch dros y rhai sy'n eich erlid'* (adn. 44). 'Hwn yw'r gorchymyn uchaf oll,' meddai Dietrich Bonhoeffer. 'Drwy gyfrwng gweddi awn at ein gelyn, safwn wrth ei ochr ac ymbiliwn drosto gerbron Duw.' Yn ôl Efengyl Luc dyna a wnaeth Iesu ei hun ar yr union adeg yr oedd ei ddienyddwyr yn dyrnu'r hoelion drwy ei ddwylo a'i draed. Gweddïodd, *'O Dad, maddau iddynt, oherwydd ni wyddant beth y maent yn ei wneud'* (Luc 23:34). Ceir awgrym iddo weddïo'i ddeisyfiad drosodd a throsodd wrth iddynt ei groeshoelio. Wrth weddïo dros elyn yr ydym yn dechrau ei weld mewn goleuni gwahanol, fel plentyn i Dduw ac fel y mae Duw am iddo fod. Ac y mae gweddi o'r fath yn puro'r galon o bob chwerwedd, atgasedd a surni. Y mae casineb fel gwenwyn yn lladd ein hysbryd, yn gwyrdroi ein meddwl ac yn chwalu'n dedwyddwch. Er ein lles ein hunain rhaid dysgu gweddïo pob atgasedd a drwgdeimlad o'n calonnau. Mewn cyfnod pan mae miloedd ar filoedd o Gristnogion mewn llawer rhan o'r byd heddiw yn dioddef erledigaeth, y mae galw arnom fel Cristnogion i weddïo drostynt a thros eu herlidwyr. Yn ôl Iesu, drwy rym gweddi y mae newid calonnau erlidwyr.

Cymhellion Cariad

Wedi dangos y dylai cariad at elyn fynegi ei hun mewn gair, mewn gweithred ac mewn gweddi â Iesu ymlaen i ddangos bod cariad Cristnogol yn fynegiant o gariad Duw ei hun. Mae'r rhai sy'n gweithredu'r cariad hwn o reidrwydd mewn perthynas agos â Duw ei hun fel y gellir dweud amdanynt eu bod yn blant i'w Tad sydd yn y nefoedd. Cyfeiria Iesu at dri rheswm dros y gorchymyn i garu gelyn a'r rheini'n deillio o'r berthynas â Duw sy'n sail bywyd ac ymarweddiad deiliaid y deyrnas. Yn gyntaf, *esiampl Duw ei hun*. Y mae cariad dwyfol yn amhleidgar, yn estyn breintiau a bendithion i'r da a'r drwg yn ddiwahân: '*y mae ef yn yn peri i'w haul godi ar y drwg a'r da, ac yn rhoi glaw i'r cyfiawn a'r anghyfiawn*' (adn. 45). Wrth gyfrannu ei fendithion y mae Duw yn anwybyddu'r gwahaniaethau rhwng pobl a'i gilydd. Nid nad yw ymddygiad pobl yn cyfrif dim yn ei olwg, ond nid ansawdd cymeriad person sy'n penderfynu ymddygiad Duw tuag ato. Nid yn ôl haeddiant neb y mae'n ymddwyn tuag ato ond yn ôl mawrfrydigrwydd ei galon ei hun. Disgrifia Calfin haelioni amhleidgar Duw fel 'gras cyffredin', sef y gras sydd ar gael i bawb, yr edifeiriol a'r anedifeiriol, credinwyr ac anghredinwyr, saint a phechaduriaid. Mynegir y gras cyffredin hwn yn rhoddion y cread, yn enwedig yn yr haul a'r glaw. Hebddynt ni fyddai bywyd yn bosibl ar y blaned hon. Sylwodd y Salmydd gynt ar ddaioni Duw tuag at bawb yn ddiwahân: '*Try llygaid pawb mewn gobaith atat ti, ac fe roi iddynt eu bwyd yn ei bryd; y mae dy law yn agored, ac yr wyt yn diwallu popeth byw yn ôl d'ewyllys*' (Salm 145:15–16). Gelwir ar bawb sy'n credu mai Tad fel hyn yw Duw i ymddwyn yn debyg iddo. Ei gymeriad ef, nid gwahaniaethau dynol – cyfaill a gelyn, cymydog ac estron, da a drwg – sydd i benderfynu eu hymddygiad hwy tuag at bawb. Felly'n unig y dônt yn debyg iddo, '*yn blant i'ch Tad sydd yn y nefoedd*' (adn. 45); hynny yw, yn rhai sy'n rhannu yn ei gymeriad ac yn ymdebygu iddo.

Yn ail, *y mae cariad dwyfol yn rhagori ar gariad dynol*. Un o nodweddion amlwg cariad dynol yw ei fod yn disgwyl ymateb o du ei wrthych, ac oni ddaw ymateb buan iawn y mae cariad yn darfod. Caru'r rhai sy'n ein caru ni a chyfarch y rhai sy'n ein cyfarch ni a wna cariad dynol. Y mae iddo ffiniau ac amodau. Ond gwahanol iawn yw cariad dwyfol. Mae hwnnw'n dal ati i'r eithaf, hyd yn oed pan nad oes ymateb neu pan mae'r ymateb yn negyddol, yn ffyrnig neu'n atgas. Ond wrth ymarfer cariad dynol yn unig, sef caru'r rhai sy'n ein caru ni, nid yw cymeriad person yn datblygu dim: *'Pa wobr sydd i chwi?'* (adn. 46). Nid yw ymddwyn yn gariadus ac yn gyfeillgar tuag at gâr a chyfaill yn gofyn am unrhyw ymdrech ac nid yw chwaith yn codi person i safon foesol uwch. *'Onid yw'r Cenhedloedd hyd yn oed'* – rhai nad ydynt yn adnabod Duw nac yn gwybod dim am safonau teyrnas Dduw – *'yn gwneud cymaint â hynny?'* (adn. 47). Mae safonau cariad dynol yn gadael person yn ei unfan heb dyfu dim. Ond wrth ymdrechu i gyrraedd safon cariad dwyfol a charu gelyn a rhai sy'n ein melltithio a'n casáu, a dal ati i wneud hynny, fe fydd person yn rhannu ym mywyd a chymeriad Duw, ac felly'n dod *'yn blant i'ch Tad sydd yn y nefoedd'* (adn. 45).

Yn drydydd, *y mae ymarfer cariad at elynion yn gwneud y Cristion yn debyg i Dduw ei Dad*. Diweddir yr adran hon â'r gorchymyn aruchel, *'Felly byddwch chwi'n berffaith fel y mae eich Tad nefol yn berffaith'* (adn. 48). Bu llawer o ddyfalu ynglŷn ag ystyr yr adnod hon. Nid perffeithrwydd moesol a olygir, na pherffeithrwydd gallu na gwybodaeth. Duw yn unig sy'n berffaith mewn purdeb, gallu a doethineb. Golyga yn hytrach bod yn berffaith mewn un peth yn unig, sef *mewn cariad* – gwneud popeth yn ein gallu i sicrhau bod ein cariad ni, fel cariad Duw, yn hollgynhwysol, yn gyflawn ac yn anghyfnewidiol, yn cynnwys pawb o'i fewn a heb adael neb allan. Fel y mae Duw yn cynnwys pawb o fewn cylch ei gariad, felly hefyd y dylai'r Cristion garu ei gyd-ddyn a cheisio'i les, gan wrthod newid na chyfaddawdu yn wyneb atgasedd, gwrthwynebiad nac ysbryd gelyniaethus. Dywed William Barclay mai ystyr 'perffaith' yn yr adnod hon yw rhywbeth sy'n cyflawni ei bwrpas i'r dim. Os yw arf yn cyflawni ei bwrpas, dywedwn, 'Mae hwn yn gwneud y gwaith yn berffaith.' Wrth efelychu cariad Duw sy'n cynnwys cyfaill a gelyn, sant a phechadur fel ei gilydd, down yn arfau cymwys i fynegi cariad perffaith Duw i'r byd.

Meddai Mary Owen am gariad Duw:

cariad mwy na hwn nid oes;
cariad lletach yw na'r moroedd,
uwch na'r nefoedd hefyd yw.

Wrth fynegi cariad eang, cyflawn, hollgynhwysol Duw, yr ydym yn ymgyrraedd at yr hyn y mae Iesu am inni fod fel dilynwyr iddo.

Cwestiynau i'w Trafod

1. Beth yw nodweddion *agapé* Cristnogol o'i gymharu â mathau eraill o gariad?

2. A yw caru gelyn yn debygol o newid ei agwedd a'i ymddygiad ef tuag atom ni?

3. Pa mor anodd yw gweddïo dros ein gelynion? Pa les a gawn o geisio gwneud hynny?

DYSGEIDIAETH AR ELUSENNAU

"Cymerwch ofal i beidio â chyflawni eich dyletswyddau crefyddol o flaen eraill, er mwyn cael eich gweld ganddynt: os gwnewch, nid oes gwobr i chwi gan eich Tad, yr hwn sydd yn y nefoedd. Felly, pan fyddi'n rhoi elusen, paid â chanu utgorn o'th flaen, fel y mae'r rhagrithwyr yn gwneud yn y synagogau ac yn yr heolydd, er mwyn cael eu canmol gan eraill. Yn wir, rwy'n dweud wrthych, y mae eu gwobr ganddynt eisoes. Ond pan fyddi di'n rhoi elusen, paid â gadael i'th law chwith wybod beth y mae dy law dde yn ei wneud. Felly bydd dy elusen di yn y dirgel, a bydd dy Dad, sydd yn gweld yn y dirgel, yn dy wobrwyo."

(Mathew 6:1–4)

Geiriau cyntaf y bennod hon yw '*Cymerwch ofal ...* ' Yn yr hen gyfieithiad ceir '*Gochelwch*'. Mae'r geiriau'n rhagarweiniad cyffredinol i'r adran adn. 1–18. '*Cymerwch ofal i beidio â chyflawni eich dyletswyddau crefyddol o flaen eraill, er mwyn cael eich gweld ganddynt*' (adn. 1). O fewn y grefydd Iddewig yr oedd tair dyletswydd, neu dair gweithred grefyddol a ystyrid yn sylfaenol – elusen, gweddi ac ympryd. Y mae gwir grefydd yn mynegi ei hun mewn tair ffordd. Yn gyntaf, mewn perthynas â cyd-ddyn – 'rhoi elusen'. Yn ail, mewn perthynas â Duw – 'gweddïo'. Yn drydydd, mewn perthynas â'r hunan, sef 'ymprydio' – disgyblu'r corff a'i gymhwyso i wasanaethu'r enaid. Yn y bennod hon y mae Iesu'n trafod y pwysigrwydd o gyflawni'r dyletswyddau hyn yn yr ysbryd priodol, nid eu cyflawni'n gyhoeddus er mwyn tynnu sylw atom ein hunain a cheisio ennill clod pobl eraill, ond eu cyflawni yn y dirgel fel y bydd Duw sydd yn y dirgel yn ein gwobrwyo.

Yn y bennod flaenorol bu Iesu'n trafod cyfiawnder ym mherthynas y Cristion â phobl eraill gan bwysleisio pwysigrwydd caredigrwydd, gonestrwydd, maddeuant a chariad. Yn awr y mae'n symud oddi wrth gyfiawnder moesol i gyfiawnder crefyddol ac i bwysigrwydd rhoi elusen, gweddïo ac ymprydio. Y mae'r naill fel y llall yn bwysig yn ei olwg a

103

rhaid cadw cydbwysedd rhyngddynt. I rai y dimensiwn moesol sy'n bwysig, sef caru cyd-ddyn, ceisio tegwch a gweithio dros y tlawd a'r anghenus. I eraill y dimensiwn ysbrydol sy'n bwysig, sef addoli, gweddïo a meithrin y bywyd ysbrydol. Dysgai Iesu fod gwir gyfiawnder yn cynnwys y naill fel y llall.

Nid yw Iesu mewn unrhyw fodd yn condemnio'r tair dyletswydd sylfaenol. Yn hytrach y mae'n cymryd yn ganiataol fod ei ddilynwyr yn eu harfer: 'pan fyddi'n rhoi elusen' (adn. 2); 'pan fyddwch yn gweddïo' (adn. 5); 'pan fyddwch yn ymprydio' (adn. 16). Yr hyn a wna yw rhybuddio'i ddilynwyr rhag gwneud sioe o'u duwioldeb, neu ni fyddant yn derbyn cymeradwyaeth Duw. Nid oes anghysondeb o gwbl rhwng y rhybudd yma a geiriau Iesu yn 5:16: *Boed i'ch goleuni chwithau lewyrchu gerbron eraill, er mwyn iddynt weld eich gweithredoedd da chwi a gogoneddu eich Tad, yr hwn sydd yn y nefoedd.'* Er i bobl weld ein gweithredoedd da, nid ydym i'w cyflawni er mwyn cael ein gweld. Amcan cyflawni gweithredoedd da yw gogoneddu Duw. Ond os cyflawnir gweithredoedd da er mwyn ennill canmoliaeth pobl, y mae'r gweithredoedd hynny yn peidio â bod yn fynegiant o gyfiawnder ac yn mynd yn ddiwerth. Mwy pwysig na'r gweithredoedd yw'r cymhelliad sy'n eu hysgogi.

Pwysigrwydd Rhoi Elusen

Syniad cyffredin ymhlith yr Iddewon oedd mai gwneud elusen oedd y mynegiant uchaf o'r bywyd crefyddol ac yr oedd duwioldeb pobl yn cael ei fesur wrth eu helusennau. Mae'n arwyddocaol mai'r un gair a ddefnyddir am gyfiawnder Duw tuag at ddyn ac am elusen dyn i'w gyd-ddyn. Dywediad cyfarwydd ymysg y rabiniaid oedd, '*Mwy canmoladwy yw'r sawl sy'n rhoi elusen na'r sawl sy'n offrymu aberthau.'* Yn Llyfr Tobit yn yr Apocryffa (12:8) ceir y geiriau, '*Gwell rhoi elusen na phentyrru cyfoeth, oherwydd y mae elusen yn achub rhag marwolaeth ac yn glanhau pob pechod.'* Ceir pwyslais tebyg yn Llyfr Ecclesiasticus: '*Bydd dŵr yn diffodd fflamau tân, a bydd elusen yn difa aflendid pechodau'* (3:30). A rhoddai Iesu'r un flaenoriaeth i roi elusen. Meddai wrth y Phariseaid, wedi iddynt ei feirniadu am fwyta gyda chasglwyr trethi a phechaduriaid, "*Ewch a dysgwch beth yw ystyr hyn, 'Trugaredd a ddymunaf, nid aberth'*" (Math. 9:13) – dyfyniad o broffwydoliaeth Hosea. Ei orchymyn i'r gŵr ifanc goludog oedd, 'Dos, gwerth dy eiddo a dyro i'r tlodion' (Math. 19:21). A neges ei ddameg fawr ar farnu'r cenhedloedd yw mai'r rhai sy'n ennill cymeradwyaeth y Brenin nefol yw'r rhai sydd wedi bwydo'r newynog, dilladu'r noeth, ac ymweld â'r claf a'r rhai mewn carchar; nid yn unig am eu bod yn cyflawni gweithredoedd dyngarol, ond am eu bod ar yr un pryd yn gwasanaethu'r Brenin ei hun: 'yn gymaint ag i chwi ei wneud i un o'r lleiaf o'r rhain, fy nghymrodyr, i mi y gwnaethoch' (Math. 25 40). Oherwydd bod Duw yn drugarog a charedig, hyd yn oed tuag at yr anniolchgar a'r drygionus, y mae rheidrwydd ar ei ddilynwyr i ddangos yr un trugaredd a charedigrwydd tuag at bobl mewn angen: 'Byddwch yn drugarog fel y mae eich Tad yn drugarog' (Luc 6:36).

Dros y canrifoedd rhoddodd yr Eglwys Gristnogol sylw amlwg i elusengarwch. Wrth ganmol yr eglwys ym Macedonia am ei haelioni yn cyfrannu tuag at gymorth i'r saint, y mae Paul yn ystyried hynny'n ymateb priodol i haelioni Crist ei hun (2 Cor. 8:9). Cyfeirir at bwysigrwydd cyfrannu at anghenion y tlawd gan nifer o'r tadau cynnar, gan gynnwys Cyprian a Iestyn Ferthyr. Daeth cyflwyno rhoddion elusennol yn elfen bwysig mewn addoliad, yn enwedig cyn y Cymun, ac yn ystod y Canol Oesoedd gosodid cist elusen mewn eglwysi plwyf i bobl fedru cyfrannu at anghenion tlodion y plwyf. Yn ninas Genefa yng nghyfnod Calfin gwneud casgliad ym mhob gwasanaeth tuag at dlodion y ddinas a ffurfiwyd urdd o ddiaconiaid i ddosbarthu'r arian ymhlith y mwyaf anghenus. A heddiw y mae casglu arian a chyfrannu at reidiau'r tlawd, y newynog a'r difreintiedig drwy fudiadau fel Cymorth Cristnogol, Cafod ac eraill, yn weithgarwch cyson ymysg eglwysi o bob enwad.

Cymhellion Anghywir

Fel ei gyd-Iddewon credai Iesu fod gwneud elusen yn un o ddyletswyddau pwysicaf y bywyd crefyddol a dymunai i'w ddilynwyr gyflawni'r ddyletswydd hon o gymhelliad cywir. Rhybuddia y gellir estyn cymorth i gyd-ddyn ac i'r weithred golli ei gwerth yn llwyr oherwydd y cymhelliad annheilwng sy'n ei hysgogi. Credai'r Phariseaid hefyd y dylid cyflwyno elusen yn y dirgel. Cytunent â Iesu ar y pwynt hwn, felly nid beirniadaeth ar y Phariseaid a geir yn yr adran hon, ond ar unrhyw rai a fynnai roi eu helusennau yn yr amlwg er mwyn cael eu canmol gan bobl eraill. Rhybudd Iesu i'w ddilynwyr ac i ninnau yw, 'Cymerwch ofal i beidio â chyflawni eich dyletswyddau crefyddol o flaen eraill, er mwyn cael eich gweld ganddynt' (adn. 1). Y mae'r rhai sy'n chwennych cymeradwyaeth am eu gweithredoedd da yn debyg i rai â'u harian mewn un llaw ac utgorn yn y llaw arall i alw pobl i ymgynnull i'w gwylio'n tywallt eu harian i'r gist. Defnyddid utgyrn i alw pobl ynghyd i ymprydio'n gyhoeddus, er enghraifft ar adegau o sychder. Defnyddio'r ymadrodd mewn ystyr ffigurol a wna Iesu yn y cyswllt hwn, ond nid yw hynny'n tynnu dim oddi ar ddigrifwch y darlun. Mae'n anodd meddwl am ddim mwy chwerthinllyd na dyn yn canu utgorn i alw pobl ynghyd i'w weld yn cyflwyno'i rodd.

Ceir gwrthgyferbyniad rhwng dilynwyr Iesu nad ydynt yn canu utgorn o'u blaenau a'r *rhagrithwyr* sy'n dymuno clod a chanmoliaeth 'yn y synagogau ac ar yr heolydd' (adn. 2). Ystyr y gair gwreiddiol am *ragrithwyr* yw rhai yn gwisgo masgiau i gymryd rhan mewn drama ar lwyfan. Actio y maent, ac nid hwy eu hunain a welir gan y gynulleidfa. Y mae masg yr actor yn ei wneud yn wahanol i'r hyn ydyw mewn gwirionedd. Chwarae rhan cymeriad arall y mae; cymryd arno bod yn berson arall. Ond pan fydd y ddrama drosodd bydd yn tynnu'r masg ac yn ail-afael yn ei wir gymeriad.

Rhai felly yw rhagrithwyr, meddai Iesu. Drama yw crefydd iddynt; rhywbeth i'w hactio o flaen pobl eraill. Cymeradwyaeth y dyrfa yw'r unig beth sy'n bwysig. Wrth fynd i roi eu helusen yn y synagog byddant yn cyflogi utganwr i fynd o'u blaenau i dynnu sylw'r bobl.

Ond nid yw Iesu'n pryderu dim am farn pobl eraill ac nid yw o bwys ganddo a ydynt yn gweld ai peidio. Cymeradwyaeth Duw y Tad yw'r ystyriaeth bwysicaf iddo ef a dyna y mae am i'w ddilynwyr ei geisio. Ond y mae tuedd ynom i gyd i fesur ein gweithredoedd da ochr yn ochr â gweithredoedd da pobl eraill. Yr unig amser yr ydym yn gwbl ddiffuant yw pan wnawn ein helusennau yn hollol ddirgel – pan na fydd y llaw chwith yn gwybod beth y mae'r llaw dde yn ei wneud. Dyna ffordd drawiadol Iesu o ddweud fod rhaid i'r weithred fod yn hollol ddirgel. Wrth gwrs nid yw'n llythrennol bosibl i'r llaw dde weithredu heb i'r llaw chwith wybod, er bod gan yr Arabiaid ddywediad fod dau gyfaill mynwesol fel 'llaw dde a llaw chwith'. Gallai Iesu felly olygu na ddylai

106

ei gyfaill agosaf wybod am weithredoedd da y Cristion. Dywedodd Bonhoeffer fod y geiriau hyn yn cyhoeddi'n glir farwolaeth yr 'hen ddyn'. Roedd bywyd yr 'hen ddyn' wedi'i ganoli ar yr hunan – ar hunan-glod a hunan- bwysigrwydd. Mae bywyd y 'dyn newydd', ar y llaw arall, wedi'i ganoli'n gyfan gwbl ar Iesu Grist – ar gyflawni ewyllys Crist ac ymddwyn yn unol â chariad ac ysbryd Crist.

Wrth gwrs, ni fedr neb fod yn berffaith sicr o ddilysrwydd ei amcanion, ond y mae rhoddi'n ddirgel yn fwy tebygol o gau allan amcanion annheilwng, balchder a hunanbwysigrwydd. O wneud ei elusen yn y dirgel y mae person yn dangos mai ei amcan yw estyn cymorth i rywun arall llai ffodus nag ef ei hun, ac nid ceisio unrhyw glod iddo'i hun. Ond pa mor ddirgel bynnag yw ei weithred bydd Un yn gweld: '*bydd dy Dad, sydd yn gweld yn y dirgel, yn dy wobrwyo*' (adn. 4). Am ei fod yn y dirgel y mae Duw yn gweld, ac am nad yw'r rhoddwr yn chwennych dim iddo'i hun, caiff ei wobrwyo.

Gwobrwyon yn y Bywyd Cristnogol

Sawl gwaith yn y bennod hon mae Iesu'n addo y bydd Duw yn gwobrwyo'r rhai sy'n gywir a diffuant yn eu dyletswyddau crefyddol. Y mae'n gwobrwyo'r sawl sy'n rhoi ei elusen yn y dirgel (adn. 4), sy'n gweddïo yn y dirgel (adn. 6), ac yn ymprydio yn y dirgel (adn. 18). Meddai Iesu am y rhai sy'n gwneud eu gweithredoedd da yn gyhoeddus er mwyn cael eu gweld a'u canmol gan bobl eraill, '*Yn wir, rwy'n dweud wrthych, y mae eu gwobr ganddynt eisoes*' (adn. 2). Dyna'r unig wobr sydd ar y rhagrithwyr hyn ei heisiau, ac fe'i cânt. Ac wedi iddynt ei derbyn mae'r cyfrif wedi ei gau ac ni allant ddisgwyl gwobr bellach gan Dduw. Trasiedi gweithredoedd da wedi eu cyflawni am resymau hunanol yw eu bod yn colli pob gwerth ac yn gwthio'r sawl sy'n eu cyflawni yn is ac yn is i ragrith.

Ond beth am y wobr sydd gan Dduw ar gyfer y rhai sy'n rhoi yn y dirgel? Y mae rhai yn anhapus â'r syniad o wobr o unrhyw fath yn y bywyd Cristnogol. Oni ddylai Cristion gyflawni gweithredoedd da a rhoi yn hael heb ddisgwyl cymeradwyaeth na chlod am mai dyna yw ei ddyletswydd a'i fraint? Ond rhaid ceisio deall beth yn union a olygai Iesu wrth wobrwyon Duw. Yn sicr, nid yw'n sôn am wobrwyon materol. Byddai'n gwbl anghydnaws â gweithred o gariad a thosturi i ddisgwyl gwobr ariannol am ei chyflawni. Nid yw'n sôn chwaith am wobrwyon sy'n arwain at iachawdwriaeth. Anfonodd Duw ei Fab Iesu Grist i'n cymodi ag ef ei hun drwy ei fywyd, ei aberth ar y groes a'i atgyfodiad.

Nid drwy gyflawni gweithredoedd da na rhoi elusen, na gwasanaethu cyd-ddyn, y mae ennill iachawdwriaeth.

Gwobrwyon o natur ysbrydol yw gwobrwyon y Cristion. I'r person materol nid ydynt yn wobrwyon o gwbl am nad yw'n medru amgyffred na gwerthfawrogi gwerthoedd o'r fath. Sôn y mae Iesu am wobrwyon a werthfawrogir gan ei ddilynwyr ef yn unig.

Y wobr gyntaf yw *boddhad.* Y mae dilyn Iesu, ei garu a'i wasanaethu o ddydd i ddydd yn dwyn boddhad a llawenydd i'r Cristion. Yn ei Lythyr at y Philipiaid dywed Paul ei fod '*wedi dysgu bod yn fodlon, beth bynnag fy amgylchiadau*' (4:11). I Paul yr oedd boddhad a llawenydd i'w cael o wasanaethu Iesu Grist. Dywed yr Archesgob Anthony Bloom am hen fynach o Rwsia a ddywedodd ar ei wely angau, 'Hyd yn oed os nad oes nefoedd, mae'r boddhad o wasanaethu Crist yn y byd a'r bywyd hwn yn ddigon o wobr.'

Yn ail, *y wobr o gael gwneud mwy a mwy o waith y deyrnas.* Y ddelfryd yn ôl safonau'r byd yw gorffen gweithio er mwyn mwynhau'r wobr; cael ymddeol er mwyn ymlacio a byw ar bensiwn. Ond i'r Cristion y mae'r wobr yn y gwaith. Y wobr i'r gweision ffyddlon yn nameg y talentau oedd derbyn mwy fyth o gyfrifoldeb (Math. 25:14–30). Ac meddai'r emynydd:

> Yn dy waith y mae fy mywyd,
> yn dy waith y mae fy hedd,
> yn dy waith yr wyf am aros
> tra bwy'r ochr hyn i'r bedd.

Yn drydydd, *y wobr o fwynhau'r weledigaeth o Dduw.* Er nad ein gweithredoedd da sy'n ennill i ni nefoedd, eto y mae'r sawl sydd wedi rhodio gyda Duw yn y byd hwn, wedi gwasanaethu ei gyd-ddyn, ac wedi mynegi cariad Crist tuag at eraill, yn pasio o'r byd hwn i bresenoldeb rhyfeddol Duw ei hun – dyna'r wobr fwyaf oll.

Cwestiynau i'w Trafod

1. A all person fod yn gwbl sicr o'i amcanion wrth gyflawni gweithredoedd da?

2. A yw'n wir dweud bod cymhellion anghywir yn gwneud gweithred dda yn ddiwerth?

3. Ym mha ffordd y mae Duw yn gwobrwyo'r rhai sy'n byw yn ôl ei ewyllys?

DYSGEIDIAETH AR WEDDI

"A phan fyddwch yn gweddïo, peidiwch â bod fel y rhagrithwyr; oherwydd y maent hwy'n hoffi gweddïo ar eu sefyll yn y synagogau ac ar gonglau'r heolydd, er mwyn cael eu gweld gan eraill. Yn wir, rwy'n dweud wrthych, y mae eu gwobr ganddynt eisoes. Ond pan fyddi di'n gweddïo, dos i mewn i'th ystafell, ac wedi cau dy ddrws gweddïa ar dy Dad sydd yn y dirgel, a bydd dy Dad sydd yn gweld yn y dirgel yn dy wobrwyo. Ac wrth weddïo, peidiwch â phentyrru geiriau fel y mae'r Cenhedloedd yn gwneud; y maent hwy yn tybied y cânt eu gwrando am eu haml eiriau. Peidiwch felly â bod yn debyg iddynt hwy, oherwydd y mae eich Tad yn gwybod cyn i chwi ofyn iddo beth yw eich anghenion."

(Mathew 6:5–8)

Yma, yng nghanol y Bregeth ar y Mynydd, cawn weddi a roddwyd gan yr Arglwydd Iesu i'w ddilynwyr a dysgeidiaeth ar sut y dylent weddïo. Y mae'r adran hon fel llecyn tawel, llonydd, ynghanol cyffro a symud a gorchmynion ymarferol dysgeidiaeth Iesu. Y mae'r Bregeth ar y Mynydd fel olwyn, a'i hechel yw'r adnodau dwys, myfyrgar hyn. O gylch yr echel y mae popeth arall yn troi. Ceir dysgeidiaeth Iesu ar nifer fawr o faterion ymarferol ac ysbrydol yn perthyn i fywyd y Cristion yn y byd: sut i fyw fel halen a goleuni yn y byd, sut i ffrwyno dicter a meddyliau aflan, sut i faddau, i garu gelynion, i roi elusennau, i ymprydio, y pwysigrwydd o geisio trysor nefol, sut i ddelio â phryder, sut i osgoi barnu eraill, sut i adnabod coed wrth eu ffrwythau, ac yn y blaen. Ynghanol y cyfan ceir dysgeidiaeth Iesu am weddi: yr union fan sy'n cyplysu'r holl broblemau hyn wrth ei gilydd fel adain olwyn. Yn wir ni ellir deall na chyflawni dysgeidiaeth Iesu ar y materion ymarferol hyn heb weddi. Gyda chymorth gweddi y mae canfod gras a nerth i faddau, i garu, i weddïo dros y rhai sy'n ein casáu, i roi elusen ac i ymprydio yn yr ysbryd priodol, i ganfod gwir werthoedd bywyd, i ganfod ffordd allan o gors pryder ac i ymddiried yng nghariad a gofal Duw. Heb gymorth Duw ni allwn gyflawni gofynion bywyd y deyrnas. Hwyrach mai'r rheswm pam y cawn ddysgeidiaeth y Bregeth ar y Mynydd yn anodd yw nad ydym yn rhoi i weddi ei lle canolog yn ein bywydau. Wrth droi at yr echel y cawn y nerth i gyrraedd delfrydau'r Bregeth. Ac y mae canolbwynt i'r echel ei hun ac i weddi, sef Duw. Ef yw'r echel anweledig y mae popeth yn troi o'i hamgylch; ef yw canolbwynt a tharddiad bywyd.

Gweddi o fewn Iddewiaeth

Gweddi yw'r ail o ymarferion crefyddol sylfaenol y grefydd Iddewig. Ni roddodd unrhyw genedl le amlycach i weddi na'r Iddewon. Trefnid eu hamserau gweddi yn ofalus a rhoddid pwyslais ar le gweddi yn y cartref ac yn y cysegr. Yr oedd un weddi, y *Shema,* y disgwylid i bob Iddew ei hadrodd fore a nos, cyn naw o'r gloch y bore a naw o'r gloch y nos. Hanfod y *Shema* oedd y geiriau, '*Gwrando, O Israel: Y mae'r Arglwydd ein Duw yn un Arglwydd. Câr di yr Arglwydd dy Dduw â'th holl galon ac â'th holl enaid ac â'th holl nerth*' (Deut. 6:4–5). Pe digwyddai dyn fod ar yr heol, neu yn ei faes, neu yn y farchnad, ar yr adegau hynny byddai'n rhaid iddo weddïo lle bynnag y digwyddai fod. Byddai rhai'n adrodd y weddi'n ddiffuant a dirodres, ond byddai ambell un arall yn gwneud pwynt o fod allan ar y stryd er mwyn cael ei weld a'i ganmol am ei dduwioldeb.

Ar wahân i'r *Shema* disgwylid i bob Iddew ffyddlon adrodd hefyd y *Shemoneh 'esreh,* neu *Y Deunaw,* a hynny'n ddyddiol, sef cyfres o ddeunaw o weddïau byrion. Byddai Iddewon duwiolfrydig yn adrodd y gweddïau'n ddiffuant a defosiynol, ond byddai rhai yn carlamu drwyddynt yn gyflym a difeddwl. Yr oedd rhai ohonynt yn weddïau hyfryd, fel y bumed yn y gyfres:

> Tywys ni'n ôl, O Arglwydd, at dy Gyfraith;
> Tywys ni'n ôl, O Frenin, at dy wasanaeth;
> Tywys ni'n ôl mewn gwir edifeirwch.
> Mawl a fo i ti, O Arglwydd, am iti dderbyn ein hedifeirwch.

Unwaith eto, pe byddi Iddew allan ar y stryd neu ynglŷn â'i waith ar yr adegau gweddi, byddai'n sefyll i adrodd y gweddïau hyn lle bynnag y byddai. Nid yw Iesu'n condemnio gweddïo yn y synagogau nac ar gonglau'r heolydd fel y cyfryw. Yn hytrach y mae'n condemnio'r rhai sy'n manteisio ar hyn i arddangos eu duwioldeb. Fe âi Iesu ei hun a'i ddisgyblion i weddïo yn y synagogau yn ôl eu harfer, meddai Luc 4: 16. A gellid dadlau fod gweddïo mewn mannau cyhoeddus amlwg, fel conglau heolydd, yn chwalu'r gwahanfur rhwng y sanctaidd a'r seciwlar ac yn rhoi Duw ynghanol bywyd bob dydd. Ond gwelai Iesu mai gwir gymhelliad rhai oedd dangos eu hunain ac ennill cymeradwyaeth pobl eraill.

Y Ffordd na Ddylid Gweddïo

Y mae i ddysgeidiaeth Iesu yn yr adran hon ddwy wedd, y negyddol a'r gadarnhaol. Cyn dysgu *sut* i weddïo dengys i'w ddilynwyr beth yw peryglon rhai mathau o weddïo. Ac y mae dau berygl amlwg, sef yn gyntaf, *'cael eu gweld gan eraill'* (adn. 5). Nid bod dim o'i le ar weddïo mewn mannau cyhoeddus fel y cyfryw; y perygl oedd i bobl ddefnyddio achlysuron o'r fath er mwyn cael eu gweld a'u canmol. Gallai gweithred o ddefosiwn droi'n sioe o falchder ysbrydol wrth i weddïwyr sefyll mewn mannau amlwg a dyrchafu eu dwylo tua'r nefoedd. Gwelai Iesu mai eu gwir gymhelliad yw ennill cymeradwyaeth pobl eraill: *'er mwyn cael eu gweld gan eraill'* (adn. 5). Fe gânt eu dymuniad ac fe gânt eu gwobr hefyd. Her geiriau Iesu yw eu bod yn ein rhybuddio mor hawdd yw hi i'r hunan ymwthio i ganol cysegr sancteiddiolaf gweddi a chamfeddiannu'r lle canolog a berthyn i Dduw ac i Dduw yn unig. Duw ddylai fod yn ganolbwynt ac yn unig wrthrych gweddi. Rhyfeddu at ogoniant Duw, ymagor i gariad Duw a mwynhau presenoldeb Duw yw amcan gweddi. Yn ôl Iesu, 'rhagrithwyr' yw'r rhai sy'n camddefnyddio gweddi a'i defnyddio i ddwyn gogoniant iddynt eu hunain. Y mae i'r ego ei osod ei hun yn yr union fan a berthyn i Dduw yn ddim llai na rhagrith. Perygl crefyddwyr ym mhob oes yw llithro i'r camwedd hwn o dynnu sylw atynt eu hunain wrth weddïo. Pan gaiff pregethwr ei ganmol am 'weddïo'n hyfryd', y perygl yw fod ei ddoniau ei hun yn cymryd lle gogoniant Duw fel gwrthrych ei weddi. H. E. Fosdick sy'n cyfeirio yn un o'i lyfrau at erthygl mewn papur newydd yn disgrifio oedfa dan arweiniad pregethwr poblogaidd mewn eglwys yn Boston ac yn canmol ei weddi huawdl fel 'the most eloquent prayer ever offered to a Boston audience'. Roedd y pregethwr yn fwy awyddus i wneud argraff ar ei wrandawyr na'u tywys gerbron gogoniant a sancteiddrwydd Duw. A beirniadaeth a wnaed gan Tegla o fardd-bregethwr adnabyddus oedd ei fod yn mynnu cynganeddu wrth weddïo! Y mae i weddi ei pheryglon yn ogystal â'i bendithion ac un o'r peryglon mwyaf yw defnyddio gweddi i dynnu sylw atom ein hunain.

Daw hyn â ni at yr ail berygl, sef *'pentyrru geiriau fel y mae'r Cenhedloedd yn gwneud'* (adn. 7). Nid cyfeirio at ddulliau'r Phariseaid o weddïo a wna Iesu, ond at ddulliau'r paganiaid. Credai'r rheini mewn llawer o dduwiau, ac er mwyn bod yn sicr o gael gwrandawiad ganddynt galwent ar gynifer â phosibl ohonynt yn y gobaith y byddai un neu ragor o'r duwiau hynny yn eu clywed. Hyd yn oed pan fyddent yn weddol sicr ar ba dduw i alw arno, gofalent ei gyfarch wrth nifer fawr o deitlau amrywiol. Ceir darlun clasurol o baganiaid yn gweddïo yn hanes proffwydi Baal yn galw ar eu duw i anfon tân ar yr allor. Er iddynt alw ar Baal o'r bore hyd hanner dydd, ni chawsant ateb. Gwawdiwyd hwy gan Elias. *'Galwch yn uwch,'* meddai, *'oherwydd duw ydyw; hwyrach ei fod yn synfyfyrio, neu wedi troi o'r neilltu, neu wedi mynd ar daith; neu efallai ei fod yn cysgu a bod rhaid ei ddeffro'* (1 Bren. 18:27). Ond er iddynt alw'n uwch ac anafu eu hunain yn eu sêl, ni ddaeth ateb oddi wrth Baal. Nid drwy bentyrru geiriau y mae'r Cristion i alw ar y Duw byw.

Credai rhai Phariseaid fod rhin mewn gweddi faith. Meddai un, *'Pan fydd y cyfiawn yn gweddïo'n faith, gwrandewir ar ei weddi.'* Ond nid dyna oedd barn Iddewon duwiolfrydig yn gyffredinol. Meddai awdur Llyfr y Pregethwr, *'Paid â bod yn fyrbwyll â'th enau na bod ar frys o flaen Duw. Y mae Duw yn y nefoedd, ac yr wyt ti ar y ddaear, felly bydd yn fyr dy eiriau'* (5:2).

Ni fu Cristnogion dros y canrifoedd yn ddieuog o bentyrru geiriau wrth weddïo. I Biwritaniaid yr ail ganrif ar bymtheg yr oedd meithder mewn gweddi yn arwydd o dduwioldeb. Meddai un hanesydd, 'The efficacy of prayer was measured by its ardour and its fluency, and not least by its lengthiness.' Aeth gweddïo hirfaith 'o'r frest' yn nodwedd amlwg yn addoliad Ymneilltuol Cymru hefyd, gyda gweddïwyr yn aml yn rhaffu brawddegau ystrydebol heb fod iddynt na phatrwm na phwrpas. Ac os byddai hwyl ar y dweud deuai'r geiriau allan yn llifeiriant gan esgor ar y syniad bod effeithiolrwydd gweddi i'w farnu wrth ei hyd. Ond i Iesu Grist nid oes a wnelo parablu huawdl a hyd gweddi ddim oll â'i heffeithiolrwydd ysbrydol. Ei orchymyn i'w ddilynwyr yw, *'Peidiwch felly â bod yn debyg iddynt hwy'* (adn. 8), sef i'r paganiaid.

Y Ffordd y Dylid Gweddïo

Mewn cyferbyniad i'w rybuddion yn erbyn gweddïo myfïol ac amleiriog, dengys Iesu beth yw amodau gwir weddi. Yn gyntaf, *y mae'n weddi yn y dirgel.* Yn hytrach na sefyll yn y synagogau neu ar gorneli'r heolydd neu unrhyw le cyhoeddus arall er mwyn cael eu gweld, dywed Iesu wrth ei ddilynwyr, *'Pan fyddi di'n gweddïo, dos i mewn i'th ystafell, ac wedi cau dy ddrws gweddïa ar dy dad sydd yn y dirgel'* (adn. 6). Y maent i ganfod llecyn tawel ymhell o sŵn a sylw'r byd i fod yng nghwmni Duw. Yno yn y distawrwydd, wyneb yn wyneb â'i Dad nefol, daw'r gweddïwr yn ymwybodol o'r presenoldeb dwyfol, o gariad Duw yn llenwi ei galon ac o'r tangnefedd nefol yn hydreiddio'i enaid. Y gweddïwr ei hun a ŵyr ym mhle y mae ei 'ystafell ddirgel'. Gall fod yn ystafell dawel yn ei dŷ, neu'n llecyn unig ar ochr mynydd, neu'n gornel ddistaw mewn eglwys. Nid y *lle* fel y cyfryw sy'n bwysig, ond y *llonyddwch.* Amod cyntaf gweddi yw ymdawelu – cael distawrwydd o'n hamgylch er mwyn medru ymdawelu oddi mewn: tawelu'n cyrff aflonydd, ein meddyliau gwibiog, ein dychmygion di-fudd, ein meddyliau crwydredig, a'u canoli'n llwyr ar Dduw. Ceisio'r distawrwydd hwn a wna Pantycelyn wrth ddymuno:

> O distewch, gynddeiriog donnau,
> tra bwy'n gwrando llais y nef;
> sŵn mwy hoff, a sŵn mwy nefol
> glywir yn ei eiriau ef:
> f'enaid gwrando
> lais tangnefedd pur a hedd.

Canlyniad ymdawelu yw canfod y tangnefedd pur sy'n troi yn 'llais y nef'.

Yn ail, *y mae gwir weddi wedi ei chanoli ar Dduw.* Deirgwaith yn yr adran hon cyfeirir at Dduw fel Tad: *'gweddïa ar dy Dad ... a bydd dy Dad sydd yn y dirgel yn dy wobrwyo ... y mae eich Tad yn gwybod cyn i chwi ofyn iddo beth yw eich anghenion'* (adn. 6, 8). Y mae'r cyferbyniad yma rhwng y rhagrithiwr sydd â'i lygad ar bobl eraill a'u

114

cymeradwyaeth a'r gwir weddïwr sydd â'i lygad ar Dduw yn unig. Yr hyn a bwysleisia Iesu yw mai hanfod gweddi yw cymundeb â Duw y Tad. Yr 'ystafell ddirgel' yw'r man lle mae'r gweddïwr yn ymdawelu yn y presenoldeb dwyfol ac yn cyfeirio'i holl ddoniau a'i synhwyrau tuag at Dduw – ei feddwl, ei ddychymyg, ei gariad, ei ewyllys a'i ddyhead dwfn amdano. A hynny gan wybod mai *Tad* yw Duw, un y mae ei gariad yn ymestyn allan tuag ato ac yn ei wahodd i gymuno ag ef. Oherwydd ein gwendid ysbrydol a'n hanallu i weddïo, dywed Paul fod yr Ysbryd Glân yn ein cynorthwyo i weddïo ac i lefain, '*Abba! Dad!*' '*Y mae yr Ysbryd ei hun yn cyd-dystiolaethu â'n hysbryd ni ein bod yn blant i Dduw*' (Rhuf. 8:15–16). Dull defnyddiol o ddyfnhau ein hymdeimlad o bresenoldeb Duw y Tad yw dweud y geiriau '*Abba! Dad! Abba! Dad!*' drosodd a throsodd. Gwobr y rhagrithiwr yw canmoliaeth dynion. Gwobr y gwir weddïwr yw cael rhannu yn y weledigaeth o gariad Duw y Tad.

Yn drydydd, *y mae i wir weddi ei gwobr.* Cyfarch pobl eraill a wna'r rhagrithiwr ac felly nid oes ateb i'w weddi. Ond dilynir y wir weddi â bendithion dirifedi. Meddai Iesu, '*Bydd dy Dad sydd yn gweld yn y dirgel yn dy wobrwyo*' (adn. 6). Nid amcan gweddi yw hysbysu Duw o'n hanghenion: '*Y mae eich Tad yn gwybod cyn i chwi ofyn iddo beth yw eich anghenion*' (adn. 8). Ond wedi dweud hynny y mae'r ffaith fod Duw yn gwybod ein hanghenion yn gymhelliad inni ofyn. Y mae rhieni naturiol yn gwybod beth yw anghenion eu plant, ac oherwydd hynny y maent yn falch o'u clywed yn gofyn. Mae'r gofyn yn dyfnhau'r berthynas rhyngddynt. Felly y mae hi rhyngom a Duw. Er ei fod yn gwybod ein hanghenion, y mae ein gofynion yn dwysáu'r gyfathrach rhyngom ac ef. Meddai P. T. Forsyth, 'Love loves to be told what it knows already ... it wants to be asked for what it longs to give.'

Cwestiynau i'w Trafod

1. I ba raddau y mae rhybuddion Iesu am beryglon gweddïo 'rhagrithiol' yn berthnasol i ni heddiw?
2. Ym mha ystyr y mae distawrwydd yn amod ac yn fan cychwyn gwir weddi?
3. I ba raddau y mae ein gweddïau cyhoeddus yn adlewyrchu ansawdd ein gweddïo dirgel?

GWEDDI'R ARGLWYDD

"Felly, gweddïwch chwi fel hyn:

> *'Ein Tad yn y nefoedd,*
> *sancteiddier dy enw;*
> *deled dy deyrnas;*
> *gwneler dy ewyllys,*
> *ar y ddaear fel yn y nef.*
> *Dyro inni heddiw ein bara beunyddiol;*
> *a maddau inni ein troseddau,*
> *fel yr ŷm ni wedi maddau i'r rhai a droseddodd yn ein herbyn;*
> *a phaid â'n dwyn i brawf,*
> *ond gwared ni rhag yr Un drwg.'*
> *Oherwydd os maddeuwch i eraill eu camweddau, bydd eich Tad nefol hefyd yn maddau i chwi. Ond os na faddeuwch i eraill eu camweddau, ni fydd eich Tad chwaith yn maddau eich camweddau chwi."*

(Mathew 6:9–15)

Wedi dangos i'w ddilynwyr sut y dylent weddïo, mae Iesu'n mynd ymlaen i osod iddynt batrwm o weddi. Yn ôl Luc cyflwynodd Iesu y weddi hon i'w ddisgyblion yn dilyn eu cais iddo eu dysgu i weddïo. '*Yr oedd ef yn gweddïo mewn rhyw fan, ac wedi iddo orffen dywedodd un o'i ddisgyblion wrtho, "Arglwydd, dysg i ni weddïo"*' (Luc 11:1). Nid o wrando ar ei ddysgeidiaeth yn unig y cododd eu cais ond o'i *weld* yn gweddïo a'r argraff a gawsant o'i berthynas agos a chysegredig â'i Dad nefol. Nid oedd gwahaniaeth rhwng dysgeidiaeth Iesu a'i esiampl, rhwng ei gred a'i arfer, rhwng ei bregethu a'i brofiad personol dwfn o Dduw. Yr oedd yn arferiad cyffredin i athrawon rabinaidd gyfansoddi rhyw ffurf ar weddi i'w dysgu i'w disgyblion. Yma fe wna Iesu yr un peth. Ond nid patrwm o weddi yn unig a geir yma, ond crynodeb o brif elfennau dysgeidiaeth Iesu am deyrnas Dduw – natur Duw, dyfodiad y deyrnas, anghenion materol ac ysbrydol pobl, a'r frwydr barhaus yn erbyn drygioni a gormes. O ystyried i Iesu grynhoi'r elfennau chwyldroadol hyn a'u cyflwyno mewn gweddi i Dduw, gwelwn mai Gweddi'r Arglwydd yw un o'r adrannau mwyaf ffrwydrol yn y Testament Newydd. Pan weddïwn Weddi'r Arglwydd deuwn yn rhan o ymgyrch chwyldroadol y deyrnas wrth i ni ymbil ar i Dduw ddymchwel systemau anghyfiawn a gormesol y byd hwn a dwyn ei deyrnas i'w llawnder ar y ddaear.

Y mae'r weddi fel y'i ceir yn Efengyl Luc yn fyrrach na fersiwn Mathew, ac y mae'n debyg mai ffurf Luc yw'r un wreiddiol. Mae'n debygol fod ffurf Mathew o'r weddi yn ganlyniad ei defnyddio yn addoliad yr eglwys fore. Y mae nifer o esbonwyr wedi dangos hefyd nad yw'r weddi yn gwbl wreiddiol o ran ei chynnwys. Ceir bron bob brawddeg ohoni yng ngweithiau'r rabiniaid Iddewig ond eu bod ar wasgar ac yn gymysg â llawer o ddeunydd diwerth. Cymerodd Iesu ddefnyddiau o draddodiad ysbrydol Iddewiaeth, eu plethu i'w gilydd a gosod stamp ei ysbryd ei hun arnynt i greu gweddi berffaith. Gellir rhannu'r weddi i chwe deisyfiad a'r rheini'n ffurfio dwy adran. Canolir y gyntaf ar *Dduw* – ei enw, ei deyrnas, ei ewyllys – a chanolir yr ail ar anghenion *dyn* – am fwyd, am faddeuant ac am amddiffyn. Pan ddywed Iesu, '*gweddïwch chwi fel hyn*' (adn. 9), y mae am iddynt nid yn unig ailadrodd y weddi ond ei chymryd fel patrwm o weddi yn eu haddoliad a'u bywyd ysbrydol. Y maent i'w defnyddio fel y mae, ond hefyd i lunio gweddïau eraill ar yr un llinellau ac yn yr un ysbryd.

Sancteiddio Enw Duw

Wrth weddïo rhaid inni wrth syniad clir a chywir o'r un yr ydym yn cyfeirio'n hymbiliau ato: '*Ein Tad yn y nefoedd*' (adn. 9). Nid oedd y syniad o Dduw fel Tad yn gwbl newydd. Ceir adleisiau ohono yn yr Hen Destament: '*Fel y mae tad yn tosturio wrth ei blant, felly y tosturia'r Arglwydd wrth y rhai sy'n ei ofni*' (Salm 103:13). Ond cydiodd Iesu yn y syniad ymylol hwn o dadolaeth a'i wneud yn ganolbwynt ac yn echel ei ddysgeidiaeth am Dduw. Dysgodd ei ddilynwyr i'w gyfarch â gair y plentyn bach wrth gyfarch ei dad, sef '*Abba, Dad*'. *Tad* yw enw nodweddiadol Iesu Grist ar Dduw a thrwyddo ef y down ni i gredu mai ein Tad yw Duw – un y medrwn ddod ato mor naturiol ag y daw plentyn bach at ei dad daearol, gan wybod ei fod wrth law i'n derbyn a'n cofleidio yn ei gariad. Ond wrth ddod ato fel Tad deuwn yn ymwybodol o'n perthynas â'n gilydd o fewn ei eglwys ac o fewn y teulu dynol. Nid 'fy Nhad' a ddywedwn, ond *'ein Tad'*. Wrth weddïo Gweddi'r Arglwydd yr ydym yn cysylltu'n hunain â'r eglwys fawr yn y nef ac ar y ddaear. Hyd yn oed pan weddïwn ar ein pennau ein hunain yr ydym yn un â chredinwyr yr oesau a phobl Dduw ar draws y byd.

Ond wrth gyfarch Duw fel ein Tad, rhaid cofio'r un pryd mai ein Tad *'yn y nefoedd'* ydyw. Er ei fod yn agos atom ac yn ein cofleidio yn ei gariad, Tad ydyw o anfeidrol fawredd, yn trigo yn nefoedd ei sancteiddrwydd. Ond nid trigfa bell, uwchlaw'r byd, yw *nefoedd*. Pan ddychwelodd y gofodwr Rwsiaidd Yuri Gagarin o'i daith ryfeddol i'r gofod, cyhoeddodd yr Arlywydd Khruschev fod Gagarin wedi rhoi'r hoelen olaf yn arch crefydd gan iddo fethu gweld unrhyw arwydd o nefoedd o gwbl yn y gofod! Ond mae'r nefoedd pa le bynnag y mae Duw, a thystiolaeth y Beibl yw fod Duw yn trigo ymysg ei bobl: 'Y *mae'r Arglwydd yn agos at bawb sy'n galw arno, at bawb sy'n galw arno mewn gwirionedd'* (Salm 145:18). Y mae Duw yn agos atom yn nefoedd ei bresenoldeb. Ac y mae'r presenoldeb hwnnw'n sanctaidd ac yn anfeidrol. Y mae *sancteiddio* enw Duw yn golygu edrych arno yn ei sancteiddrwydd pur a'i berffeithrwydd moesol a phlygu mewn addoliad a rhyfeddod ger ei fron a rhoi'r clod, y mawl a'r parch sy'n ddyledus iddo. Yr agosaf y deuwn at Dduw, mwyaf y sylweddolwn ein bod ym mhresenoldeb y sanctaidd, y cwbl arall, y tragwyddol a'r hollalluog. Y mae'n Dad sy'n ein derbyn ac yn gwrando'n deisyfiadau; y mae ar yr un pryd yr un sanctaidd, creawdwr nef a daear, y mae ei enw i'w ddyrchafu a'i fawrygu.

Dyfodiad Teyrnas Dduw

Drwy gydol ei weinidogaeth a'i ddysgeidiaeth dysgodd Iesu fod teyrnas Dduw wedi nesáu. Mewn un ystyr y mae'r deyrnas eisoes wedi dod i'r byd yn nyfodiad yr Arglwydd Iesu Grist. Ond mewn ystyr arall y mae'r deyrnas eto i ddod yn ei llawnder. Y mae gweddïo *'deled dy deyrnas'* (adn. 10) yn golygu gweddïo y bydd y deyrnas yn cynyddu ac yn ymledu wrth i bobl dderbyn Iesu ac ufuddhau iddo, a gweddïo hefyd y bydd Duw yn dwyn ei bwrpas gwaredigol i ben ym mywyd y byd.

Wedi dweud hynny, rhaid pwysleisio nad profiad personol, unigolyddol yn unig yw byw bywyd y deyrnas. Mae'r cymal hwn o'r weddi yn ymbiliad ar i'r byd symud i gyfeiriad y bywyd a ddatguddiwyd eisoes yn Iesu Grist. Gweddïwn ar i'r deyrnas ddod *ynom ni* wrth inni gael ein meddiannu'n llwyr ganddi a thyfu fwyfwy yng nghariad Crist. Gweddïwn hefyd ar i'r deyrnas dyfu ac ymledu *yn y byd*, fel y newidir y byd ac y daw y ddaear fel y nef. Golyga hynny ddwyn anghenion a gofidiau'r byd gerbron Duw mewn gweddi fel y deuwn yn gyfryngau ei ewyllys ymhob sefyllfa o angen a thrais a gorthrwm yn y byd. Ac y mae a wnelo'r deisyfiad hefyd *â'r dyfodol*. Mae'n gyfrwng i ddwyn y deyrnas i'w llawnder. Yn un o'i bregethau dywed Henry Rees, Lerpwl, 'Y mae Satan yn crynu o weld y sant symlaf ar ei liniau.' Y mae gweddi dros ddyfodiad y deyrnas yn weithred greadigol yn yr ymgyrch i achub y byd o afael drygioni ac i hybu'r deyrnas o gariad a chyfiawnder.

Gwneud Ewyllys Duw

Y mae'r gwir weddïwr yn ufuddhau i ewyllys Duw yn ei fywyd bob dydd. Amod dyfodiad teyrnas Dduw yw ufudd-dod llwyr i Dduw. Camddeallwyd y deisyfiad, '*gwneler dy ewyllys, ar y ddaear fel yn y nef*' (adn. 10) yn aml, drwy ei ddeall i olygu dim mwy nag ymostwng i'r hyn sy'n anochel, er enghraifft wrth gyfarfod â phrofedigaeth neu ryw argyfwng tebyg. Ond nid mewn tristwch nac anobaith y mae gweddïo'r geiriau hyn, ond mewn ysbryd disgwylgar, eiddgar. Y mae gennym i gyd ran yn y gwaith o gyflawni ewyllys Duw ar y ddaear. Cyflawnir ewyllys Duw yn berffaith yn y nef. Ein braint ni yw cyflwyno'n hunain i fod yn sianelau ei ewyllys ar y ddaear a thrwy hynny helaethu ei deyrnas yn y byd hwn. '*Ar y ddaear fel yn y nef*'. Teyrnas i'r byd hwn yw teyrnas Dduw. Camgymeriad dybryd yw ei hystyried yn deyrnas arallfydol. Teyrnas ydyw sydd i weddnewid y ddaear ac y mae i dyfu ac ymledu, nid drwy rym na thrais, ond drwy ufudd-dod llwyr i ewyllys Duw. Braint a chyfrifoldeb y Cristion yw parchu cymeriad Duw a dyrchafu ei enw, gweddïo am gynnydd ac ymlediad ei deyrnas, a'i gyflwyno'i hun i Dduw i'w ddefnyddio ganddo i ddibenion y deyrnas honno. Daw hyn â ni i ddiwedd rhan gyntaf y weddi sy'n canoli ar Dduw. Yn yr ail ran trown at ein hanghenion dynol – bara, maddeuant ac amddiffyn.

Bara Beunyddiol

Yn y pedwerydd deisyfiad hwn down at un o anghenion sylfaenol ein bywyd bob dydd: *'Dyro inni heddiw ein bara beunyddiol'* (adn. 11). Ceisiodd rhai Cristnogion, gan gynnwys Awstin Sant, roi ystyr ysbrydol i'r geiriau gan awgrymu mai'r 'bara' yn y cyswllt hwn yw Crist ei hun, neu sacrament Swper yr Arglwydd. Ond bara yn yr ystyr llythrennol sydd gan Iesu mewn golwg. Nid yw crefydd yr ymgnawdoliad yn gwahaniaethu rhwng y seciwlar a'r sanctaidd, rhwng y cyffredin a'r cysegredig. Yma, ar ganol y weddi, gwelwn ddwyn ein hanghenion economaidd gerbron Duw. Cawn ein hatgoffa am Dduw y *rhoddwr.* Mor hawdd mewn oes faterol yw anghofio mai Duw sy'n rhoi popeth inni. Ac mae'r deisyfiad hwn yn cynnwys popeth sy'n angenrheidiol i fywyd. Yn ei Gatecism Byr y mae Luther yn gofyn y cwestiwn, 'Pa beth a feddylir wrth fara beunyddiol?' A dyma'i ateb, 'Llywodraethwyr duwiol a ffyddlon, llywodraeth dda, tywydd da, heddwch, iechyd, disgyblaeth, anrhydedd, cyfeillion da, cymdogion ffyddlon a phethau tebyg.' Mae'r cyfan o'n rheidiau materol yn gynwysedig yn y gair *bara.* Gair y bu llawer o drafod ar ei ystyr yw *beunyddiol.* Ei ystyr yn llythrennol yw 'am y dydd sydd i ddod'. Fe'i defnyddiwyd i ddisgrifio'r dogn bwyd a roddwyd i weithiwr, milwr neu gaethwas am y dydd. Gall y gair olygu 'bara ar gyfer y dydd sydd o'n blaen yn awr' neu, o weddïo'r geiriau gyda'r nos, gall olygu 'bara ar gyfer y dydd yfory'. Mae'r deisyfiad yn caniatáu inni ofyn am angenrheidiau bywyd, ond nid am foethau. Mae'r cymal *'dyro i ni ...'* yn cofleidio'r holl deulu dynol ac yn ein hatgoffa o'n cyfrifoldeb tuag at y miliynau drwy'r byd sy'n araf nychu o newyn. O gofio am eu hangen hwy nid yw'n briodol i ni ofyn am fwy na'n hanghenion bob dydd.

Maddeuant

'A maddau inni ein troseddau' neu, *'ein dyledion'* (adn. 12). Yn nyddiau Iesu ystyrid dyled yn beth cywilyddus, yn awgrymu bywyd gwastrafflyd ac anghyfrifol, a daeth y gair yn gyfystyr â throsedd neu bechod. Ystyr gwreiddiol y gair *maddeuant* yw *'symud ymaith bob rhwystr'.* Meddai Waldo:

> Beth yw maddau? Cael ffordd trwy'r drain
> At ochr hen elyn.

Pan mae'r Tad yn nameg y Mab Afradlon yn derbyn ei fab yn ôl, y mae'n symud ymaith ddrain y gwrthryfel, y camddealltwriaeth a'r crwydro ffôl a rwygodd y berthynas rhyngddynt. Yn yr un modd y mae maddeuant Duw yn ailagor y ffordd rhyngom ag ef a rhyngom a'n gilydd. Mae symlrwydd y deisyfiad hwn yn dangos nad oes angen i ni ond ymddiried yng nghariad a thrugaredd Duw er mwyn i ddrain ein pechodau ninnau gael eu hysgubo ymaith. Ond y mae un amod pwysig: *'fel yr ŷm ni wedi maddau i'r rhai a droseddodd yn ein herbyn'* (adn. 12). Nid yw hyn yn golygu 'rho i ni'r un mesur o faddeuant ag a roddwn ni i'r rhai a droseddodd yn ein herbyn'. Yn hytrach y mae'n golygu fod maddeuant rhad Duw yn dod yn weithredol yn ein heneidiau i'r graddau ei fod yn llifo drwom tuag at eraill. Y mae maddeuant yn digwydd *ynom* i'r graddau y mae'n digwydd *drwom*. Nid bod Duw yn maddau inni i'r un graddau ag y byddwn ni'n maddau, ond bod angen i'w faddeuant lifo drwom tuag at eraill os yw i weithredu ynom.

Gwaredigaeth rhag y Drwg

'A phaid â'n dwyn i brawf, ond gwared ni rhag yr Un drwg' (adn. 13). Gall y gair *drwg* olygu drygioni fel grym dieflig, dinistriol, neu *'Un drwg'*, sef diafol neu Satan. Yn y deisyfiad hwn cyflwynwn ein *dyfodol* i ddwylo Duw. Ystyr *'paid â'n dwyn i brawf'* yw 'paid â gadael inni gael ein denu i bechod'. Nid yw hynny'n golygu fod Duw yn fwriadol yn gosod temtasiwn yn ein ffordd, ond bod y posibilrwydd o syrthio i bechod ac o syrthio ymaith oddi wrth Dduw yn rhan o'n cyflwr dynol fel creaduriaid rhydd wrth inni wynebu bywyd. Yn ôl A. M. Hunter y mae'n ddiweddglo cymwys i'r weddi gyda'r syniad y gall Duw ein gwaredu'n llawn a therfynol drwy ein hamddiffyn rhag syrthio ymaith a rhag cael ein llethu gan unrhyw ddrwg.

Cwestiynau i'w trafod

1. Pa mor bwysig yw cadw cydbwysedd rhwng agosrwydd Duw fel Tad a'i fawredd a'i sancteiddrwydd?

2. Ym mha ystyr y mae gweddïo yn gyfrwng i helaethu y deyrnas yn y byd?

3. A oes amodau i faddeuant Duw?

DYSGEIDIAETH AR YMPRYDIO

"A phan fyddwch yn ymprydio, peidiwch â bod yn wynepdrist fel y rhagrithwyr; y maent hwy'n anffurfio eu hwynebau er mwyn i eraill gael gweld eu bod yn ymprydio. Yn wir, rwy'n dweud wrthych, y mae eu gwobr ganddynt eisoes. Ond pan fyddi di'n ymprydio, eneinia dy ben a golch dy wyneb, fel nad pobl a gaiff weld dy fod yn ymprydio, ond yn hytrach dy Dad sydd yn y dirgel; a bydd dy Dad sydd yn gweld yn y dirgel, yn dy wobrwyo."

(Mathew 6:16–18)

Y tair ymarfer sylfaenol o fewn Iddewiaeth y disgwylid i bob Iddew duwiolfrydig eu cyflawni oedd rhoi elusen, gweddïo ac ymprydio. Yr oedd a wnelo *elusen* â dyletswydd dyn tuag at ei gyd-ddyn. Dyletswydd tuag at Dduw oedd *gweddïo*, a dyletswydd mewn perthynas â'r hunan oedd *ymprydio* – disgyblu'r corff rhag iddo lygru a threchu'r enaid. Anodd yw i ni werthfawrogi gwerth a phwysigrwydd ympryd am ei fod wedi diflannu bron yn gyfan gwbl o'n traddodiad crefyddol ni. Mewn rhai traddodiadau Cristnogol ceir cyfnodau o ympryd ar adegau megis tymor y Grawys, a bu'n arferiad gan yr hen Ymneilltuwyr a'r Methodistiaid cynnar i gynnal dyddiau o weddi ac ympryd i geisio arweiniad a bendith Duw ar eu gwaith, neu ar achlysur rhyw argyfwng cenedlaethol. Erbyn heddiw cysylltir ympryd yn bennaf ag Islam gan fod Moslemiaid yn cadw ympryd Ramadan yn ffyddlon ar y nawfed mis yn y flwyddyn Islamaidd i goffáu'r weledigaeth gyntaf a gafodd Mohammed oddi wrth Dduw. Pery'r ympryd bob dydd am fis, o doriad gwawr hyd y machlud.

Ympryd o fewn Iddewiaeth

Yr oedd i ympryd le pwysig yn y calendr Iddewig. Yn ychwanegol at y gwyliau ympryd swyddogol ar ddydd y Cymod, ar ddechrau blwyddyn newydd ac ar adegau cofio trychinebau mawr yn hanes y genedl, cynhelid ymprydiau cyhoeddus ar ddyddiau o ymostyngiad. Yn ychwanegol ymprydiai unigolion fel dull o ddisgyblu'r hunan. Gwnaed hynny'n gyson gan y Phariseaid a chan ddilynwyr Ioan Fedyddiwr. Ymysg y Phariseaid dydd Llun a dydd Iau oedd y dyddiau ymprydio arferol, sef dyddiau marchnad. Dywed y Phariseaid yn y ddameg, '*Yr wyf yn ymprydio ddwywaith yn yr wythnos*' (Luc 18:12). Ar y dyddiau hyn deuai tyrfaoedd i'r trefi, ac yn arbennig i Jerwsalem. Dyna pryd y câi'r rhai oedd am wneud sioe o'u hympryd dyrfa i edmygu eu duwioldeb. Cymerai Iesu'n ganiataol y byddai ei ddilynwyr yn ymprydio ac ni chondemniai'r Phariseaid na disgyblion Ioan am wneud hynny chwaith. Ymprydiodd ei hun yn y diffeithwch cyn y Temtiad, ond yn ôl ei amddiffyniad o'i ddisgyblion am beidio ag ymprydio, ymddengys na roddai lawer o bwys ar yr arfer (Math. 9:15). Ar ei orau yr oedd i ympryd o fewn Iddewiaeth amcanion canmoladwy.

Yn y lle cyntaf, *yr oedd ymprydio'n arwydd o alar*. Yn y dyddiau rhwng marwolaeth person a'i gladdedigaeth byddai'r galarwyr yn ymatal rhag bwyta cig ac yfed gwin. Eglurodd Iesu pam nad oedd ei ddisgyblion ef yn ymprydio. Yr oedd ef gyda hwy, ond wedi iddo'u gadael byddai eu tristwch yn achos iddynt ymprydio.

Yn ail, *yr oedd ympryd yn arwydd o edifeirwch*. Edifeirwch y galon oedd yn bwysig. Nid oedd unrhyw werth i ympryd heb edifeirwch oddi mewn, ac yn sicr ni allai dyn ennill maddeuant drwy ymprydio. Meddai awdur Ecclesiasticus: '*os ymprydia dyn am ei bechodau, a mynd eilwaith a gwneud yr un pethau, pwy a wrendy ar ei weddi, a pha faint gwell fydd o'i ymostyngiad?*' (34:26). Er hynny yr oedd lle i ympryd fel mynegiant allanol o newid mewnol.

Yn drydydd, *yr oedd ympryd yn weithred o ymostyngiad cenedlaethol*. Ymostyngodd y genedl gyfan mewn ympryd yn dilyn trychineb y rhyfel cartref yn erbyn Benjamin (Barnwyr 20:26). Mynnodd Samuel fod y genedl yn ymprydio oherwydd iddynt droi oddi wrth Dduw at Baal (1 Sam. 7:6). Pan oedd galw am edifeirwch ar ran y genedl, drwy ymprydio yr oedd mynegi'r edifeirwch hwnnw.

Yn bedwerydd, *yr oedd ympryd yn ffordd o ddyfnhau'r profiad ysbrydol*. Canlyniad disgyblu'r corff drwy ymprydio oedd deffro doniau'r enaid a'u cyfeirio at Dduw. Roedd canolbwyntio'n llwyr ar Dduw yn gwneud yr ymprydiwr yn fwy sensitif i'w bresenoldeb ac yn fwy agored i glywed ei air a derbyn ei fendith. Ymprydiodd Moses yn y mynydd am ddeugain dydd a deugain nos (Ex. 24:15). Ymprydiodd Daniel wrth iddo ddisgwyl gair gan yr Arglwydd (Dan. 9:3). Ac ymprydio a wnâi Iesu ei hun wrth ddisgwyl cael ei demtio yn y diffeithwch (Math. 4:3). Roedd i'r traddodiad o ymprydio hanes hir ac anrhydeddus yn hanes crefydd Israel.

Ympryd Rhagrithiol

Nid yw Iesu'n condemnio ympryd fel y cyfryw ond yn hytrach y rhagrith a dyfodd ynglŷn â'r arfer ymysg rhai Iddewon. Ni ddywedir mai'r Phariseaid oedd y rhai euog. At ei gilydd byddent hwy yn cytuno â Iesu ac yn anghymeradwyo'r ffug ymprydio a ddisgrifir mor fyw yn yr adran hon. Byddai rhai crefyddwyr yn ymddangos yn gyhoeddus ag olion ymprydio ar eu hwynebau: *'y maent hwy'n anffurfio eu hwynebau'* (adn. 16). Byddent yn taenu lludw ar eu hwynebau, yn ymatal rhag ymolchi na thorri eu gwallt na thrin eu barfau. Aent o gwmpas yn tynnu wynebau hir, yn aflêr, gyda lludw ar eu pennau, er mwyn ceisio dangos i eraill mor ddwfn oedd eu hedifeirwch a'u galar. Disgrifia Iesu hwy fel *'rhagrithwyr'*. Fel y nodwyd eisoes, ystyr llythrennol 'rhagrith' yw 'gwisgo mwgwd', sef rhywbeth a wisgai person ar ei wyneb i'w ddieithrio'i hun a'i wneud yn wahanol i'r hyn ydyw mewn gwirionedd. Gwisgo mwgwd a wnâi actorion wrth bortreadu cymeriadau gwahanol ar lwyfan. Am awr neu ddwy ar lwyfan, o flaen cynulleidfa, bydd actor yn cymryd arno bod yn berson arall nes y daw'r ddrama i ben, ac yna bydd yn tynnu'r mwgwd ac yn ailafael yn ei gymeriad ei hun.

Rhai felly yw rhagrithwyr, meddai Iesu. Iddynt hwy rhywbeth i'w actio o flaen cynulleidfa yw crefydd. Cymeradwyaeth y dyrfa yw'r unig beth o bwys yn eu golwg. Anffurfiant eu hwynebau yn ystod eu horiau ympryd er mwyn i'r cyhoedd weld pa mor dduwiol ydynt. Ânt o amgylch yn *'wynepdrist'* (adn. 16). Ond nid oes a wnelo Duw ddim oll â'u hwynebau trist a'u hystumiau ffals. Nid rhywbeth i beri i bobl ymddangos yn lleddf a digalon yw crefydd i Iesu Grist. Fel gydag elusen a gweddïo, pobl yn actio ar lwyfan ac yn gwneud crefydd yn ddrama wag a diystyr yw'r 'rhagrithwyr' hyn. Mae eu llygaid ar ennill sylw ac edmygedd pobl eraill yn unig. Condemnio hynny a wna Iesu, ac yn hyn o beth cytunai'r Phariseaid gorau ag ef. *'Yn wir, rwy'n dweud wrthych, y mae eu gwobr ganddynt eisoes'* (adn. 16). Y gair gwreiddiol a gyfieithir 'gwobr' yw *taleb*, sef derbynneb. Mae'r cownt wedi'i gau. Does dim mwy i'w dalu a dim gwobr fwy yn eu haros. Duw yn unig sydd i fod yn dyst i ympryd a'r unig wobr werth ei chael yw ei gymeradwyaeth ef.

Gwir Ympryd

Gwahanol iawn yw ymddygiad gwir ddeiliaid y deyrnas. Cymeradwyaeth Duw yn unig sy'n cyfrif iddynt hwy – y Duw a wêl i ddirgelion y galon ac a ŵyr beth yw'r cymhellion sy'n ysgogi eu gweithredoedd. Dymuniad Iesu yw i ni roi elusen, gweddïo ac ymprydio yn y dirgel lle nad oes neb ond Duw ei hun i'n gweld ac i wrando arnom. Dylid diddymu pob arwydd o ymprydio ffals, ac yn hytrach nag anffurfio'u hwynebau, meddai Iesu, *'pan fyddi di'n ymprydio, eneinia dy ben a golch dy wyneb'* (adn. 17). Y mae hynny'n awgrymu paratoi i fynd i wledd. Mae disgyblion Iesu i gyflawni eu dyletswyddau crefyddol gerbron Duw mewn ysbryd llawen a diolchgar.

Yn yr adran hon y mae Iesu'n cyferbynnu dau fath o dduwioldeb, y rhagrithiol a'r diffuant. Y mae duwioldeb rhagrithiol yn rhodresgar, wedi'i symbylu gan falchder ac yn amcanu at gael ei wobrwyo gan glod a chymeradwyaeth dyn. Y mae duwioldeb diffuant, ar y llaw arall, yn digwydd yn y dirgel, wedi'i symbylu gan ostyngeiddrwydd ac yn cael ei wobrwyo gan Dduw. Gwelsom fod rhoi elusen, gweddïo ac ymprydio i gyd yn ymarferion crefyddol clodwiw. Diben rhoi elusen yw helpu eraill. Diben gweddïo yw ceisio Duw. Diben ymprydio yw disgyblu'r hunan. Ond y mae camddefnyddio'r ymarferion hyn er mwyn ennill sylw i ni ein hunain yn eu halogi. Er i'r adran hon sôn am ymprydio er mwyn ennill sylw eraill, nid pobl eraill sy'n bwysig i'r rhagrithiwr ond ef ei hun. Ei fai mawr yw ei fod yn ei osod ei hun, nid Duw, yn ffocws a chanolbwynt ei grefydda. Dylem ofyn yn gyson faint o'n crefydda ninnau sydd wedi'i ganoli ar Dduw mewn gwirionedd.

Gallwn fod yn grefyddol ddiwyd heb i'n hymdrechion gael eu cyflawni er clod i Dduw. Pam yr awn ni i gapel neu eglwys o Sul i Sul? Ai er mwyn offrymu clod ac addoliad i Dduw, neu er mwyn cael ein hystyried yn bobl dda? Pam y dringwn i bulpud i gyhoeddi'r Efengyl? Ai er mwyn cyhoeddi'r newyddion da am gariad Duw yn Iesu, neu er mwyn cael ein canmol gan gynulleidfa? Ein cymhellion yn hytrach na'n gweithredoedd a fernir gan Dduw. Ac er inni fethu ganwaith â chadw'n cymhellion yn bur ac yn anhunanol, *cyfeiriad* ein hymdrechion a'n gweithgareddau sy'n bwysig. Y mae cyfeiriad y rhagrithiwr yn gwbl wahanol i eiddo'r Cristion. Ar farn pobl eraill y mae llygad y naill, ar Dduw y mae llygad y llall. Er i'r 'myfi' hunanol a rhodresgar ein hudo'n achlysurol oddi ar y llwybr, cawn ein tynnu'n ôl at ein dyhead am Dduw. Ni lwyddwn i fod yn berffaith, ond ceisiwn gyfeirio ein hunain tuag at berffeithrwydd. Meddai Paul, *'Nid fy mod eisoes wedi cael hyn, neu fy mod eisoes yn berffaith, ond yr wyf yn prysuro ymlaen, er mwyn meddiannu'r peth hwnnw y cefais innau er ei fwyn fy meddiannu gan Grist Iesu'* (Phil. 3:12).

Gwerth Ymprydio Heddiw

A yw'r adran hon yn berthnasol i'n bywyd Cristnogol ni heddiw? A oes lle i ymprydio yn ein bywydau a'n defosiwn fel dilynwyr Crist yn y byd modern? Mae'r ateb i'r cwestiwn yn dibynnu ar ein diffiniad o *ymprydio*. Gall olygu ymwrthod yn llwyr â bwyd dros gyfnod, ac nid am resymau crefyddol yn unig. Gwnaeth Gandhi ddefnydd o ympryd fel arwydd o dristwch a phrotest oherwydd sefyllfa wleidyddol anffoddhaol India ar y pryd. Ymprydiodd nifer o garcharorion gwleidyddol yng Ngogledd Iwerddon er mwyn tynnu sylw at eu hachos. Defnyddiodd y diweddar Gwynfor Evans ympryd yn arf i ennill sianel deledu Gymraeg. Y mae lle i'r math yna o ympryd, er nad yw Iesu'n ei drafod yma. Gall ymprydio olygu hefyd ymwrthod â bwyd dros gyfnodau byr. Mae'r gair *brecwast* yn dynodi pryd cyntaf y dydd – 'breakfast' yn golygu 'break the fast' – yn dilyn noson heb fwyd. Pa werth sydd i ymprydio, boed dros gyfnod hir neu gyfnod byr?

Yn gyntaf, gwelir yn y Beibl fod *ymprydio'n arwydd o edifeirwch.* Yn dilyn dinistr Jerwsalem, y mae Daniel yn rhoi mynegiant i edifeirwch ei bobl: *'trois at yr Arglwydd Dduw mewn gweddi daer ac ymbil, gydag ympryd a sachliain a lludw'* (Dan. 9:2). Mewn edifeirwch am iddo erlid dilynwyr Crist, aeth Paul am dridiau heb weld, *'ac ni chymerodd na bwyd na diod'* (Actau 9:9). Y mae lle o hyd i ympryd fel arwydd o edifeirwch am bechodau'r gorffennol.

Yn ail, *y mae ympryd yn gymorth i ddwysáu a grymuso gweddi.* Ceir nifer o enghreifftiau o ympryd a gweddi yn mynd law yn llaw yn y Beibl. Cyn neilltuo Paul a Barnabas i'w taith genhadol gyntaf treuliodd eglwys Antiochia amser yn gweddïo ac yn ymprydio i geisio ewyllys

Duw (Actau 13:2). Dros y canrifoedd y mae Cristnogion wedi canfod fod ympryd yn help i angerddoli gweddi drwy ddisgyblu'r corff i ymlonyddu ac i gyfeirio'i holl ddoniau at Dduw. Meddai David Tripp, 'It is a praying with the body; it gives emphasis and intensity to prayer; specifically it expresses hunger for God and his will.' Hwyrach fod angen i ni yn y traddodiad Protestannaidd adfer yr arfer o ymprydio er mwyn inni ailddarganfod ei werth ysbrydol.

Yn drydydd, *y mae ymprydio'n ddull o'n huniaethu'n hunain â'r tlawd a'r newynog.* Yn ystod un o uchel wyliau Iddewiaeth, pan oedd y bobl yn ymgasglu yn Jerwsalem i gynnal ympryd, datganodd y proffwyd Eseia mai'r unig ympryd oedd yn dderbyniol gan Dduw oedd *'rhannu dy fara gyda'r newynog, a derbyn y tlawd gartref i'th dŷ, dilladu'r noeth pan y'i gweli, a pheidio ag ymguddio rhag dy deulu dy hun'* (Es. 58:7). Defnyddir ympryd i dynnu sylw at anghenion trueiniaid y byd heddiw ac fel dull o godi arian at fudiadau fel Cymorth Cristnogol. Mae eglwysi yn cynnal Prydau Ympryd yn gyson er mwyn cefnogi'r gwaith a chreu cyswllt â thlodion y byd.

Yn bedwerydd, *y mae ymprydio'n ddull effeithiol o rybuddio'n cymdeithas o beryglon gorfwyta a goryfed.* Aeth tewdra a gorfwyta yn broblem enfawr yn ein cymdeithas gyfoes. Y mae hyn yn rhoi cyfle i Gristnogion ddangos rhinwedd hunanddisgyblaeth a chynnig dull iachach o fyw drwy fwyta llai ac ymarfer mwy. Er nad yw ymprydio'n golygu'r un peth â cholli pwysau, yn y cyfnod hwn gellid hawlio bod perthynas rhyngddynt.

Cwestiynau i'w trafod

1. Pa werth a welwch chi mewn ymprydio, neu ymwrthod â rhyw bethau, yn eich bywyd crefyddol?

2. Ym mha ffordd dybiwch chi y mae ymprydio'n dwysáu a chyfoethogi gweddïo?

3. Ym mha ffyrdd y gellir defnyddio ymprydio o fewn yr eglwys i gynorthwyo tlodion y byd?

Y CRISTION A'I EIDDO

"*Peidiwch â chasglu ichwi drysorau ar y ddaear, lle mae gwyfyn a rhwd yn difa, a lle mae lladron yn torri trwodd ac yn lladrata. Casglwch ichwi drysorau yn y nef, lle nad yw gwyfyn a rhwd yn difa, a lle nad yw lladron yn torri trwodd nac yn lladrata. Oherwydd lle mae dy drysor, yno hefyd y bydd dy galon.*

"*Y llygad yw cannwyll y corff; felly os bydd dy lygad yn hael, bydd dy gorff yn llawn goleuni. Ond os bydd dy lygad yn drachwantus, bydd dy gorff yn llawn tywyllwch. Ac os yw'r goleuni sydd ynot yn dywyllwch, mor fawr yw'r tywyllwch.*

"*Ni all neb wasanaethu dau feistr; oherwydd bydd un ai'n casáu'r naill ac yn caru'r llall, neu'n deyrngar i'r naill ac yn dirmygu'r llall. Ni allwch wasanaethu Duw a Mamon.*"

(Mathew 6: 19–24)

Yn yr adran hon y mae awdur Efengyl Mathew wedi casglu ynghyd nifer o ddywediadau Iesu sy'n ymddangos mewn cyd-destunau gwahanol yn yr efengylau eraill a'u cyplysu o fewn y Bregeth ar y Mynydd fel crynodeb o ddysgeidiaeth Iesu ar berthynas dyn â chyfoeth. Er enghraifft, yn Efengyl Luc cysylltir y rhybudd yn erbyn casglu trysorau ar y ddaear â dameg yr Ynfytyn Cyfoethog (Luc 12:21), a'r perygl o geisio gwasanaethu dau feistr â dameg y Goruchwyliwr Anonest (Luc 16:13). Yn yr un modd gwelir geiriau tebyg ynghylch y llygad fel cannwyll y corff yn fersiwn Luc o rybudd Iesu i beidio â chynnau cannwyll a'i rhoi mewn man cudd neu o dan lestr (Luc 11: 33–6). Mae Mathew yn addasu'r geiriau i rybuddio yn erbyn y llygad trachwantus sy'n gosod ei fryd ar gyfoeth y byd hwn. Gwelai fod y cyfeiriadau hyn gyda'i gilydd yn mynegi'n glir ddysgeidiaeth Iesu am natur gwir gyfoeth a'i rybuddion ynghylch peryglon trachwant.

Hyd yma yn y Bregeth ar y Mynydd bu Iesu'n delio â dyletswyddau crefyddol: rhoi elusen, gweddïo ac ymprydio. Ond y mae'r Cristion, fel pob un arall, yn byw mewn byd materol, ac yn yr

128

adran hon dengys fod yn rhaid i egwyddorion crefyddol lywodraethu perthynas person â'r byd hwn yn ogystal â'i berthynas â'r nefoedd. Un yw bywyd, ac ni ellir rhannu'r sanctaidd oddi wrth y seciwlar. Her Iesu i'w ddilynwyr yw fod rhaid iddynt fyw bywyd y deyrnas mewn byd ac o fewn awyrgylch faterol. Ac mae'r eglwys hefyd yn gymdeithas ysbrydol wedi'i gosod mewn byd materol. O fewn y ddau gylch rhaid i ddilynwyr Iesu arddel gwerthoedd gwahanol i werthoedd y diwylliant poblogaidd o'u cwmpas. Nid yw hynny'n hawdd gan fod gafael y materol mor gryf, yn enwedig mewn oes fel hon sy'n rhoi cymaint o bwys ar wario a phentyrru eiddo a phethau. Ond mae Iesu'n gosod dewisiadau clir o'n blaenau. Y mae dau drysor – y daearol a'r nefol (adn. 19–21); dau gyflwr dynol – goleuni a thywyllwch (adn. 22–3); a dau feistr – Duw a Mamon (adn. 24). Rhaid dewis rhyngddynt. Mae'r dewisiadau hyn yn arbennig o berthnasol i ni yn yr oes hon pan mae'r bwlch rhwng y cyfoethog a'r tlawd yn lledu bob dydd. Ceir mwy a mwy o Gristnogion yn ymboeni am yr agendor enfawr sydd rhwng golud dihysbydd y gorllewin ac angen y gwledydd tlawd, a gwneir ymdrech i ganfod dull symlach o fyw. '*Live more simply, that others may simply live*' oedd arwyddair heriol Cymorth Cristnogol ychydig flynyddoedd yn ôl.

Trysor yn y Nef

'*Peidiwch â chasglu ichwi drysorau ar y ddaear*' (adn. 19). Nid condemnio cyfoeth a phethau materol fel y cyfryw a wna Iesu, ond rhybuddio'i ddilynwyr rhag rhoi eu bryd yn gyfan gwbl arnynt yn hytrach na chanolbwyntio ar y pethau sydd o wir werth.

Y mae yn yr adran hon *rybudd* a *chyngor*. Y *rhybudd* yw fod trysor daearol yn ddarfodedig. Yr oedd tri math o drysorau yn yr hen fyd, sef dillad, metelau a gemau, a hawdd oedd colli'r tri. Gallai pryfyn dillad (*gwyfyn*) ddifetha'r gwisgoedd mwyaf costus. A gallai mân greaduriaid eraill, a threiglad amser, fwyta a distrywio stôr o ddefnyddiau gwerthfawr. Mae'r gair *rhwd* yn golygu'n llythrennol 'bwyta' neu 'bwyta ymaith'. Rhwd fyddai debycaf o amharu ar aur ac arian. Nid mewn banciau y cadwai pobl eu cyfoeth yn nyddiau Iesu ond yn eu cartrefi. Perygl arall fyddai i *ladron* gloddio drwy'r parwydydd pridd i ddwyn tlysau, gemau neu unrhyw eiddo gwerthfawr arall. Drwy'r tri darlun yma dengys Iesu pa mor anniogel yw meddiannau bydol. Gwyddai'r apostol Iago am y geiriau hyn oherwydd ceir adlais ohonynt ganddo: *'Y mae eich golud wedi pydru, ac y mae'r gwyfyn wedi difa eich dillad. Y mae eich aur a'ch arian wedi rhydu'* (Iago 5:2–3).

Mae'n werth sylwi nad yw Iesu'n dweud, 'Peidiwch â chasglu trysorau ar y ddaear' ond yn hytrach 'Peidiwch â chasglu *i chwi* drysorau ar y ddaear'. Condemnio'r person sy'n trysori *iddo'i hun* y mae ac yn defnyddio'r trysorau hynny i amcanion hunanol. Pwyslais cyson y Beibl yw mai stiwardiaid ydym ar bopeth a feddwn. Yn y pen draw nid ni biau yr hyn sydd gennym. Eu benthyg a gawn i'w defnyddio yn unol â phwrpas Duw. Nid yw cyfoeth ynddo'i hun yn dda nac yn ddrwg. Y defnydd a wnawn ohono a'i gwna yn dda neu'n ddrwg. Os pentyrrwn gyfoeth i ni ein hunain, fe â'n gwbl ddrwg. Ond o'i ddefnyddio i wasanaethu Duw a'n cyd-ddyn, fe'i troir yn drysor ysbrydol.

Daw hyn â ni at y *cyngor* sydd yn y geiriau hyn: *'casglwch ichwi drysorau yn y nef, lle nad yw gwyfyn na rhwd yn difa a lle nad yw lladron yn torri trwodd nac yn lladrata'* (adn. 20). Wrth ddweud hyn y mae Iesu'n benthyg y syniad Iddewig fod gweithredoedd da yn dod yn rhan o gyfoeth cymeriad dyn ar y ddaear ac yn sail iddo obeithio am wobr yn y byd a ddaw. Beth yw ystyr 'trysorau yn y nef' i ni heddiw? Yn gyntaf, *cyfoeth cymeriad*, sef caredigrwydd, cariad, cymwynasgarwch, ffydd, gostyngeiddrwydd – y rhinweddau hynny sy'n cyfoethogi a phrydferthu cymeriad. Yr ydym i gyd wedi adnabod rhai ag ychydig iawn o gyfoeth y byd hwn ganddynt, ond yn gyfoethog o ran ansawdd eu cymeriad.

Yn ail, *cyfoeth cyfeillgarwch*. I'r Cristion y mae pobl yn bwysicach na phethau a meithrin cyfeillgarwch yn bwysicach na chasglu cyfoeth bydol. *'Y mae cyfaill ffyddlon yn gysgod diogel,'* meddai awdur Ecclesiasticus, *'a'r sawl a gafodd un a gafodd drysor'* (6:14). Trysorau yw ein cyfeillion, i'w gwerthfawrogi a'u mwynhau. Yn ei chyfrol *Testament of Friendship* y mae Vera Brittain yn disgrifio'i chyfeillgarwch oes â Winifred Holtby ac yn mynnu mai cyfeillgarwch yn fwy na dim arall sy'n cyfoethogi bywyd.

Yn drydydd, *Crist yn y galon*. Y cyfoeth ysbrydol mwyaf oll yw cael Crist yn y galon – ei gariad ef yn ei lenwi a'i sancteiddio, ei feddwl ef yn meddiannu ein meddyliau ni, ei ewyllys ef yn llywio'n hewyllys ni, a'i fywyd ef yn hydreiddio a chyfeirio ein bywydau ni.

Meddai Pantycelyn:

> nid oes syched arnaf mwyach
> am drysorau gwag y byd,
> popeth gwerthfawr a drysorwyd
> yn fy Mhrynwr mawr ynghyd.

Crynhoir y rhybudd a'r cyngor yng ngeiriau Iesu, '*Oherwydd lle mae dy drysor, yno hefyd y bydd dy galon*' (adn. 21). I'r Iddew y galon oedd canolbwynt y bersonoliaeth ddynol. Diben bywyd y Cristion yw gogoneddu Duw a byw yn ôl ei ewyllys. Ond wrth roi ei fryd ar gyfoeth bydol fe'i tynnir oddi wrth ei brif ddiben. Ni fydd yn medru canolbwyntio'i fryd ar yr hyn a ddylai gael ei holl sylw, sef pwrpas Duw i'w fywyd.

Goleuni'r Corff

'*Y llygad yw cannwyll y corff*,' meddai Iesu (adn. 22). Cyflwr y llygad sy'n penderfynu a yw'r corff yn gallu gweithredu'n effeithiol. Y llygad sy'n rhoi goleuni i'r llaw i weithio, i'r traed i gerdded ac i'r meddwl i amgyffred pethau. Heb inni fedru gweld ni fedrwn redeg, na neidio, na gyrru car, na chroesi'r ffordd, na choginio. Ond os bydd llygad yn iach a chlir bydd ei oleuni yn goleuo'r corff cyfan: '*os bydd dy lygad yn hael* (neu'n *sengl,* sef yn *glir*), *bydd dy gorff yn llawn goleuni*' (adn. 22). Y mae llygad iach yn galluogi person i weld a gweithredu'n ddidramgwydd. Ond os bydd y llygad yn *ddrwg*, yn afiach, ni fydd yn goleuo'r corff ac ni fydd y corff yn gallu ymddwyn yn gywir. Yr hyn sy'n gwneud llygad yn ddrwg yw trachwant: '*os bydd dy lygad yn drachwantus, bydd dy gorff yn llawn tywyllwch*' (adn. 23).

Fel yna y gwêl awdur Mathew arwyddocâd y geiriau hyn i'r drafodaeth ar drysor daearol a thrysor nefol. Os yw'r llygad wedi'i gyfeirio at aur ac arian a chyfoeth bydol, yna y mae'n afiach. Ni fydd yn goleuo'r corff, yn hytrach bydd y corff mewn tywyllwch llwyr yn methu gwahaniaethu rhwng y gwir a'r gau, y da a'r drwg. Gorfodir ef i fyw ar ddarlun anghywir o'r byd. Faint bynnag o oleuni a fydd y tu allan iddo, ni wna hynny unrhyw wahaniaeth i'r tywyllwch mewnol o fethu derbyn goleuni. Yn ei dywyllwch cymer mai aur ac arian yw'r unig drysor sy'n werth ei gasglu. Mor fawr yw ei dywyllwch fel na fedr weld dim amgenach ac y mae'n aros yn fodlon yn ei anwybodaeth. *'Os yw'r goleuni sydd ynot yn dywyllwch, mor fawr yw'r tywyllwch!'* (adn. 23).

Trosiad yw'r darlun o'r llygad yn cynrychioli awyddfryd neu uchelgais. Yn union fel y mae'r llygad yn effeithio ar y corff, y mae uchelgais person yn effeithio ar ei ymddygiad. Y mae uchelgais i wasanaethu Duw a chyd-ddyn yn rhoi cyfeiriad ac amcan aruchel i fywyd. Ar y llaw arall y mae uchelgais i ymgyfoethogi a dod ymlaen yn y byd yn rhoi cyfeiriad hunanol a chalongaled i fywyd. Cael ei hun mewn tywyllwch, dallineb a hunanoldeb y mae'r sawl y mae ei lygad yn drachwantus, wedi'i hoelio'n llwyr ar drysorau'r byd hwn.

Duw a Mamon

Y tu draw i'r dewis rhwng dau drysor a dwy ffordd o edrych ar fywyd y mae dewis mwy sylfaenol fyth, sef rhwng dau feistr, Duw a Mamon. *'Ni all neb wasanaethu dau feistr,'* meddai Iesu (adn. 24). Ystyr *gwasanaethu* yn y cyswllt hwn yw gwasanaeth caethwas. Gall dyn weithio i ddau feistr ond ni all caethwas fod yn eiddo i ddau berchennog. Meddai'r esboniwr A. H. McNeile, 'Men can work for two employers, but no slave can be the property of two owners, for single ownership and fulltime service are of the essence of slavery.' Gan na ellir bod yn gaethwas i ddau feistr, yn hwyr neu'n hwyrach rhaid dewis rhwng y ddau.

Yma fe gymhwysir hyn at ddau arglwydd sy'n hawlio bywyd dyn yn gyfan, sef *Duw* a *Mamon*. Gair o darddiad Aramaeg yw Mamon, a'i ystyr yw cyfoeth o unrhyw fath – bydolrwydd wedi ei bersonoli fel duw. Yn ei ystyr cyfyng golyga aur ac arian. Yn ei ystyr ehangach golyga fateroliaeth a bydolrwydd o bob math. Gall dyn fod yn hollol faterol a bydol heb fod ganddo lawer iawn o aur ac arian. Os meddiannu cyfoeth yw prif ddiben bywyd person, yna cyfoeth yw ei unig feistr. Ond os yw'n dewis byw i Dduw rhaid ymroi'n llwyr iddo. Mae hynny'n cau allan hawl unrhyw feistr arall arno.

Nid yw pawb yn gallu derbyn bod rhaid gwneud dewis o'r fath. Credant fod modd gwasanaethu Duw ac ar yr un pryd ymroi i gasglu cyfoeth. Oherwydd y pwyslais yn ein cymdeithas gyfoes ar lwyddiant economaidd tyfodd y gred mai cyfoeth yw pennaf drysor bywyd ac amod cymdeithas ffyniannus. Ble bynnag y mae cyfoeth yn llifo y mae diwydiant yn gynhyrchiol, gwaith a swyddi ar gael, y meysydd yn doreithiog, tai yn cael eu hadeiladu, marchnata'n broffidiol a'r farchnad stoc yn fywiog. Lle nad oes cyfoeth y mae diwydiant yn arafu, diweithdra'n cynyddu, tai ar werth, gwerth y bunt yn gostwng a'r economi mewn argyfwng. Mamon felly yw'r gwaredwr. Mamon sydd ar yr orsedd. Credwn mai gobaith ein cymdeithas ac amod diogelu safon uchel o fyw yw llwyddiant Mamon. Yn wyneb hyn a yw dysgeidiaeth Iesu'n afreal ac amherthnasol?

Nid yw Iesu'n condemnio cyfoeth fel y cyfryw ond yn hytrach y defnydd a wneir ohono ac agwedd pobl tuag ato. *'Gwraidd pob math o ddrwg yw cariad at arian,'* meddai Paul yn ei Lythyr Cyntaf at Timotheus (1 Tim. 6:10). Sylwn nad *arian* yw gwraidd pob drwg ond *'cariad at arian'*. Hynny yw, rhoi arian o flaen popeth arall; ceisio arian o flaen gwerthoedd y deyrnas; byw i arian yn hytrach na byw i Dduw. Ond o ddewis gwasanaethu Duw yn hytrach na Mamon y mae'r Cristion yn rhydd o'r ysfa am gyfoeth. Ar yr un pryd fe wêl arian fel modd i wneud daioni yn y byd. Yn hytrach na bod arian yn feistr arno, ef yw'r meistr ar ei arian. Mae cymaint o sefydliadau a mudiadau seciwlar a chrefyddol yn ddyledus i wwr cyfoethog oedd hefyd yn Gristnogion, a ddefnyddiodd eu cyfoeth i ddibenion addysgol, meddygol, cenhadol a dyngarol. Eu ffydd yn Nuw a'u hymrwymiad i werthoedd y deyrnas oedd yn dylanwadu ar eu defnydd o'u harian. Eu dewis oedd gwasanaethu Duw. Yr oedd Mamon wedyn i'w feistroli a'i ddefnyddio i hybu gwerthoedd y deyrnas ac i ddwyn clod i Dduw.

I grynhoi neges yr adran hon gwelwn fod Iesu'n rhoi inni dri rhybudd a thair rhodd. Yn gyntaf, y mae'n ein rhybuddio rhag casglu trysorau ar y ddaear, ond ar yr un pryd yn cynnig i ni drysorau yn y nef. Yn ail, y mae'n ein rhybuddio o beryglon y llygad dall ac yn dangos inni'r gwir oleuni. Yn drydydd, y mae'n ein rhybuddio o beryglon plygu i Mamon ac yn hytrach yn cynnig inni Ef ei hun, i fod yn Arglwydd ar ein bywydau ac ar bopeth sydd yn eiddo inni.

Cwestiynau i'w trafod

1. Beth a olygir wrth 'gasglu trysorau yn y nef'?

2. Beth yw ystyr 'y llygad trachwantus' a beth yw ei beryglon?

3. Pam na ellir gwasanaethu Duw a Mamon, a beth yw ymhlygiadau hynny i gyfundrefn economaidd y byd heddiw?

GOFAL A PHRYDER

"*Am hynny rwy'n dweud wrthych, peidiwch â phryderu am eich bywyd, beth i'w fwyta na'i yfed, nac am eich corff, beth i'w wisgo; onid oes mwy i fywyd rhywun na bwyd, a mwy i'w gorff na dillad? Edrychwch ar adar yr awyr: nid ydynt yn hau nac yn medi nac yn casglu i ysguboriau, ac eto y mae eich Tad nefol yn eu bwydo. Onid ydych chwi yn llawer mwy gwerthfawr na hwy? Prun ohonoch a all ychwanegu un funud at ei oes trwy bryderu? A pham yr ydych yn pryderu am ddillad? Ystyriwch lili'r maes, pa fodd y maent yn tyfu; nid ydynt yn llafurio nac yn nyddu. Ond rwy'n dweud wrthych, nid oedd gan hyd yn oed Solomon yn ei holl ogoniant wisg i'w chymharu ag un o'r rhain. Os yw Duw yn dilladu felly laswellt y maes, sydd yno heddiw ac yfory yn cael ei daflu i'r ffwrn, onid llawer mwy y dillada chwi, chwi o ychydig ffydd? Peidiwch felly â phryderu a dweud, 'Beth yr ydym i'w fwyta?' neu 'Beth yr ydym i'w yfed?' neu 'Beth yr ydym i'w wisgo?' Dyna'r holl bethau y mae'r Cenhedloedd yn eu ceisio; y mae eich Tad nefol yn gwybod fod arnoch angen y rhain i gyd. Ond ceisiwch yn gyntaf deyrnas Dduw a'i gyfiawnder ef, a rhoir y pethau hyn i gyd yn ychwaneg i chwi. Peidiwch felly â phryderu am yfory, oherwydd bydd gan yfory ei bryder ei hun. Digon i'r diwrnod ei drafferth ei hun.*"

(Mathew 6: 25–34)

Gyda'r geiriau '*am hynny*' y mae Mathew yn cysylltu'r adran hon â'r adran o'i blaen. Dweud y mae Iesu, 'Rhowch i fyny'r awydd am drysorau'r byd hwn a rhowch i fyny wasanaethu Mamon; ni all hynny ond achosi pryder i chwi.' Pum gwaith fe ddywed '*peidiwch â phryderu*' (adn. 25, 27, 28, 31 a 32). Ar yr wyneb gall hyn ymddangos fel dim mwy na chyngor caredig; anogaeth i'r gwangalon gyda'r bwriad o'u cysuro a'u calonogi. Ond y mae'r geiriau'n orchymyn. Ond a yw'n briodol i orchymyn rhywun i roi'r gorau i bryderu? Mae pryder yn brofiad ingol, anodd, sy'n dod i bawb yn ei dro. Disgrifiwyd pryder fel prif

135

afiechyd y gorllewin ac achos llawer iawn o anhwylderau corfforol a meddygol.

Nid yr un pethau sy'n achos pryder i bawb. Mae rhai yn cael eu hunain yn pryderu am *arian* – yn methu cael dau ben llinyn ynghyd, yn methu talu'u ffordd ac yn byw gyda'r gofid beunyddiol o brinder arian. Problem yw hon sydd ar gynnydd yn ein cymdeithas. Pryder eraill yw *cyflwr eu hiechyd* – ofn fod rhywbeth mawr yn bod arnynt a hwythau'n dychmygu'r gwaethaf. Mae eraill wedyn yn pryderu am *waith* – pwysau gwaith yn mynd yn drech na hwy a straen a diflastod yn codi o hynny. Eraill wedyn yn pryderu oherwydd ofn colli gwaith. Gofid am *rywun annwyl* yw achos pryder eraill – mab neu ferch mewn trafferthion, neu berthynas agos yn wael. Yna y mae'r pryder dall, afresymol, hunllefus hwnnw nad oes modd canfod ei achos, ac eto y mae'n real, yn cadw person yn effro yn y nos ac yn ei fwrw i'r felan yn y dydd. Daw pryder mewn gwahanol ffurfiau, yn gwisgo gwahanol wisgoedd, ond yr un yw ei effeithiau. Mae'n real, yn boenus, yn llethu ac yn taflu cwmwl du dros y sawl sydd wedi disgyn i'w grafangau.

Effeithiau Pryder

Cyn dangos i'w wrandawyr sut i oresgyn pryder y mae Iesu'n eu cyfeirio at ei effeithiau negyddol. Yn y lle cyntaf, *y mae pryder yn ddi-fudd.* *'Prun ohonoch a all ychwanegu un funud at ei oes trwy bryderu?'* (adn. 27). Gellid cyfieithu'r adnod, *'Prun ohonoch all ychwanegu y maint lleiaf at ei daldra ... '* Ychydig a ddymunai fod yn dalach eu maint, ond gall llawer ddymuno estyniad oes. Ond yn hytrach nag ymestyn oes person, ei byrhau a wna pryder. Nid yw'n cyflawni dim. I'r gwrthwyneb: y mae'n lladd hapusrwydd, yn pylu egni, yn diffodd brwdfrydedd ac yn gwneud person yn ddiymadferth.

Yn ail, *y mae pryder yn afresymegol.* Y mae'n gwbl groes i synnwyr cyffredin. Ceir digonedd o dystiolaeth i ofal a rhagluniaeth Duw yn y byd o'n cwmpas. *'Edrychwch,'* meddai Iesu, *'ar adar yr awyr ...'* (adn. 26); *'Ystyriwch lili'r maes ...'* (adn. 28). O'n hamgylch ymhobman gwelwn Dduw yn cynnal ei gread. Ni chreodd aderyn heb ofalu am fwyd ar ei gyfer, ac ni chreodd lili heb ofalu fod iddi wisg harddach na'r brenin cyfoethocaf. Os yw Duw'n ffyddlon felly i'r adar ac i'r blodau, oni ofala'n llawer mwy am ei blant a grëwyd ar ei lun? Mae rheswm yn dangos mor ddianghenraid yw pryderu.

Yn drydydd, *mae pryder yn ei hanfod yn baganaidd.* 'Pethau y mae'r Cenhedloedd yn eu ceisio' (adn. 32) yw bwyd a dillad. Wrth bryderu, darostyngir bywyd i lefel y pagan. Mae ef yn treulio'i amser yn ceisio'r pethau angenrheidiol i fyw am nad yw'n adnabod y Duw sy'n gofalu'n ffyddlon am ei blant. Ffurf ar ddewiniaeth yw ei ddefodau crefyddol, yn ceisio gorfodi galluoedd ysbrydol, anweledig, i gyflawni ei ddymuniadau ac i gyflenwi ei anghenion materol. Ond y mae gweddi'r Cristion yn gwbl groes i hynny. Ceisio a wna ef ddod i berthynas iawn â Duw ei hun yn gyntaf, gan ymddiried ynddo wedyn i ofalu am ei anghenion tymhorol.

Y Feddyginiaeth i Bryder

Flynyddoedd lawer yn ôl cyhoeddodd y pregethwr a'r seicolegydd enwog, Leslie Weatherhead, lyfr o dan y teitl *Prescription for Anxiety.* Wedi rhybuddio'i ddisgyblion o effeithiau pryder y mae Iesu'n cynnig iddynt ffordd allan o'i grafangau. Nid dadansoddi pryder a'i effeithiau yn unig a wna, ond cynnig presgripsiwn i'w oresgyn. Rhaid cydnabod bod gwahaniaeth rhwng pryderu a gofalu. Gwahardd pryder a wna Iesu, nid gwahardd gwaith. Nid oes dim yn y ffydd Gristnogol sy'n rhoi hawl i ddyn eistedd i lawr a disgwyl i Dduw lawio'i fendithion arno heb iddo ef wneud dim. Ond y mae ffydd yn rhoi iddo hyder yn rhagluniaeth Duw, ac yn ei symbylu i weithio ac i gredu, i ymdrechu ac i ymddiried, i ofalu ac i roi ei ffydd yng nghariad a gofal ei Dad nefol. Diffyg ffydd yn Nuw a thlodi moesol yw achos yr ymdeimlad o ansicrwydd ac o rwystredigaeth sy'n peri pryder yn ein cymdeithas gyfoes ac yn esgor ar raib a chybydd-dod. Yr unig feddyginiaeth yw ffydd yn Nuw, dibynnu arno ef am ddiogelwch a chredu mwy yng ngwerthoedd y deyrnas na mewn cyfoeth. Cyfeiria Iesu at dair elfen yn ei feddyginiaeth.

Yn gyntaf, *mae ffydd yn cywiro'n blaenoriaethau.* Un o brif achosion pryder yw rhoi pethau llai pwysig o flaen pethau o wir bwys. Meddai Iesu, 'Peidiwch â phryderu am eich bywyd, beth i'w fwyta na'i yfed, nac am eich corff, beth i'w wisgo; onid oes mwy i fywyd rhywun na bwyd, a mwy i'w gorff na dillad?' (adn. 25). Ond pan ddaw bwyd yn bwysicach na bywyd, a dillad yn bwysicach nag ansawdd cymeriad, mae hynny'n arwydd sicr o ddrysu blaenoriaethau ac o bethau eilradd yn cymryd lle'r pethau pwysicaf. Os yw dyn yn treulio'i fywyd i geisio bwyd a llethu ei gorff i geisio dillad, y mae'n aberthu'r uwch yng ngwasanaeth yr is. Un o nodweddion ein cymdeithas oludog heddiw yw'r pryder a welwn ar bob llaw wrth i bobl gystadlu â'i gilydd am bethau a moethau, a'r hyn y cymhellir ni i'w prynu gan yr hysbysebwyr. 'Cadw i fyny â'r Jonesiaid' yw'r disgrifiad a roddir i'r ysfa yma i ragori ar eraill yn y ras am bethau – ysfa a ddiffiniwyd gan rywun fel, 'Spending money you haven't got, to buy things you don't need, to impress people you don't like!' Does ryfedd yn y byd fod y fath feddylfryd yn disgyn i afael pryder. Yr unig feddyginiaeth yw rhoi Duw a phethau ei deyrnas yn gyntaf: '*Ceisiwch yn gyntaf deyrnas Dduw a'i gyfiawnder ef, a rhoir y pethau hyn i gyd yn ychwaneg i chwi*' (adn. 33). Ystyr 'teyrnas Dduw' yw teyrnasiad Duw dros fywyd. 'Gadewch i Dduw deyrnasu dros eich bywyd,' meddai Iesu. 'Rhowch bethau ei deyrnas ef yn gyntaf yn eich bywyd – cariad, ffydd, tosturi, tangnefedd, maddeuant, gweddi, addoliad – ac fe ddaw popeth arall i'w le.' Rhaid i'r gyntaf fod yn gyntaf. Trwy ganoli ar Dduw ac ar werthoedd ei deyrnas ef y mae gosod trefn ar ein blaenoriaethau a goresgyn pryder.

Yn ail, *hanfod ffydd yw ymddiriedaeth*. Y mae pryder yn dangos diffyg ffydd yn Nuw. Enghraifft o ofal Duw am ei greaduriaid yw'r modd y mae'n edrych ar ôl yr adar, y blodau a'r glaswellt. Os yw'n gofalu amdanynt hwy onid yw'n gofalu llawer mwy am ei blant? '*Os yw Duw yn dilladu felly laswellt y maes, sydd yno heddiw ac yfory yn cael ei daflu i'r ffwrn, onid llawer mwy y dillada chwi, chwi o ychydig ffydd?*' (adn. 30). Gan fod yr adar a'r blodau yn ein dysgu i roi ein hymddiriedaeth yn llwyr yn Nuw, meddai Martin Luther, 'Y mae Duw yn gwneud yr adar yn athrawon i ni, ac aderyn y to yn ddiwinydd ac yn bregethwr i'r disgleiriaf o'i blant.' Mynegir yr un gwirionedd yn syml iawn yn y gerdd, 'Overheard in the Orchard':

Said the robin to the sparrow:
 'I should really like to know
Why these anxious human beings
 Rush about and worry so.'
Said the sparrow to the robin:
 'Friend, I think that it must be
That they have no heavenly Father,
 Such as cares for you and me.'

Ffydd yn y cyswllt hwn yw ymddiriedaeth – rhoi ein hunain a'n bywyd a'n tynged yn llwyr yng ngofal Duw. Y mae ffydd yn cynnwys ymateb y *meddwl*, sef credu. Mae hefyd yn cynnwys ymateb yr *ewyllys*, sef ufudd-dod. Ond hanfod ffydd yw ymateb y *galon*, sef ymddiriedaeth. Rhaid wrth ymddiriedaeth ymhob cylch o fywyd. Rhaid i blant ymddiried yn eu rhieni a rhieni yn eu plant. Rhaid i'r gŵr busnes ymddiried yn ei gwsmeriaid. Rhaid i'r claf ymddiried yn y meddyg. Nid yw bywyd yn bosibl heb ymddiriedaeth rhwng pobl. Yn yr un modd, y mae ymddiriedaeth yn ganolog i grefydd, sef ymorffwys yn Nuw ac yn ei ofal drosom.

Nid yw ffydd yn gwarantu bywyd heb ofidiau a phroblemau. Ond y mae ffydd yn ein galluogi i bwyso ar ofal a chariad Duw, gan wybod na all neb na dim ein gwahanu oddi wrtho. Meddai Paul, '*Yr wyf yn gwbl sicr na all nac angau nac einioes, nac angylion na thywysogaethau, na'r presennol na'r dyfodol, na grymusterau nac uchelderau na dyfnderau, na dim arall a grewyd, ein gwahanu ni oddi wrth gariad Duw yng Nghrist Iesu ein Harglwydd*' (Rhuf. 8: 38–9). Fe ddaw'r gwyntoedd croes, y stormydd a'r tywydd garw, ond ni fydd yr un ohonynt yn gallu ein cipio allan o gylch gofal a chariad Duw. Felly, ni ddylem bryderu, ond ymddiried ein hunain i'w ofal tadol.

Yn drydydd, *y mae ffydd yn ein dysgu i fyw yn llawn yn y foment bresennol*. Daw'r adran hon i ben gydag anogaeth Iesu i'w ddilynwyr i beidio â phryderu ynghylch gofidiau yfory a hynny am fod gofidiau un dydd yn ddigon ar y tro. Mae'n bosibl fod y geiriau, '*Digon i'r diwrnod ei drafferth ei hun*' (adn. 34) yn ddihareb. Yn sicr y mae'n ein hatgoffa o egwyddor bwysig, sef na ddylem fynd i gyfarfod â gofidiau a thrafferthion yfory. Yn hytrach, y mae ffydd yng ngofal Duw yn ein dysgu i fyw yn llawn yn y presennol. Ac fel na ddylem bryderu am yfory, ni ddylem chwaith bryderu am ddoe. Mae ddoe wedi mynd a ffolineb yw gadael i'w gamgymeriadau a'i brofiadau chwerw ein blino heddiw gan fod trugaredd a maddeuant Duw wedi delio â'r rheini. Gwyddom o brofiad personol am y duedd sydd ynom i bryderu am yr hyn sydd wedi digwydd yn y gorffennol, neu'r pethau yr ydym yn ofni fydd yn digwydd yn y dyfodol. O ganlyniad collwn addewid a photensial y foment bresennol. 'Peidiwch â phryderu am ddoe nac am yfory,' meddai Iesu, 'yn hytrach dysgwch fyw yn llawn yn y dydd hwn.' R. L. Stevenson a ddywedodd,

'Learn to live in day-tight compartments.' A'r un yw neges cân boblogaidd Trebor Edwards, 'Un dydd ar y tro, fy Arglwydd'.

Mae'n arwyddocaol mai'r rhaniad pwysicaf o amser yn y Beibl yw'r presennol – heddiw – a hynny am mai yn y foment hon y mae Duw yn cyfarfod â ni. Mae ddoe wedi mynd, mae yfory heb ddod. Yr unig ddarn o amser sydd o fewn ein cyrraedd yw'r foment bresennol. Meddai'r Salmydd, '*Hwn yw'r dydd a wnaeth yr Arglwydd, gorfoleddwn a llawenychwn ynddo*' (Salm 118:24). Wrth fyw bob dydd yng nghwmni Duw, gwelwn y dydd o fewn patrwm ei bwrpas ef ar ein cyfer. Gwelwn ei bosibiliadau, llawenhawn yn ei fendithion, manteisiwn ar bob cyfle a ddaw i gyflawni ewyllys Duw, a sugnwn rin a chyfaredd o bob awr a phob munud o'r dydd. Mae Leslie Weatherhead hefyd yn pwysleisio'r pwysigrwydd o fyw fesul diwrnod. 'Rhaid dysgu byw fesul diwrnod, neu hyd yn oed fesul awr ar y tro ... Y mae yfory yn ddiwrnod arall. Gan na allwn feddiannu nerth yfory hyd nes y daw, mor ffôl yw ceisio cario heddiw feichiau yfory. Gyda'r baich fe ddaw'r nerth a'r arweiniad: wrth fyw fesul dydd ar y tro, gan edrych gyda ffydd ac ymddiriedaeth ar Dduw, gan gysegru'n hunain yn llwyr iddo ef sy'n caru, yn deall, yn maddau, yn derbyn ac yn nerthu.'

Mynegir ysbryd yr adran hon yn rhagorol yng ngeiriau Paul: '*Peidiwch â phryderu am ddim, ond ym mhob peth gwneler eich deisyfiadau yn hysbys i Dduw trwy weddi ac ymbil, ynghyd â diolchgarwch. A bydd tangnefedd Duw, sydd goruwch pob deall, yn gwarchod dros eich calonnau a'ch meddyliau yng Nghrist Iesu*' (Phil. 4:6–7). Mae'r cyngor hwn, gan Iesu Grist a'r Apostol Paul, yn ein hannog i roi ein ffydd ar waith: i roi gwerthoedd Duw a'i deyrnas yn gyntaf, i ymddiried ein hunain yn llwyr i'w ofal, ac i fyw bob dydd gan edrych tuag at ein Tad nefol sy'n rhoi inni'r gras a'r nerth i orchfygu pob pryder.

Cwestiynau i'w Trafod

1. Os mai pryder yw prif anhwylder y gorllewin heddiw, beth yw achos hynny, a beth yw ei effeithiau ar unigolion ac ar gymdeithas?

2. A yw'n wir dweud mai nodwedd bwysicaf ffydd yw ymddiriedaeth?

3. Beth a olygir wrth 'geisio teyrnas Dduw a'i gyfiawnder ef'?

BARNU ERAILL

"Peidiwch â barnu, rhag ichwi gael eich barnu; oherwydd fel y byddwch chwi'n barnu y cewch chwithau eich barnu, ac â'r mesur a rowch y rhoir i chwithau. Pam yr wyt yn edrych ar y brycheuyn sydd yn llygad dy gyfaill, a thithau heb sylwi ar y trawst sydd yn dy lygad dy hun? Neu sut y dywedi wrth dy gyfaill, 'Gad imi dynnu allan y brycheuyn o'th lygad di,' a dyna drawst yn dy lygad dy hun? Ragrithiwr, yn gyntaf tyn y trawst o'th lygad dy hun, ac yna fe weli yn ddigon eglur i dynnu'r brycheuyn o lygad dy gyfaill. Peidiwch â rhoi'r hyn sy'n sanctaidd i'r cŵn, na thaflu eich perlau o flaen y moch, rhag iddynt eu sathru dan eu traed, a throi arnoch a'ch rhwygo."

(Mathew 7:1–6)

Does dim yn rhoi mwy o fwynhad i rai pobl na chwilio am ffaeleddau pobl eraill a'u barnu. Ac y mae rhai sy'n wastad yn gweld y drwg yn hytrach na'r da mewn pobl eraill. Y mae anerchiad plant, cyfarwydd i weinidogion ac athrawon, yn seiliedig ar ddangos i blant ddalen o bapur gwyn, glân, ac ar ei chanol un smotyn du. Pan ofynnir i'r plant be maen nhw'n ei weld, eu hateb yn ddieithriad bron yw, 'Smotyn du!' Er bod llawer mwy o wynder nag o ddüwch ar y ddalen, gweld y du yn hytrach na'r gwyn a wna'r plant! Amcan yr anerchiad yw dangos y duedd sydd ynom i weld y drwg mewn bywyd ac ym mywydau pobl eraill yn hytrach na gweld y da. Y mae pwyslais Iesu yn y Bregeth ar y Mynydd ar gariad, maddeuant a thrugaredd yn gwrthod ysbryd beirniadol, maleisus. Am fod Duw yn ein caru ni, rhaid i ninnau hefyd garu ein gilydd. Am fod Duw yn drugarog tuag atom ni, rhaid i ninnau fod yn drugarog tuag at ein gilydd. Am fod Duw yn maddau i ni, rhaid i ninnau faddau i'n gilydd. Oherwydd hynny nid oes lle i'r ysbryd beirniadol, negyddol, sy'n codi o ymdeimlad o hunangyfiawnder a rhagfarn, y math o ysbryd beirniadol a welwyd yn agwedd y Phariseaid. A rhaid cydnabod yn ostyngedig fod tueddd wrthnysig ynom i weld dim ond diffygion pobl yn fwy na'u rhinweddau ac i'w condemnio – agwedd angharedig, sengar, sy'n codi o eiddigedd, surni a chasineb. Mae canlyniadau agwedd o'r fath yn enbyd o niweidiol, yn chwerwi perthynas, yn lladd cyfeillgarwch, yn clwyfo teimladau ac yn niweidio'n cymeriad ein hunain. Roedd yr agwedd meddwl sengar hon yn gyffredin ymhlith yr Iddewon mwyaf selog, yn enwedig y Phariseaid yn eu hosgo tuag at y publicanod a'r cenedl-ddynion a phawb a ystyrient hwy yn bechaduriaid.

Barnu Teg

Nid condemnio pob math o farnu ac o feirniadu a wna Iesu. Ni olyga nad ydym i ddefnyddio'r gydwybod foesol sydd gennym i benderfynu beth sy'n iawn a beth sy'n anghywir. Ni fyddai gan Iesu fawr o gydymdeimlad â'r duedd sydd heddiw i oddef pob drwg heb gondemnio neb na dim. Nid ofnai alw rhai yn 'rhagrithwyr,' yn 'feddau wedi eu gwyngalchu' (Math. 23: 27), a disgrifio Herod fel 'y cadno hwnnw' (Luc 13: 32; 23: 27). Doniwyd dyn, a grewyd ar lun a delw Duw, â'r ddawn i wneud penderfyniadau a dewisiadau moesol. Ni ellir gwneud penderfyniadau o'r fath heb feirniadu. Dro ar ôl tro y mae Iesu, yn y Bregeth ar y Mynydd, yn annog ei ddilynwyr i wneud dewisiadau cyfrifol – rhwng cariad a chasineb, rhwng maddeuant a dialedd, rhwng trysor ysbrydol a thrysor materol, rhwng Duw a mamon. Mae'n amhosibl gwneud dewisiadau o'r fath heb farnu rhwng gwahanol werthoedd a safonau.

Ceir math o farnu wedyn sy'n seiliedig ar gariad, nid ar eiddigedd neu falais. Pan fydd rhywun annwyl inni yn cymryd cam gwag neu'n ymddwyn yn anweddus neu'n anghyfrifol, byddwn yn eu beirniadu, ond yn gwneud hynny mewn cariad. Nid yw cariad yn gwneud y du yn wyn nac yn anwybyddu beiau. Mae'n gweld y drwg yn y sawl y mae'n ei garu – ond cariad sy'n ei weld, a chariad sy'n ei ddadlennu, a hynny er mwyn mynd at ei wraidd a'i symud ymaith.

Ym myd celfyddyd, llenyddiaeth a cherddoriaeth, rhaid barnu cynhyrchion a chyfansoddiadau, fel y gwneir mewn eisteddfod, er mwyn cydnabod a gwobrwyo doniau disglair. Trwy feirniadu y diogelir safon a gwerth a rhagoriaeth. Beirniadu sy'n gwahaniaethu rhwng y gwych a'r gwael, y cywrain a'r cyffredin, y dawnus a'r di-glem.

Ac nid yw anogaeth Iesu i'w ddilynwyr i beidio â barnu yn cynnwys gweinyddu cyfraith gwlad, er i Tolstoy ddatgan ryw dro, 'Christ totally forbids the human institution of any law court – he could mean nothing else by these words.' Ond nid cyfeirio at farnwyr a chyfreithwyr mewn llysoedd barn y mae, ond at ymwneud unigolion â'i gilydd.

Rhaid wrth gyfundrefn gyfreithiol i ffrwyno elfennau dinistriol cymdeithas, i atal drwgweithredwyr, i sicrhau tegwch i bawb ac i gadw heddwch rhwng pobl. Ei sail yw cyfreithiau teg a chyfundrefn farnwrol wrthrychol. Does a wnelo gweinyddu cyfraith ddim oll â malais, rhagfarn a dialedd. Gwahanol iawn yw'r ysbryd beirniadol atgas sy'n codi o ragfarn a hunangyfiawnder. Gwahardd yr ysbryd hwnnw i'w ddilynwyr a wna Iesu.

Y Brycheuyn a'r Trawst

Rhydd Iesu nifer o resymau pam na ddylai ei ddisgyblion farnu eraill. Y rheswm cyntaf yw oherwydd y daw'r farn yn ôl ar y barnwr: '*rhag ichwi gael eich barnu; oherwydd fel y byddwch chwi'n barnu y cewch chwithau eich barnu*' (adn. 2). Fel rheol bydd dyn yn barnu ei hun mewn cymhariaeth â rhai sydd gymaint gwaeth nag ef ei hun a hynny'n esgor ar y balchder ysbrydol a nodweddai'r Pharisead a weddïodd, '*O Dduw, yr wyf yn diolch iti am nad wyf fi fel pawb arall, yn rheibus, yn anghyfiawn, yn odinebus*' (Luc 18:11). Mae'n barnu eraill â safonau uwch na dim a gyrhaeddodd erioed ei hun. Daw'r agwedd anghyson hon o dan farn gyfiawn Duw, a mesurir y dyn â'r mesur a ddefnyddiodd i fesur eraill. Daw ei farn yn ôl hefyd o ochr pobl eraill. Nid oes dim yn dadlennu cymeriad person yn gliriach na'r modd y bydd yn barnu eraill. Wrth iddo farnu daw ei wendidau a'i bechodau cudd ei hun i'r amlwg. Fe wêl ei feiau ei hun mewn pobl eraill ac o ganlyniad mae ei gondemniad ohonynt yn gymaint llymach. Mae seicoleg fodern yn cadarnhau'r dueddfryd hon ac yn ei disgrifio fel 'ymdafluniad' (*projection*), sef y duedd i drosglwyddo a gosod ar eraill y diffygion y mae'r barnwr yn ymwybodol ohonynt yn ei fywyd ei hun – diffygion y mae pobl eraill hefyd yn eu gweld. Dyna ergyd y geiriau, '*fel y byddwch chwi'n barnu y cewch chwithau eich barnu*'.

Tanlinellir rhybudd Iesu drwy'r gymhariaeth fyw o'r gŵr â thrawst yn ei lygad. Disgrifir sefyllfa sy'n fwriadol chwerthinllyd a gellir dychmygu gwrandawyr Iesu'n chwerthin wrth ddychmygu'r darlun. Byddai'n gwneud cartŵn rhagorol mewn papur dyddiol heddiw. Wrth *frycheuyn* golygir y tamaid lleiaf o bren sych, y gellid ei gyfieithu fel *gwelltyn,* neu *flewyn,* nad yw'n ddim yn ymyl *trawst* – ystyllen, neu ddarn mawr o bren sy'n cynnal to. Mae'r gŵr hwn â'r trawst yn ei lygad naill ai'n anymwybodol o'r trawst neu'n poeni dim amdano, ond y mae'n awyddus iawn i geisio tynnu'r brycheuyn o lygad ei gyfaill. Ond nid yw'n gallu gweld yn iawn i dynnu'r brycheuyn tra bo'r trawst yn ei lygad ei hun. Rhagrithiwr sy'n ymddwyn fel hyn, meddai Iesu – dyn sy'n cymryd arno ei fod yn ddi-fai ond yn gweld bai, er mor fychan, yn ei frawd. Nid yn unig y mae'n twyllo eraill, ond mae hefyd yn ei dwyllo'i hun. Cyngor Iesu yw iddo fwrw allan yn gyntaf y trawst sydd yn ei lygad ei hun, cyn cynnig yn nawddoglyd symud brycheuyn o lygad ei frawd. Gallai weld yn gliriach wedyn i dynnu'r brycheuyn. Rhaid cael llygad moesol clir i feiddio tynnu sylw at fai yn rhywun arall a chynnig ei symud.

Peryglon Barnu

Pam felly y mae Iesu'n gwahardd barnu pobl eraill? Mae ei eiriau a'r eglureb sy'n dilyn yn awgrymu nifer o resymau. Yn gyntaf, *peidiwn â barnu oherwydd ni wyddom beth yn union yw sefyllfa ac amgylchiadau person arall.* Nid yw'r sawl â thrawst yn ei lygad yn gallu gweld yn iawn, ac nid oes yr un ohonom yn gallu gweld popeth ynglŷn â pherson arall. Y mae hanes am William Booth, sylfaenydd Byddin yr Iachawdwriaeth, yn dweud y drefn yn hallt wrth un o'i wirfoddolwyr am nad oedd yn tynnu'i bwysau. Ond eglurodd un o swyddogion y Fyddin wrtho fod pethau'n anodd yn ariannol ar y brawd arbennig hwnnw ac yntau â gwraig a phedwar o blant i'w bwydo. Er mwyn cael dau ben llinyn ynghyd roedd yn gweithio fel gwyliwr nos yn un o'r gweithfeydd lleol. O ganlyniad ychydig iawn o gwsg a gâi. Wedi i William Booth glywed hynny aeth ar unwaith i ymddiheuro i'r dyn am ei feio ar gam. Nid oedd yn gwybod y cyfan am ei sefyllfa a'i amgylchiadau. Y mae dywediad Saesneg i'r perwyl, 'To know all is to forgive all!' Os nad yw hynny'n wir bob amser, y mae'n rhybudd inni ymatal rhag beirniadu person arall cyn inni wybod popeth am ei gyflwr a'i amgylchiadau. A chan na all yr un ohonom adnabod yr un person arall yn llwyr mae'r natur geryddgar sydd byth a hefyd yn gweld bai mewn person arall yn groes i ysbryd y deyrnas. Pa hawl sydd gan yr un ohonom i gymryd arnom bod yn farnwyr a beirniaid ar eraill? Meddai Paul wrth Gristnogion Rhufain oedd yn tueddu i feirniadu'r rhai oedd yn esgeulus o'r rheolau bwyd Iddewig, *'Pwy wyt ti, i fod yn barnu gwas rhywun arall? gan y meistr y mae'r hawl i benderfynu a yw rhywun yn sefyll neu'n syrthio'* (Rhuf. 14:4). Ac wrth ei amddiffyn ei hun o flaen ei feirniaid yng Nghorinth, meddai Paul eto, *'Yr Arglwydd yw fy marnwr i. Felly peidiwch â barnu dim cyn yr amser, nes i'r Arglwydd ddod; bydd ef yn goleuo pethau cudd y tywyllwch ac yn gwneud bwriadau'r galon yn amlwg'* (1 Cor. 4:4–5). Duw yn unig a ŵyr am fwriadau cudd y galon. Nid oes yr un ohonom ni'n gweld darlun cyfan bywyd person arall, ac felly, meddai Iesu, *'Peidiwch â barnu.'*

Yn ail, *peidiwn â barnu, oherwydd wrth farnu daw ein beiau a'n diffygion ni ein hunain i'r amlwg.* Oherwydd i'r gŵr hunangyfiawn gynnig tynnu'r brycheuyn o lygad ei frawd y daeth y trawst oedd yn ei lygad ei hun i'r amlwg: *'a thithau heb sylwi ar y trawst sydd yn dy lygad dy hun'* (adn. 3). Does gan yr un ohonom yr hawl foesol i weld bai ar eraill a ninnau â chymaint o feiau ein hunain. Pan welodd Iesu grŵp o ysgrifenyddion a Phariseaid hunangyfiawn yn cynllunio i labyddio gwraig a ddaliwyd mewn godineb, meddai wrthynt, *'Pwy bynnag ohonoch sy'n ddibechod, gadewch i hwnnw fod yn gyntaf i daflu carreg ati'* (Ioan 8:7). Y canlyniad oedd iddynt fynd allan, un ar ôl y llall, a gadael Iesu a'r wraig. Yn eu hawydd i farnu a chosbi gwelsant y beiau oedd yn llechu yn eu calonnau eu hunain. Gan nad oes neb ohonom yn berffaith, daw ein beiau i'r amlwg pan awn ati i feirniadu pobl eraill. Soniai C. H. Spurgeon ryw dro am ŵr hunangyfiawn oedd yn aelod o'i eglwys. 'I only ever had one man in my church who was perfect,' meddai, 'and he was a perfect nuisance!' Ymhell cyn Freud a Jung a seicoleg fodern gwelodd Iesu fod dyn, wrth farnu, yn datgelu gwendidau ei bersonoliaeth ei hun. Wrth dynnu sylw at y brycheuyn yn llygad ei frawd daw i weld fod ganddo drawst yn ei lygad ei hun. Felly, meddai Iesu, *'peidiwch â barnu, rhag ichwi gael eich barnu'* (adn. 1).

Yn drydydd, *peidiwch â barnu oherwydd nid yw beirniadaeth geryddgar yn gwneud lles i neb.* Y mae math o feirniadaeth wrthrychol ac adeiladol sy'n werthfawr ac er ein lles. Yr ydym i gyd yn ddyledus i'r rhai a fu o help inni oherwydd iddynt ddangos yn deg a charedig ddiffygion ynom nad oeddem yn ymwybodol ohonynt, a chamgymeriadau yr oeddem yn eu gwneud heb sylweddoli hynny. Diolch am feirniaid teg a chyfeillgar fu'n ein beirniadu er ein lles. Ond nid yw beirniadaeth sengar, faleisus o les i neb. I'r gwrthwyneb, gall ladd ysbryd person a lladd perthynas pobl â'i gilydd. Gŵyr pob athro gwerth ei halen nad yw beirniadaeth negyddol, sarhaus, yn gwneud dim ond lladd ysbryd plentyn ac atal ei ddatblygiad. Dywedir am Iesu yn Efengyl Ioan, 'nid i gondemnio'r byd yr anfonodd Duw ei Fab i'r byd, ond er mwyn i'r byd gael ei achub trwyddo ef' (Ioan 3:17). Ni cheir unrhyw lesâd i neb wrth farnu. Y mae dyn â thrawst yn ei lygad yn debycach o ddallu ei frawd na'i wella.

Y Perlau, y Cŵn a'r Moch

Un o ddywediadau tywyll Iesu sydd yn adn. 6: 'Peidiwch â rhoi'r hyn sy'n sanctaidd i'r cŵn, na thaflu eich perlau o flaen y moch, rhag iddynt eu sathru dan eu traed, a throi arnoch a'ch rhwygo.' Beth sydd a wnelo'r geiriau hyn ag anogaeth Iesu i'w ddilynwyr i beidio â barnu? Galwai'r Iddewon y Cenedl-ddynion yn gŵn ac yn foch, oherwydd eu paganiaeth a'u hanfoesoldeb, ac ni chawsant gysylltiad â hwy mwy nag oedd raid. A yw Iesu'n awgrymu y dylai ei ddilynwyr yntau ddilyn yr un llwybr a gwrthod rhannu eu bendithion ysbrydol â rhai a ystyrient yn annheilwng? Anodd yw credu y byddai Iesu'n galw pobl yn 'gŵn' ac yn 'foch'. A buan iawn yn ei hanes y gwelodd yr eglwys fore fod Duw yn ei galw i bregethu'r efengyl i'r holl fyd. Beth felly yw ystyr y geiriau? Mae'n bosibl mai'r cŵn a'r moch yw'r rhai na welant unrhyw ystyr na gwerth yn yr efengyl – rhai sy'n ei gwrthwynebu'n ffyrnig a'i gwrthod yn ddirmygus. Er nad yw dilynwyr Iesu i farnu neb mewn ysbryd sengar, dylent wahaniaethu rhwng pobl a'i gilydd wrth gyflwyno dysgeidiaeth yr efengyl iddynt. Y mae math o bobl sy'n gwbl analluog i'w derbyn ac na wnânt ond troi ar y sawl sy'n ei chynnig iddynt. Nid drwy eiriau a dadleuon y mae ennill rhai o'r fath. Taflu perlau o flaen moch yw ceisio'u hargyhoeddi â geiriau. Yr unig ffordd i'w hargyhoeddi yw dangos gwirionedd yr efengyl mewn bywydau da sy'n adlewyrchu gogoniant bywyd y deyrnas.

Cwestiynau i'w Trafod

1. Sut fath o farnu a gondemnir gan Iesu yn yr adran hon?

2. Beth a gynrychiolir gan y trawst yn llygad y sawl sy'n barnu eraill?

3. A yw adn. 6 yn gwrth-ddweud comisiwn Iesu i'w ddilynwyr i bregethu'r efengyl i bob creadur?

GOFYNNWCH, CHWILIWCH, CURWCH

"Gofynnwch, ac fe roddir i chwi; ceisiwch, ac fe gewch; curwch, ac fe agorir i chwi. Oherwydd y mae pawb sy'n gofyn yn derbyn, a'r sawl sy'n ceisio yn cael, ac i'r un sy'n curo agorir y drws. Pwy ohonoch, os bydd ei blentyn yn gofyn am fara, a rydd iddo garreg? Neu os bydd yn gofyn am bysgodyn, a rydd iddo sarff? Am hynny, os ydych chwi, sy'n ddrwg, yn medru rhoi rhoddion da i'ch plant, gymaint mwy y rhydd eich Tad sydd yn y nefoedd bethau da i'r rhai sy'n gofyn ganddo! Pa beth bynnag y dymunwch i eraill ei wneud i chwi, gwnewch chwithau felly iddynt hwy; hyn yw'r Gyfraith a'r proffwydi."

(Mathew 7:7–12)

Daw'r adran hon â ni'n ôl at fater gweddi, pwnc a drafodwyd eisoes yn 6: 5-15. Nid yw'n hawdd deall pam y mae Mathew yn dewis ei drafod yma eto. Yn Efengyl Luc (11:1–13), daw cynnwys yr adnodau hyn ar ôl Gweddi'r Arglwydd a dameg y Cyfaill Hanner Nos a hynny'n dangos yn eglur mai anogaeth i weddïo sydd ynddynt. Ond yma, yn y Bregeth ar y Mynydd, saif yr adran heb unrhyw gysylltiad eglur â'r hyn a drafodwyd o'i blaen na'r hyn sy'n ei dilyn. Efallai mai amcan Mathew oedd dangos fod cymaint o angen gweddi arnom i gyfarfod â gofynion y gwaharddiad ar feirniadu. Posibilrwydd arall yw fod Iesu, yn yr adran ar farnu, wedi delio â pherthynas y Cristion â'i gyd-ddyn, a'i fod yn awr yn troi at berthynas y Cristion â Duw, gan awgrymu mai amhosibl yw bod mewn iawn berthynas â phobl eraill heb fod mewn iawn berthynas â Duw. Yn wir, gellid dweud fod rhaid i bawb sydd am ymgyrraedd at safonau'r Bregeth ar y Mynydd gydnabod ei ddibyniaeth ar ras a nerth Duw.

Dibynna llwyddiant y deyrnas ar ddau beth: ymdrech dyn ac adnoddau Duw. Nid yw'n cynyddu ohoni'i hun nac o ganlyniad i gynlluniau a gwaith dynion. Rhaid wrth gyfuniad o waith a gweddi, o dorchi llewys a gofyn, o lafur a churo. Rhaid wrth gydbwysedd rhwng y naill ochr a'r llall. Er i ddilynwyr Crist fedru cyflawni rhai pethau drwy ymdrech ac ymroddiad, rhaid iddynt hefyd *ofyn, ceisio* a *churo* wrth ddrws Duw. Mae hynny'n wir am waith y deyrnas yn gyffredinol; mae'n gymaint mwy gwir am ofynion moesol y deyrnas. Gosododd Iesu berffeithrwydd Duw ei hun fel nod i'w ddilynwyr. Pa obaith sydd gan fodau dynol amherffaith i gyrraedd y nod a osododd iddynt? Ond y mae'r Bregeth ar y Mynydd yn fwy na moeseg yn unig. Pe bai'n ddim ond cyfres o ofynion moesol hi fyddai'r peth mwyaf anymarferol a lefarwyd erioed. Rhaid i ddyn wrth fwy na gorchymyn i gyrraedd pinaclau uchaf ei ddelfrydau; rhaid iddo wrth ras a nerth.

Anogaeth ac Addewid

Yr hyn a wna Iesu yn yr adran hon yw cyfeirio at yr adnoddau ysbrydol angenrheidiol sydd gan Dduw ar ein cyfer i'n galluogi i gyrraedd y nod: '*Gofynnwch, ac fe roddir i chwi; ceisiwch, ac fe gewch; curwch ac fe agorir i chwi*' (adn. 7). Y mae *anogaeth* ac *addewid* yn ei eiriau. Yr anogaeth yw i *ofyn* – am bob peth; i *geisio* – wrth orsedd gras bob amser; i *guro* – wrth ddrws Duw yn eiddgar a disgwylgar. Mae'r tri gair yn awgrymu darlun o dair gris mewn gweddi. Mae ceisio yn daerach na gofyn, a churo yn awgrymu mwy o daerineb a disgwyl eiddgar am glywed rhywun yn ateb.

Yr *addewid* yw y bydd Duw yn ateb ein deisyfiadau ac yn rhoi inni yn ôl ein dymuniad: '*Oherwydd y mae pawb sy'n gofyn yn derbyn, a'r sawl sy'n ceisio yn cael, ac i'r un sy'n curo agorir y drws*' (adn. 8). Nid yw hynny'n golygu y bydd Duw yn rhoi inni bopeth y gofynnwn amdano. Nid yw Duw bob amser yn ateb gweddi yn ôl ein disgwyliadau ni, ond yn hytrach yn ôl ein lles. Rheolir ei roddion gan ei gariad, a rhaid iddo yn aml wrthod inni yr hyn y gofynnwn amdano. Y mae '*na*' yn gymaint ateb i weddi ag yw rhoi inni yr hyn a geisiwn. Pe byddai Duw yn rhoi inni bopeth y gofynnwn amdano gwnâi hynny fwy o ddrwg nag o les inni'n fynych.

Mae'r adran hon yn her inni gymryd anogaeth Iesu o ddifrif, i fynd â'n deisyfiadau gerbron Duw mewn ffydd ddisgwylgar a phwyso ar ei addewid y cawn ateb i'n gweddïau. Ond wedi dweud hynny fe wyddom i gyd o brofiad am adegau pan *nad* yw'n gweddïau wedi eu hateb. Wedi gweddïo am lwyddiant mewn arholiad mae'r myfyriwr yn methu. Wedi gweddïo am iachâd y mae claf yn gwaethygu. Wedi gweddïo am heddwch yn y byd mae'r gweddïwr yn gweld rhyfela ar gynnydd. Mae'r awdur Iddewig, Elie Weissel, yn ei gyfrol *Night*, yn disgrifio'i gyfnod fel carcharor yn Auschwitz. Gorfodwyd ef a nifer o garcharorion eraill i wylio tri Iddew ifanc yn cael eu crogi. Bu farw dau ohonynt ar unwaith, ond bachgen tair ar ddeg oed oedd y trydydd, ac oherwydd ei fod yn eiddil ac ysgafn bu am hanner awr yn tagu'n araf i farwolaeth. Wrth ei wylio dechreuodd un o'r grŵp weddïo. Ond meddai Elie Weissel, 'There was no miracle, no bolt from the blue to save him; he simply hung there, struggling between life and death, without hope and without God.' Gellid pentyrru enghreifftiau eraill o weddïau na chawsant eu hateb, a'r rheini oll yn peri inni ofyn a yw geiriau Iesu'n wir? Ac os ydynt yn wir, ym mha ystyr y medrwn ofyn a chwilio a churo?

Ceisio Duw ei Hun

Medrwn ddod â'n holl anghenion a'n gofidiau gerbron Duw, eu rhannu ag ef a cheisio ei oleuni a'i gymorth. Ond y mae hynny'n dibynnu ar wybod sut un yw'r Duw y gweddïwn arno. Rhaid gofyn, chwilio a cheisio am bethau mwy pwysig a sylfaenol na'n hanghenion personol ni. Meddai un esboniwr, 'Rhaid gofyn am adnabod y Rhoddwr cyn gofyn am ei roddion.' Y cam cyntaf mewn gweddïo yw ceisio Duw ei hun, ei adnabod a dyfnhau ein perthynas ag ef. Yn ei *Gyffesion* y mae Awstin Sant yn gweddïo, 'Arglwydd, hyd yn oed petait yn rhoi i mi bopeth a greaist erioed, byddai hynny'n rhy fach ac annigonol. Tydi, ac nid dy roddion a ddymunaf.'

Yn un o'i storïau byrion y mae John Ruskin yn sôn am dad oedd oddi cartref ar fusnes dros gyfnodau hir. Anaml y byddai gartref, ond byddai'n gofalu anfon anrhegion drudfawr i'w fab bychan o wahanol rannau o'r byd. Cyrhaeddodd parsel un bore a gwrthododd y bychan ei agor oherwydd, meddai, 'Nid teganau rwy' eisiau, ond tad!' Doedd y rhoddion heb y rhoddwr yn dda i ddim. Aeth y Cyfaill Hanner Nos i ofyn i'w gymydog am fara. Er ei bod mor hwyr a'r gŵr a'i deulu eisoes wedi noswylio, mentrodd aflonyddu arno am ei fod yn ei adnabod. Ni fyddai'n meiddio mynd ar ofyn dyn dieithr ar amser mor anhwylus. Cafodd y bara am ei fod yn gyntaf yn adnabod y rhoddwr. Y mae'n werth sylwi fod geiriau Iesu yn y modd gorchmynnol. Hynny yw, nid

'Gofynnwch, ac fe roddir i chwi,' ond 'Daliwch ati i ofyn; daliwch ati i geisio ac i guro.' Rhaid wrth ddyfalbarhad ac ymdrech mewn gweddi. Mater o'r pwys mwyaf yw canfod Duw a thyfu i'w adnabod, oherwydd y mae'r hyn a gredwn am Dduw yn penderfynu beth a gredwn am weddi ac am atebion Duw i weddi. Gwelwn nad Duw ymarhous mohono, cyndyn i wrando ac amharod i ateb ein hymbiliau. Gwelwn nad Duw difater mohono, yn malio dim am ein deisyfiadau. Gwelwn yn hytrach mai Tad yw Duw, yn caru ei blant ac yn dymuno iddynt yr hyn sydd er eu lles. Dyna pam y mae'n ateb ein gweddïau yn ôl ei gariad a'i ddoethineb, yn rhoi inni'r hyn sydd orau i ni ac yn atal yr hyn sy'n niweidiol. O adnabod Duw, a deall sut un ydyw, y mae deall sut a pha bryd y mae'n ateb ein gweddïau.

Y Tad a'i Blant

O adnabod y Tad gellir ymddiried ynddo i roi i'w blant yr hyn sydd er eu lles. Ni fuasai'r un tad daearol yn gwawdio'i blentyn drwy roi carreg iddo ac yntau wedi gofyn am fara. Ni fuasai chwaith yn rhoi sarff iddo yn lle pysgodyn, sef gwenwyn yn lle bwyd. *Bara* a *physgod* oedd prif fwydydd pobl yn nyddiau Iesu, yn enwedig ar lan môr Galilea. Gallai carreg ymddangos yn debyg i dorth, a math arbennig o bysgodyn yn debyg i sarff. Ni fyddai tad naturiol fyth yn twyllo'i blentyn nac yn rhoi iddo unrhyw beth a fyddai'n ei niweidio: '*Pwy ohonoch, os bydd ei blentyn yn gofyn am fara, a rydd iddo garreg? Neu os bydd yn gofyn am bysgodyn, a rydd iddo sarff?*' (adn. 10). Os yw rhieni naturiol, a hwythau'n feidrolion ac yn ddrwg, yn sicrhau eu bod yn rhoi'r pethau gorau i'w plant, gymaint mwy y bydd Duw, y Tad nefol, yn rhoi ei fendithion i'w blant. Mae symlrwydd y gymhariaeth â bywyd y teulu yn dangos yn eglur sut un yw Duw. Nid profion athrawiaethol astrus a ddefnyddia Iesu, ond enghreifftiau syml, dealladwy o fywyd aelwyd a chartref a pherthynas rhieni â'u plant. Yr hyn a rydd Duw i'w blant yw '*pethau da*' (adn. 11), sef bendithion tymhorol ac ysbrydol – 'cysgod, bwyd a dillad' – a hefyd rasusau'r efengyl – cariad, tangnefedd, nerth, llawenydd, gobaith a chymdeithas â'i gilydd o fewn ei eglwys. Mae'n debyg mai'r geiriau hyn a ysbrydolodd Moelwyn i weddïo, 'a dod i mi dy bethau da' yn ei emyn, 'Fy Nhad o'r nef, o gwrando 'nghri'.

Yn lle *'pethau da'*, yr hyn sydd gan Luc yw *'gymaint mwy y rhydd y Tad nefol yr Ysbryd Glân i'r rhai sy'n gofyn ganddo'* (Luc 11:13). Prin y disgwyliem gyfeiriad at yr Ysbryd Glân mor fuan yng ngweinidogaeth Iesu. Ond mae'n bur debyg fod awdur Efengyl Luc yn teimlo fod *'pethau da'* yn annelwig a chyfeiriad at yr Ysbryd Glân yn fwy dealladwy i aelodau'r eglwys fore. Wrth gwrs, y mae'n bosibl fod Iesu wedi defnyddio'r ddau ymadrodd ar achlysuron gwahanol. Ond yn y gwraidd, yr un ystyr sydd i'r ddau.

Rhodd fawr Duw yw ei Ysbryd, ac y mae popeth o fewn y rhodd werthfawr honno. Yr Ysbryd Glân yw bywyd Duw ei hun yn llenwi ac yn nerthu ei bobl. Fel y gweithredodd yr Ysbryd yn hanes y creu, yr un Ysbryd sy'n dod â threfn, pwrpas ac egni dwyfol i fywyd y Cristion. Dim ond drwy nerth yr Ysbryd Glân y gall dilynwyr Crist gyrraedd at ddelfrydau uchaf y Bregeth ar y Mynydd. Fel y mae tad naturiol yn barod i ymateb i geisiadau ei blant a rhoi iddynt bopeth y mae ei angen arnynt, gall y Cristion ofyn, ceisio a churo, gan wybod y bydd ei Dad nefol, drwy ei Ysbryd Glân, yn cyfarfod â'i holl reidiau.

Rheol Euraid Crist

Nid yw'n hawdd deall pam y mae Mathew yn gosod geiriau adn. 12 yn yr union fan yma yn y Bregeth. Yn Luc fe'u ceir ar ddiwedd yr adnodau sy'n sôn am garu gelynion a gweddïo dros y rhai sy'n gwneud niwed i ni. Ond yma y mae'n dilyn yr anogaeth i weddïo. Mae'n bosib mai ar bwys yr hyn a ddywedwyd am ymddygiad Duw y Tad y gelwir ar ddilynwyr Iesu i ymddwyn yn yr un modd tuag at bobl eraill. Yn wir gellir dweud fod Iesu'n gwasgu ei holl orchmynion mawr a mân i'r un egwyddor holl-gynhwysfawr hon: *'Pa beth bynnag y dymunwch i eraill ei wneud i chwi, gwnewch chwithau felly iddynt hwy; hyn yw'r Gyfraith a'r proffwydi'* (adn. 12). Yn yr adnodau blaenorol cyfeiria Iesu at yr holl adnoddau sydd gan Dduw ar gyfer ei blant i'w galluogi i fyw y bywyd delfrydol. Ond rhaid cofio mai adnoddau ydynt ar gyfer byw yn y byd i'n galluogi i ymddwyn yn gyfrifol a thosturiol tuag at bobl eraill.

Ceir geiriau tebyg i'r rheol hon gan amryw o athrawon ymysg yr Iddewon a'r Groegiaid. Ceir ffurf negyddol arnynt yn Llyfr Tobit (4:15): *'Paid â gwneud i neb yr hyn sy'n gas gennyt.'* Daeth cenedl-ddyn at Hillel, yr enwocaf o'r Rabiniaid Iddewig yn ei ddydd, genhedlaeth o flaen Iesu, a dywedodd y byddai'n barod i dderbyn y ffydd Iddewig os medrai'r athro ddysgu'r holl Gyfraith iddo tra safai ar ei untroed! Atebodd Hillel, '*Popeth sydd gas gennyt ti, na wna i neb arall; yr hyn yw swm y Gyfraith, eglurhad yw'r gweddill*.' Priodolir geiriau tebyg i Confucius ac i rai o'r Stoiciaid. Ond nid yw Iesu'n honni bod unrhyw wreiddioldeb yn ei eiriau: '*hyn yw'r Gyfraith a'r proffwydi*,' meddai (adn. 12). Ond y mae gwahaniaeth enfawr rhwng geiriau Hillel a geiriau Iesu. Moeseg negyddol sydd gan Hillel: ein cymell i beidio â gwneud i eraill y drwg y byddai'n gas gennym pe gwnâi eraill ef i ni. Ond y mae dysgeidiaeth Iesu ar y blaen i hyn. Y mae byd o wahaniaeth rhwng peidio â gwneud drwg i eraill a gwneud daioni iddynt. Wrth newid egwyddor Hillel o'r negyddol i'r cadarnhaol y mae Iesu'n galw arnom i ymroi i fywyd o gariad, gwasanaeth, cymwynasgarwch a thosturi.

Mae gweithredu'r egwyddor gadarnhaol hon yn galw am feddylfryd aruchel. Mae'n gofyn am ddychymyg byw, sensitifrwydd effro a chydymdeimlad dwfn. Mae'n gofyn inni osod ein hunain, mewn dychymyg, yn safle person arall a gweld pethau o safbwynt y person hwnnw. Rhaid anghofio'r hunan a meddwl am gyflwr ac angen ein cymydog. Mae'r egwyddor hon yn groes i bob ysbryd hunanol, ond o'i gweithredu gallwn fod o wir gymorth i berson arall a gallwn ddyfnhau'r berthynas rhyngom. A fyddwn yn ymdrechu o ddifrif i ddeall safbwynt ein cymydog pan fydd anghytundeb yn codi rhyngom? A fyddwn yn ystyried o ddifrif beth yw teimladau ac anghenion ein cymydog? A ydym yn gwneud i eraill fel y carem iddynt hwy wneud i ni? Pe bai gwledydd y ddaear yn llunio'u polisïau gan ystyried sut y gallent fod o gymorth i wledydd eraill, byddai rhyfeloedd yn peidio, newyn a thlodi yn diflannu a heddwch a chytgord yn bodoli rhwng pobloedd ymhob man. Byddai mabwysiadu egwyddor y 'rheol euraid' yn newid y byd yn fuan iawn. Pe baem yn ystyried a hoffem ni dderbyn y driniaeth greulon a weithredwn ni ar ein gelynion, byddai hynny'n atalfa effeithiol ar bob rhyfel. Ond nid gwaith hawdd yw gweithredu'r egwyddor. Y mae ar yr un lefel â holl gyfarwyddiadau eraill y Bregeth ar y Mynydd ac ni ellir ei dilyn ond yn nerth yr Arglwydd a'i rhoddodd.

Cwestiynau i'w trafod

1. Ym mha ystyr y gellir dweud bod Duw yn ateb pob gweddi?

2. Beth a ddysgwn am weddi yn y gyffelybiaeth am y tad a'i blant?

3. Pa wahaniaeth sydd rhwng y ffurf negyddol ar y 'rheol euraid' a'r ffurf gadarnhaol?

Y PORTH CYFYNG

"Ewch i mewn trwy'r porth cyfyng; oherwydd llydan yw'r porth ac eang yw'r ffordd sy'n arwain i ddistryw, a llawer yw'r rhai sy'n mynd ar hyd-ddi. Ond cyfyng yw'r porth a chul yw'r ffordd sy'n arwain i fywyd, ac ychydig yw'r rhai sy'n ei chael."

(Mathew 7:13–14)

Mae gennyf gof plentyn o fynd yn achlysurol gyda'm rhieni i ymweld ag ewythr a modryb imi oedd yn byw mewn fferm fechan ryw wyth milltir o'n cartref. Ar wal y gegin roedd gan fy modryb lun o waith rhyw arlunydd o oes Victoria. Teitl y llun oedd 'Y Ddwy Ffordd'. Ar y chwith i'r darlun gwelid porth eang, hardd yn arwain i ffordd lydan. O boptu'r ffordd yr oedd adeiladau nobl – theatrau, tafarndai, neuaddau dawns, neuaddau gamblo ac atyniadau eraill, a thyrfa o bobl mewn dillad crand yn cerdded y ffordd ac yn amlwg yn mwynhau eu hunain. Arweiniai'r ffordd i fyny ochr bryn ac o gefn y bryn codai fflamau uchel a mwg trwchus. Ar y dde i'r darlun wedyn roedd porth isel, di-nod yn agor ar lwybr serth, troellog. Ychydig iawn o deithwyr oedd yn dringo'r llwybr a rhai ohonynt yn wynebu peryglon ar eu taith. Arweiniai'r llwybr hwn hefyd i ben bryn, ond ar gopa'r bryn hwnnw gwelid golau llachar a'i belydrau'n tywynnu ar y teithwyr blinedig wrth iddynt gyrraedd pen y daith. Ymgais oedd hon gan yr arlunydd i gyfleu syniad poblogaidd pobl ei gyfnod o'r hyn a ddywed Iesu yn yr adran fer hon. Ond go brin y byddem ni heddiw yn dehongli'r adran yn yr un termau. Nid dweud y drefn am bleserau ac atyniadau'r byd hwn y mae Iesu. Nid Piwritan cul yn gwgu ar bob mwynhad mohono. Ac yn sicr nid yw'n ymhyfrydu yn y syniad o lawer yn y diwedd yn wynebu distryw a chosbedigaeth. Yn hytrach, dywed Iesu fod rhaid i'w wrandawyr wynebu dewis tyngedfennol, rhwng dwy ffordd.

Dewisiadau

Erbyn cyrraedd yr adran fechan hon y mae'r Bregeth ar y Mynydd yn tynnu tua'i therfyn. Mae Iesu wedi delio â phrif gynnwys ei ddysgeidiaeth ac wedi gosod gerbron ei ddilynwyr y dewisiadau sy'n eu hwynebu: rhwng dau fath o gyfiawnder, dau fath o ddefosiwn, dau drysor, dau feistr, dau uchelgais a dwy ffordd o ymdrin â phobl eraill. Erbyn hyn daeth yn amser i wneud y dewis tyngedfennol rhwng teyrnas Dduw a theyrnas drygioni; rhwng ffordd Crist a ffordd y byd. O hyn hyd ddiwedd y bennod disgrifir y dewis mewn cyfres o ddarluniau: dwy ffordd (eang a chul); dau fath o ffrwyth (da a drwg); dau fath o ymddygiad (geiriau a gweithredoedd); a dwy sylfaen (craig a thywod).

Droeon yn yr Hen Destament gofynnir i bobl Dduw wneud dewisiadau. Wrth addo adfer a bendithio ei bobl, meddai Duw drwy Moses, '*Edrych, yr wyf yn rhoi'r dewis iti heddiw rhwng bywyd a marwolaeth, rhwng daioni a drygioni ... Yr wyf yn galw'r nef a'r ddaear yn dystion yn dy erbyn heddiw, imi roi'r dewis iti rhwng bywyd ac angau, rhwng bendith a melltith. Dewis dithau fywyd, er mwyn iti fyw, tydi a'th ddisgynyddion*' (Deut. 31:15, 19). Meddai Josua wrth y bobl, ag yntau'n tynnu at ddiwedd ei oes, '*dewiswch ichwi'n awr pwy a wasanaethwch: ai'r duwiau a wasanaethodd eich hynafiaid pan oeddent y tu hwnt i'r Ewffrates? ... Ond byddaf fi a'm teulu yn gwasanaethu'r Arglwydd*' (Josua 24:15). Yn y Salm gyntaf canmolir y gŵr cyfiawn a ddewisodd rodio '*ffordd y rhai cyfiawn*' yn hytrach na '*ffordd y drygionus*' (Salm 1: 6). Clywodd Jeremeia yntau lais Duw yn dweud wrtho, '*Wrth y bobl hyn hefyd dywed, "Fel hyn y dywed yr Arglwydd: Wele fi'n gosod o'ch blaen ffordd bywyd a ffordd marwolaeth"*' (Jer. 21:8). Fel 'pobl y ffordd' y disgrifiwyd y Cristnogion bore (Actau 9:2: 19:9, 23) a daeth y syniad o ddwy ffordd yn gyffredin o fewn yr eglwys fore.

Gwyddom o brofiad fod dewisiadau yn ein hwynebu bob dydd: rhai yn ddewisiadau o'r pwys mwyaf, eraill yn llai pwysig. Y mae tri pheth yn codi o hynny. Yn gyntaf, *mae'r alwad i ddewis yn elfen sylfaenol ym mywyd dyn*. Dyna un peth sy'n ei wneud yn ddyn ac yn ei wahaniaethu oddi wrth anifail. Dyna yw ei ogoniant, ond dyna hefyd yw'r her a'r perygl sy'n ei wynebu. Yn ail, *gwyddom o brofiad fod drygioni yn ymddangos yn fwy atyniadol na daioni*. Y rheswm am hynny yw fod dewis daioni yn gofyn am ymdrech a hunanddisgyblaeth. Dyna sy'n cyfrif am boblogrwydd y 'ffordd eang'. Yn drydydd, *nid yn y dewis ar y dechrau yn unig y mae bywyd y deyrnas yn anodd; y mae'n parhau felly i'r diwedd.* Mae'r porth cyfyng yn cynrychioli'r weithred o dderbyn Iesu ac ymrwymo i'w deyrnas. Mae'r ffordd gul yn cynrychioli'r ymdrech sy'n angenrheidiol i barhau i gerdded ei ffordd ef.

Dyna felly yw'r dewis a gyflwyna Iesu i'w ddilynwyr. Y mae ffordd eang, hawdd, a llawer yn mynd ar hyd-ddi; ond ei diwedd yw distryw. Y mae ffordd gul, anodd, ac ychydig sy'n ei chymryd; ond diwedd honno yw bywyd. Rhaid dewis rhwng y ddwy.

Cwestiynau

Mae'r cyfeiriadau at y ddwy ffordd a'r ddau borth, a thynged y rhai sy'n dewis y naill neu'r llall, yn codi nifer o gwestiynau. Yn gyntaf, beth a olygir wrth *bywyd* a *distryw*? Ceir yr ateb wrth edrych ar ddysgeidiaeth Iesu yn gyffredinol. *Bywyd* yw dilyn Iesu a chanfod cyflawnder adnoddau Duw ynddo ef i gyfoethogi meddwl ac enaid. Yn Efengyl Ioan defnyddir y term *'bywyd tragwyddol'* i olygu bywyd ac iddo ansawdd dragwyddol, yn y byd hwn yn ogystal â'r byd a ddaw. Wrth sôn amdano'i hun fel y bugail da, dywed Iesu, *'Yr wyf fi wedi dod er mwyn i ddynion gael bywyd, a'i gael yn ei holl gyflawnder'* (Ioan 10:10). Golyga hynny fywyd mewn iawn berthynas â *Duw*: profi a mwynhau ei bresenoldeb, pwyso ar ei nerth a'i arweiniad ac ymddiried ein hunain i'w gariad tragwyddol. Golyga hefyd fywyd mewn iawn berthynas â'r *amgylchfyd*, gan werthfawrogi a gwarchod harddwch natur, ffrwythlondeb y ddaear ac amrywiaeth ryfeddol yr holl greaduriaid. Golyga fywyd mewn iawn berthynas â *phobl eraill*, gyda harmoni a brawdgarwch yn ffynnu yn ymwneud dyn â'i gyd-ddyn. O fewn y bywyd hwn mae'r hunan yn datblygu yn feddyliol ac yn ysbrydol a thrwy ras Duw yn ymgyrraedd at yr hyn y mae Duw am inni fod. Bywyd Duw yn llenwi, yn hydreiddio ac yn sancteiddio bywyd dynol yw'r bywyd sy'n eiddo inni yng Nghrist. Mae hwn yn fywyd i'w fyw yn llawn ac yn llawen yn y byd hwn, ac yn fywyd sydd i barhau i dragwyddoldeb gyda Duw.

Y mae'r gair *distryw* yn disgrifio tynged y person sy'n gwrthod dilyn Iesu, yn troi cefn ar ofynion Duw ac egwyddorion ei deyrnas, yn byw yn gyfan gwbl iddo'i hun, gyda'r canlyniad fod ei bersonoliaeth yn dirywio ac yn mynd yn dlotach, dlotach. Ceir darlun byw o ddirywiad personoliaeth yn Nameg y Mab Colledig yn nisgrifiad Iesu o gyflwr y mab wedi iddo gefnu ar ei dad a dechrau byw'n afradlon: gwastraffodd ei eiddo, dechreuodd fod mewn eisiau, aeth i ofalu am foch, 'ac nid oedd neb yn cynnig dim iddo' (Luc 15:16). Arweiniodd y broses o ddirywiad at golli ei urddas a'i statws fel mab ac iddo feddwl mai'r unig obaith iddo oedd cael ei dderbyn gan ei dad fel gwas cyflog.

Er mai'r syniad traddodiadol o 'ddistryw' fel y cyfeiria Iesu ato yn yr adran hon yw cosb yn nhân uffern, nid yn y termau llythrennol hynny y buasem ni heddiw yn dehongli'r gair. Pan mae person yn gwrthod yr alwad i ddilyn Iesu, yn troi cefn ar Dduw a'i deyrnas, yn byw yn gwbl hunanol, y mae ar lwybr sy'n arwain at ddadfeiliad ei bersonoliaeth a chyflwr o golli cyswllt yn llwyr â Duw a'r byd ysbrydol. Yr unig ystyr sydd i'r syniad o uffern yw tywyllwch a diffeithdra ymwahaniad llwyr oddi wrth Dduw. Dyna yw *distryw* yn wir.

Cwestiwn arall sy'n codi o ddarlun y ddau borth a'r ddwy ffordd yw, pam y mae ffordd bywyd yn *gul* a ffordd distryw yn *llydan*? Nid yw *cul* yn golygu culni meddwl na chulni crefyddol. Cysylltir culni'n aml ag agwedd meddwl gondemniol, annioddefgar, sy'n gwgu ar bob pleser a mwynhad. Yn hytrach, golyga yn y cyswllt hwn *ddisgyblaeth*. Gwyddom o brofiad fod drygioni yn aml yn fwy atyniadol na daioni a bod ceisio a dilyn y da yn ymdrech galed sy'n gofyn am hunanddisgyblaeth. Ni ellir tyfu yn y bywyd Cristnogol heb ddisgyblaeth: disgyblaeth mewn gweddi, mewn ymarweddiad ac mewn aberth. Ni ellir mynd i mewn drwy'r porth cyfyng a chario popeth gyda ni. Rhaid mynd heb rai pethau. Rhaid ymwadu â'r hunan, codi'r groes, a cherdded y llwybr a gerddodd Iesu ei hun. Ond ffordd ydyw sy'n arwain i fywyd helaethach. Rhaid rhoi rhai pethau heibio er mwyn derbyn llawer mwy yn ôl. Ond nid yw'n hawdd dygymod â cherdded ffordd gul. Mae'r ffordd *lydan* gymaint yn haws a mwy atyniadol. Does dim galw am ymdrech, disgyblaeth na hunanymwadiad ar y ffordd hon – dim ond byw i'r hunan, mwynhau popeth sydd i'w gael ac anghofio am ein dyletswydd tuag at Dduw a thuag at gyd-ddyn. Mae'r ffordd hon yn ddarlun o athroniaeth y Gŵr Goludog yn y ddameg a ddywedodd wrtho'i hun: '*y mae gennyt stôr o lawer o bethau ar gyfer blynyddoedd lawer; gorffwys, bwyta, yf, bydd lawen*' (Luc 12:19). Dylid sylwi fod cyfyngder ac ehangder yn perthyn i'r ddwy ffordd, ond nid yn yr un man. Cychwyn yn eang wna'r ffordd lydan a diweddu'n gul mewn distryw. Cychwyn yn gyfyng wna'r ffordd gul a diweddu'n eang mewn bywyd.

Trydydd cwestiwn sy'n codi yw, pam y mae *llawer* yn cerdded ffordd distryw, ond mai *ychydig* sy'n cerdded ffordd bywyd? A yw'n Iesu'n dweud y bydd llawer yn y diwedd yn wynebu distryw ac mai ychydig yn unig fydd yn cael eu hachub? Nid oes gennym hawl i ddod i gasgliad o'r fath. Ar un achlysur gofynnodd un o'r disgyblion, '*Arglwydd, ai ychydig yw'r rhai sy'n cael eu hachub?*' (Luc 13:23). Ni chafodd ateb gan Iesu, dim ond gorchymyn i ymdrechu i fynd drwy'r porth cyfyng. Nid yw Iesu am fodloni ein chwilfrydedd drwy ddadlennu inni dynged derfynol pobl eraill. Y peth pwysig i ddyn yw dewis drosto'i hun, ymroi i ymddisgyblu wrth ddilyn ffordd Iesu, a gadael tynged eraill i Dduw. Mor hawdd yw dewis y ffordd lydan sy'n arwain i ddistryw yn hytrach na'r ffordd gyfyng sy'n arwain i fywyd: bywyd llawn yn y byd hwn a bywyd tragwyddol yn y byd a ddaw.

Dewis, Disgyblaeth a Dyfalbarhad

Gellir crynhoi arwyddocâd yr adran hon a'i neges i ni heddiw mewn tri gair. Yn gyntaf, pwysleisia Iesu bwysigrwydd *dewis* – dewis rhwng dwy ffordd, dau borth, dau gwmni a dwy dynged. Nid robotiaid mohonom yn cerdded ffordd sydd wedi ei threfnu ar ein cyfer gan Dduw neu gan ffawd. Yn hytrach, fel bodau rhydd a chyfrifol wynebwn y rheidrwydd i ddewis neu wrthod ffordd y deyrnas. Y mae'r syniad o orfod dewis ac ymrwymo i unrhyw beth yn wrthun i'n diwylliant modern sy'n credu mewn amrywiaeth syniadau, gwerthoedd a moesau. Nid oes lle bellach i werthoedd a safonau moesol cyffredin. Y mae rhyddid i bawb fyw fel y myn. Yr hyn sy'n dda yw'r hyn sy'n dda i *mi*; yr hyn sy'n dderbyniol yw'r hyn sy'n dderbyniol gen *i*. 'Pawb at y peth y bo' yw slogan yr oes. Prin iawn yw'r parodrwydd i ymrwymo i ddim a cheir cymdeithasau a mudiadau gwirfoddol o bob math yn dioddef oherwydd diffyg pobl i ymgymryd â swyddi a chyfrifoldeb. Y mae dewis derbyn a dilyn Iesu Grist yn golygu cerdded ffordd nad yw'n boblogaidd gan y mwyafrif. Bu'r drwg erioed yn fwy poblogaidd na'r da. Haws o lawer yw ymrwymo i achos poblogaidd. Rhwydd yw gwneud fel y mae pawb arall yn gwneud. Ond rhaid bodloni ar fod ymysg y lleiafrif os ydym i gerdded ffordd Crist. Er hynny, rhaid cofio hefyd nad wrth ei boblogrwydd na'i amhoblogrwydd y mae barnu gwerth unrhyw beth. Lleiafrifoedd creadigol fu'n gyfrifol am y rhan fwyaf o'r gwelliannau cymdeithasol a dyngarol yn hanes y byd. Ralph Waldo Emerson a ddywedodd, 'The hope of the world lies with its committed minorities.' Yr her i ninnau yw dewis cerdded ffordd gyfyng teyrnas Dduw.

Yn ail, pwysleisia Iesu bwysigrwydd *disgyblaeth*. Y ffordd gul yw ffordd hunan-ddisgyblaeth. Ym mhob cylch o fywyd y mae popeth sy'n werth ei gyflawni yn galw am ddisgyblaeth. Os yw'r athletwr i ddod i'r brig yn y Gêmau Olympaidd bydd rhaid iddo dreulio misoedd lawer mewn ymarfer caled a hunanymwadu. Yn yr un modd os yw cerddor neu fardd i ennill y wobr gyntaf mewn cystadleuaeth rhaid iddynt wrth gyfnodau hir o ddysgu ac ymarfer. Ac os yw'r myfyriwr i lwyddo yn ei arholiadau rhaid iddo ddisgyblu ei hun i weithio'n galed ac astudio'n gyson. Y mae twf ysbrydol yn galw am yr un mesur o ddisgyblaeth, sef ymwadu â bwriadau a chynlluniau hunanol a rhoi blaenoriaeth i ewyllys a phwrpas Duw. Gair a ddefnyddir yn aml bellach i ddisgrifio'r math yma o ddisgyblaeth yw 'stiwardiaeth', sef cydnabod Duw yn rhoddwr popeth da a chydnabod hefyd ein cyfrifoldeb i gyflwyno iddo ein doniau, ein hamser a'n harian i hybu ei deyrnas yn y byd.

Yn drydydd, y mae awgrym yn y darlun o bwysigrwydd *dyfalbarhad*. Profiad cyffredin i bob un ohonom yw cychwyn yn llawn brwdfrydedd a bwriadau da ac yna llithro'n ôl ac anghofio ein penderfyniad i gerdded y ffordd gul. Yn narlun yr arlunydd Fictoraidd gwelwyd ambell lwybr yn arwain o'r ffordd eang i'r ffordd gul, a fel arall, yn awgrymu y gallai teithwyr benderfynu newid o'r naill ffordd i'r llall. Gall y sawl sy'n cerdded y ffordd eang sylweddoli ei gamgymeriad a phenderfynu croesi i'r ffordd gul. Yn yr un modd gall teithiwr y ffordd gul golli ei ffydd a'i fwriad aruchel a chael ei ddenu i gerdded y ffordd eang. I barhau ar lwybr Crist a bywyd y deyrnas rhaid wrth ddyfalbarhad. Meddai Iesu wrth rybuddio'r deuddeg o'r amgylchiadau anodd a allai eu hwynebu ar eu cenhadaeth, '*y sawl sy'n dyfalbarhau i'r diwedd a gaiff ei achub*' (Math. 10:22). A rhaid wrth ddyfalbarhad i barhau i gerdded ffordd y bywyd.

Cwestiynau i'w trafod

1. Beth yw ymhlygiadau dewis dilyn Iesu a cherdded ffordd y bywyd Cristnogol?

2. Pam y mae ffordd distryw yn llydan a ffordd bywyd yn gul?

3. Pam nad yw'r syniad o ddisgyblaeth yn boblogaidd ymysg pobl heddiw?

ADNABOD COEDEN WRTH EI FFRWYTH

"Gochelwch rhag gau broffwydi, sy'n dod atoch yng ngwisg defaid, ond sydd o'u mewn yn fleiddiaid rheibus. Wrth eu ffrwythau yr adnabyddwch hwy. Ai oddi ar ddrain y mae casglu grawnwin, neu oddi ar ysgall ffigys? Felly y mae pob coeden dda yn dwyn ffrwyth da, a choeden wael yn dwyn ffrwyth drwg. Ni all coeden dda ddwyn ffrwyth drwg, na choeden wael ffrwyth da. Y mae pob coeden nad yw'n dwyn ffrwyth da yn cael ei thorri i lawr a'i bwrw i'r tân. Felly, wrth ei ffrwythau yr adnabyddwch hwy."

(Mathew 7:15–20)

Beth sydd bwysicaf, gwreiddiau neu ffrwythau? Byddai pob garddwr gwerth ei halen yn ystyried y fath gwestiwn yn un hollol hurt! 'Dyw yr un planhigyn yn debygol o ddwyn ffrwyth heb wreiddiau iach yn sugno maeth o'r ddaear. Ond does dim diben cael gwreiddiau heb fod planhigyn yn dwyn ffrwyth. Yn y diwedd, yr hyn sy'n bwysig yw ansawdd y ffrwyth. Yn ôl Iesu Grist mae'r hyn sy'n wir am arddio ac amaethu yn wir hefyd am grefydd. Pwyslais yr adran hon o'r Bregeth ar y Mynydd yw mai'r prawf o wirionedd a dilysrwydd crefydd yw'r ffrwythau a gynhyrchir ganddi.

Yr oedd rhai yn nyddiau Iesu – y Phariseaid a'r Saduceaid yn bennaf – a roddai'r pwyslais ar wreiddiau crefydd. Yr hyn oedd yn bwysig yn eu golwg hwy oedd olrhain eu hachau'n ôl at Abraham, cadw deddfau a thraddodiadau'r Tadau a bod yn ufudd i Gyfraith Moses. Ond ymateb Iesu oedd dweud nad oedd unrhyw rinwedd mewn achau hynafol na ffyddlondeb i draddodiadau a deddfau'r gorffennol onid oedd eu crefydd yn dwyn ffrwyth mewn gweithredoedd da. I egluro'i bwynt defnyddiodd eglureb o fyd natur: '*Ai oddi ar ddrain y mae casglu grawnwin, neu oddi ar ysgall ffigys? Felly y mae pob coeden dda yn dwyn ffrwyth da, a choeden wael yn dwyn ffrwyth drwg.*' (adn. 16–17)

162

Gau Broffwydi

Delio y mae Iesu'n bennaf â'r peryglon sy'n codi yn sgil gwaith a dylanwad gau broffwydi. Bu gau broffwydi yn broblem i'r genedl yn yr Hen Destament. Cyhoeddi dyletswydd, ufudd-dod a barn a wnâi'r gwir broffwyd. Ond llefaru neges gysurlon, deg a wnâi'r gau broffwyd. Meddai Jeremeia amdanynt, *'Dim ond yn arwynebol y maent wedi iacháu briw fy mhobl, gan ddweud "Heddwch! Heddwch! – ac nid oes heddwch'* (Jer. 6:14). Eu hamcan oedd ennill elw a phoblogrwydd ymysg y bobl. Wrth gysylltu'r adran hon â'r adran flaenorol am y porth eang a'r ffordd lydan, gellid dweud mai arwain y genedl ar hyd y ffordd lydan i gyfyngder a barn a wnâi'r gau broffwydi.

Dengys yr adran hon fod gau broffwydi yn achosi problem i'r eglwys fore yn nyddiau awdur efengyl Mathew. Wrth sôn am arwyddion ddiwedd amser, dywed Iesu, *'fe gyfyd gau feseiau a gau broffwydi, a rhoddant arwyddion mawr a rhyfeddodau nes arwain ar gyfeiliorn hyd yn oed yr etholedigion'* (24:24). Ysgrifennwyd yr efengyl hon tua'r flwyddyn 80 OC, a'r pryd hynny yr oedd i broffwydi le amlwg ym mywyd yr eglwys. Pregethwyr teithiol oedd y rhan fwyaf ohonynt, yn mynd o eglwys i eglwys i gyhoeddi'r efengyl a dysgu'r bobl. Cyfeiria Paul at broffwydi ymysg rhoddion Duw i'r eglwys: *'A dyma'r rhoddion: rhai i fod yn apostolion, rhai yn broffwydi, rhai yn efengylwyr, rhai yn fugeiliaid ac yn athrawon'* (Effes. 4:11). Dynion a honnai fod ganddynt genadwri yn uniongyrchol oddi wrth Dduw oedd y proffwydi hyn, a'r rhan fwyaf ohonynt yn ddiamau yn gwbl ddiffuant. Ond yr oedd proffwydi gau hefyd yn eu plith. Yn y *Didache* neu *Dysgeidiaeth y Deuddeg Apostol* (llawlyfr eglwysig a gyfansoddwyd tua'r flwyddyn 100 OC), ceir cyfarwyddiadau ynglŷn â sut i ddelio â'r gau broffwydi. Yr enw a roddir arnynt yn y *Didache* yw 'rhai yn marchnata Crist' (*Christ-mongers*). Byddai llawer ohonynt yn crwydro o eglwys i eglwys ac yn byw ar letygarwch yr aelodau. Rhybuddia Paul y deuai, ar ôl ei ymadawiad ef, *'fleiddiaid mileinig nad arbedant y praidd, ac y cyfyd o'ch plith chwi eich hunain rai yn llefaru pethau llygredig, i ddenu'r disgyblion ymaith ar eu hôl'* (Actau 2:30) – awgrym eto fod y gau broffwydi yn ceisio troi'r Cristnogion cynnar i'r ffordd lydan.

Y broblem oedd gwybod sut i wahaniaethu rhwng y gwir a'r gau. Gwisgant yr un ffunud â'i gilydd a llefarant yn yr un enw. Sut oedd gwybod pwy oedd yn wir broffwyd a phwy oedd ddim? Yn yr Hen Destament gwisgai'r proffwyd fantell o flew (Sech. 13:4), a gwisgai'r gau broffwydi yr un fath: *'yng ngwisg defaid'* (adn. 15), gan ymddangos mor ddiniwed ac mor debyg i broffwydi ag y medrent. Ymddangosant oddi allan yn ddigon diffuant, ond y maent *'o'u mewn yn fleiddiaid rheibus'* (adn. 15). Awgrymir eu bod yn dod i mewn i gorlan yr eglwys i larpio a dinistrio'r praidd.

Ffrwyth Da a Ffrwyth Drwg

Y cwestiwn tyngedfennol yw, sut mae gwahaniaethu rhwng y gwir broffwyd a'r gau broffwyd? Yr ateb a roddir gan Lyfr Deuteronomium yw fod gair y gwir broffwyd yn cael ei gyflawni a'i wireddu, ond nid felly y gau broffwyd (Deut. 18:22). Ond nid yw Iesu'n rhoi pwys ar brawf o'r fath. Yn hytrach dywed ef, *'Wrth eu ffrwythau yr adnabyddwch hwy'* (adn. 16). Ac fel pe bai am danlinellu pwysigrwydd ei eiriau y mae'n eu hailadrodd yn adn. 20. Nid wrth yr allanolion bethau y mae adnabod y gwir broffwyd. Nid wrth ei wisg. Gall fod gwisg y ddafad amdano er mai anian blaidd sydd o'i fewn. Nid wrth ei eiriau chwaith. Gall ei eiriau fod yn swynol a hyfryd, ac eto'n gelwydd. Nid wrth ei ymlyniad wrth ddefodau crefyddol. Roedd digon o ragrithwyr yn medru rhoi'r argraff o fod yn allanol grefyddol. Un prawf sicr yw'r ffrwythau sydd i'w gweld yn ei fywyd a'i ymddygiad.

I'r Iddew golygai *ffrwythau* weithredoedd da, cymeriad cadarn, cymwynasgarwch, gwasanaeth, tosturi, cariad, sancteiddrwydd. Prawf moesol yw'r un terfynol yng ngolwg Iesu. Ar weithredoedd proffwyd ac ansawdd ei ddylanwad ar eraill y mae cwmni'r disgyblion i edrych. Rhoddir dwy reol i'w cyfarwyddo. Yn gyntaf, *'Ni all coeden dda ddwyn ffrwyth drwg'* (adn. 17). Os bydd gweithredoedd proffwyd, ei gymeriad a'i ddylanwad ar eraill yn ddrwg, ni waeth pa mor gywir ei wisg na pha mor huawdl ei eiriau, nid ydynt i wrando arno: *'coeden wael'* ydyw. Yn ail, *'na choeden wael ffrwyth da'* (adn. 18). Os bydd gweithredoedd, ymddygiad a dylanwad proffwyd yn dda, rhaid fod ei gymeriad yn dda. Efallai na fydd ei eiriau bob amser yn disgyn yn esmwyth ar ei wrandawyr, na'i ymddangosiad yn cyfateb i urddas ei swydd, eto rhaid ei dderbyn a'i gydnabod. 'Pren da' ydyw – gwir broffwyd. Yn ôl ansawdd cyfraniad proffwyd i fywyd a thystiolaeth y gymdeithas Gristnogol y mae gwahaniaethu rhwng y drwg a'r da. Disgrifir tynged y gau broffwyd â'r geiriau, 'Y mae pob coeden nad yw'n dwyn ffrwyth da yn cael ei thorri i lawr a'i bwrw i'r tân' (adn. 19). Ceir yma adlais o eiriau Iesu wrth gyffelybu ei hun i'r wir winwydden. Dywed am y gangen ddiffrwyth, 'caiff ei daflu i ffwrdd fel y gangen ddiffrwyth, ac fe wywa; dyma'r canghennau a gesglir, i'w taflu i'r tân a'u llosgi' (Ioan 15:6). Dweud y mae Iesu fod y grefydd honno nad yw yn dwyn ffrwyth mewn gweithredodd da yn dda i ddim ond i'w thorri i lawr a'i diddymu. Dywed A. M. Hunter am y geiriau hyn, 'That is the fate of good-for-nothing religion': rhybudd difrifol i ni y gall ein bywydau a'n gweithredoedd crefyddol ddirywio i fod yn dda i ddim.

Ansawdd y Pren

Beth yw neges yr adran hon i ni heddiw? A yw gau broffwydi yn peryglu tystiolaeth yr eglwys yn y byd sydd ohoni? Hawdd yw cyfeirio at rai o'r sectau od a chyfeiliornus a ymddangosodd yn ystod y ganrif neu ddwy ddiwethaf ac ystyried eu harweinwyr hwy yn gau broffwydi. Mae hynny'n sicr yn wir am unrhyw rai sy'n llurgunio gwir neges yr efengyl. Ond rhaid bod yn ofalus rhag cyhuddo eraill o dwyllo neu gamarwain heb i ni ein holi'n hunain a ydym ni yn dwyn ffrwythau da yn ein ffydd a'n bywyd Cristnogol. Prif nodwedd y gau broffwyd ym mhob oes yw *hunan-les*. Yn nameg Corlan y Defaid (Ioan 10:1–18) dywed Iesu fod y bugail da yn gofalu am ei braidd ac yn rhoi eu diogelwch hwy o flaen ei ddiogelwch ei hun, tra bo'r gwas cyflog yn troi ei gefn ar y praidd ac yn gofalu'n gyntaf amdano'i hun. Gau broffwyd yw un sy'n ceisio'i les a'i boblogrwydd a'i lwyddiant ei hun – yn dysgu er mwyn elw yn bennaf ac er mwyn ennill sylw a chlod gan eraill. Yn fwy na dim, gau broffwyd yw un sy'n achosi rhwygiadau yn yr eglwys, yn pregethu neges gyfyng, gaeth, sy'n cau allan bawb sy'n anghydweld â'i safbwynt. Y mae gwir grefydd yn cymodi, yn chwalu gwahanfuriau, yn uno pobl ac yn creu cymdeithas. Rhagwelai Iesu'r dydd pan fyddai un praidd ac un gorlan (Ioan 10:16).

Ergyd amlwg yr adran hon yw mai ansawdd y pren sy'n penderfynu ansawdd y ffrwyth: '*Ai oddi ar ddrain y mae casglu grawnwin, neu oddi ar ysgall ffigys?*' (adn. 16). Os yw'r pren yn ddrwg (fel yn achos y gau broffwyd), bydd yn dilyn fod y ffrwythau'n ddrwg.

Rhybudd Iesu yw fod rhaid gofalu bod y pren yn iach. Y pren sy'n fyw ac yn iach sy'n cynhyrchu ffrwyth da yn union fel y mae pren afalau yn dwyn ffrwyth.

Er i Iesu bwysleisio pwysigrwydd dwyn ffrwythau da, nid ar y ffrwythau y mae ei bwyslais cyntaf ond ar y *pren*. Cyn ceisio *gwneud* rhaid *bod* – bod yr hyn y mae Iesu am inni fod. Y mae ceisio cynhyrchu ffrwythau'r Bregeth ar y Mynydd heb i'n cymeriad fod wedi'i wreiddio mewn perthynas â'r Arglwydd Iesu mor ffôl â chwilio am rawnwin ar ddrain a ffigys ar ysgall. Nid ar weithredoedd y mae'r pwyslais cyntaf ond ar gymeriad. Bod yn dda yn y dyn oddi mewn sy'n cael y flaenoriaeth. Fe ddilyn y gweithredoedd daionus wedyn mor naturiol ag y tyf afalau ar goeden.

Wrth eu Ffrwythau

Er cydnabod pwysigrwydd pren iach fel amod cynhyrchu ffrwythau da, rhaid cydnabod mai ansawdd y ffrwyth sy'n bwysig yn y diwedd. Yr hyn sy'n dangos yn eglur fod y pren yn iach yw'r ffrwyth da a gynhyrchir ganddo. Yn yr un modd, meddai Iesu, y mae pobl yn mesur a phwyso ein crefydd yn ôl ei ffrwythau. Yn ôl ansawdd ein bywydau y maent yn barnu gwerth ein crefydd. Yn ôl ein gweithredoedd o gariad, o wasanaeth ac o gymwynasgarwch y dônt i benderfynu a oes unrhyw rinwedd yn ein ffydd. Y mae hyn yn wir am fywyd yn gyffredinol. Mewn oes bragmataidd y mae pobl yn gofyn am bopeth, 'I be mae o dda?' 'Be mae o'n ei gyflawni?' Ac mewn cyfnod pan gyflawnir cymaint o erchyllterau yn enw crefydd y mae tuedd i bobl feddwl mai dylanwad niweidiol a pheryglus yw crefydd, yn cynhyrchu ffrwythau drwg – casineb, anoddefgarwch, trais, rhagfarn yn erbyn merched a therfysg. Meddai Christopher Hitchens, 'Religion poisons everything.' Yn wyneb y math yna o ragfarn y mae'n eithriadol bwysig fod dilynwyr Iesu Grist yn dangos yn eglur fod y ffydd Gristnogol yn dwyn ffrwyth mewn cariad, goddefgarwch, tosturi a gofal am eraill.

Y mae i grefydd ei gwreiddiau anweledig yn ogystal â'i gweithredoedd ymarferol. Rhai wrth y naill a'r llall. Un o wreiddiau crefydd yw *cred* – cred ym modolaeth Duw, ym mherson a gwaith Iesu Grist, yn nylanwad yr Ysbryd Glân ac yng ngwaith a chenhadaeth yr eglwys. Ond nid digon yw cyhoeddi'n cred ar lafar. Rhaid iddi amlygu ei hun mewn cariad. Os mai calon ein cred yw fod Duw yn ei hanfod yn gariad, rhaid i'r cariad hwnnw fod yn egwyddor lywodraethol ein bywydau, rhaid iddo amlygu ei hun mewn gweithredoedd o gariad ac mewn agwedd gariadus tuag at bawb yn ddiwahân. Mynegir hyn yn glir yn Llythyr Cyntaf Ioan: *'Dyma sut y mae'n amlwg pwy yw plant Duw a phwy yw plant y diafol: pob un nad yw'n gwneud cyfiawnder, nid yw o Dduw, na'r hwn nad yw'n caru ei gydaelod'* (1 Ioan 3:10).

Un arall o wreiddiau crefydd yw *profiad.* Nid yw'n ddigon credu yn Nuw ac yng ngwirioneddau'r efengyl heb fod y gwirioneddau hynny'n troi'n brofiad yn ein calonnau a'n heneidiau. Profiad yw ymdeimlo â realiti Duw yn cyffwrdd â'n bywydau. Nid yw'n profiadau o angenrheidrwydd yn rhai mawr, ysgytiol. Gallant fod yn brofiadau bychain, ond y mae profiadau bychain yn werthfawr, i'w trysori a'u meithrin. Cyfaddefodd myfyriwr i'r Prifathro David Phillips, y Bala, nad oedd erioed wedi cael profiad crefyddol mawr. Ateb David Phillips oedd mai'r rheswm am hynny oedd iddo wneud cyn lleied o'i brofiadau bychain. Ond ffrwyth profiad yw *tystiolaeth.* Rhaid rhannu profiadau, gan eu bod o gymorth i eraill ddeall a dehongli eu ffydd eu hunain. Dyna oedd swyddogaeth y 'seiat brofiad' o fewn Methodistiaeth gynnar. Y dull mwyaf effeithiol o gyfathrebu'r efengyl yw dweud wrth eraill yr hyn y mae Iesu'n ei olygu i ni.

A gwreiddyn pwysig arall yw *gweddi.* 'Gweddi,' meddai Martin Luther, 'yw curiad calon crefydd fyw.' Gweddi yw un o wreiddiau sylfaenol crefydd. Trwy weddi yr ydym yn dyfnhau ein perthynas â Duw, yn cyflwyno'n hunain a'n gofidiau a'n hanghenion i'w law, yn ceisio'i fendith ar ein gwaith a'n hymdrechion, ac yn eiriol dros eraill a thros y byd. Ond ffrwyth gweddi yw gwaith. Rhaid i'n gweddi ein hysbrydoli i weithio – i fod yn gyfryngau i ateb ein deisyfiadau ein hunain. Ymdrech, menter a gwaith yw ffrwyth gweddi effeithiol. Gorchymyn Iesu yw i wreiddiau a phren ein bywyd Cristnogol ddwyn ffrwyth mewn cariad, tystiolaeth a gwaith ymarferol dros ei deyrnas, gan mai wrth ein ffrwythau yr adnabyddir ninnau.

Cwestiynau i'w Trafod

1. A yw gau broffwydi yn broblem yn yr eglwys heddiw? Os ydynt, sut mae delio â'r broblem?

2. Beth a olygir wrth 'y goeden dda'?

3. Pa ffrwythau mewn gweithredoedd da ddylai Cristnogion eu hamlygu yn y byd heddiw?

NID ADNABÛM ERIOED MOHONOCH

"Nid pawb sy'n dweud wrthyf, 'Arglwydd, Arglwydd,' fydd yn mynd i mewn i deyrnas nefoedd, ond y sawl sy'n gwneud ewyllys fy Nhad, yr hwn sydd yn y nefoedd. Bydd llawer yn dweud wrthyf yn y dydd hwnnw, 'Arglwydd, Arglwydd, oni fuom yn proffwydo yn dy enw di, ac yn dy enw di yn bwrw allan gythreuliaid, ac yn dy enw di yn cyflawni gwyrthiau lawer?' Ac yna dywedaf wrthynt yn eu hwynebau, 'Nid adnabûm erioed mohonoch: ewch ymaith oddi wrthyf, chwi ddrwgweithredwyr.'"

(Mathew 7: 21–3)

Y mae hen hanes am filwr a ddygwyd gerbron yr Ymerawdwr Alecsander Fawr ar gyhuddiad o ffoi yn wyneb y gelyn. Gofynnodd yr Ymerawdwr iddo, 'Beth yw dy enw?' Gan wyro'i ben atebodd y milwr, 'Alecsander, Syr.' Gafaelodd Alecsander Fawr ynddo gerfydd ei ysgwyddau a meddai wrtho, 'Filwr, rhaid i ti newid dy ffordd neu newid dy enw!' Nid digon oedd dwyn enw'r Ymerawdwr heb ymddwyn yn deilwng ohono a bod yn ffyddlon iddo. Yn yr un modd nid digon yw i Gristnogion arddel enw Iesu a'i addoli, *'Arglwydd, Arglwydd'* heb gyflawni ewyllys Duw. Her yr adran hon yw i bob un archwilio'i galon ei hun yn hytrach na chwilio am feiau mewn pobl eraill.

Thema'r adran flaenorol oedd adnabod gau broffwydi, sef yr athrawon cyfeiliornus hynny oedd mewn perygl o arwain y gymdeithas ar gyfeiliorn. Ond adnabod gau ddisgyblion yw thema'r adnodau hyn. Beth yw nodau'r gwir ddisgybl? Sut mae gwahaniaethu rhwng gwir ddisgyblion a rhai sy'n ymddangos yn ffyddlon a chywir yn eu geiriau a'u gweithredoedd ond nad ydynt mewn gwirionedd yn gwneud ewyllys Duw? Mae'r gwahaniaeth i'w ganfod, nid yn eu geiriau na'u gweithredoedd – gall y rheini fod yn uniongred a chlodwiw – ond yng nghymhellion dyfnaf eu calonnau. A Duw yn unig a ŵyr beth sydd yng nghalon dyn. Dro ar ôl tro yn y Beibl pwysleisir y pwysigrwydd o dderbyn ac ufuddhau i ofynion Duw yn y *galon*. Yn ôl y proffwyd Jeremeia, canlyniad sefydlu cyfamod newydd â thŷ Israel ac â thŷ

169

Jwda yw y bydd Duw yn rhoi ei gyfraith yng nghalonnau ei bobl: '*rhof fy nghyfraith o'u mewn, ysgrifennaf hi ar eu calon, a byddaf fi'n Dduw iddynt a hwythau'n bobl i mi*' (Jer. 31:33). Dyfynnir geiriau Jeremeia gan awdur y Llythyr at yr Hebreaid wrth iddo sôn am Iesu fel cyfryngwr cyfamod newydd rhwng Duw â'i bobl (Heb. 8:10). Ofer yw pob proffes o uniongrededd a phob gweithred dda heb fod y galon wedi'i thiwnio i ddeall ac ufuddhau i'w ewyllys ef.

Cyffes Ffydd heb Ufudd-dod

Pan ddywed Iesu nad pawb sy'n ei gyffesu'n Arglwydd fydd yn cael mynediad i deyrnas nefoedd, nid yw hynny'n golygu ei fod yn dilorni cyffes eu ffydd. Y mae mynegi ffydd yn Iesu Grist fel Arglwydd yn sail hanfodol i'n bywyd Cristnogol. Dywed yr Apostol Paul fod cyffesu Iesu yn Arglwydd yn sail ac amod iachawdwriaeth: '*Os cyffesi Iesu yn Arglwydd â'th enau, a chredu yn dy galon fod Duw wedi ei gyfodi ef oddi wrth y meirw, cei dy achub*' (Rhuf. 10:9). A pha well proffes o ffydd yn Iesu Grist na'i gyfarch fel '*Arglwydd, Arglwydd*' (adn. 21)? Nid teitl cwrtais fel 'Syr' yw ystyr Arglwydd yn y cyswllt hwn, oherwydd yn adn. 22 fe'i defnyddir drachefn am Iesu a hynny mewn perthynas â'r dydd diwethaf. Yn hytrach, 'Arglwydd' oedd y teitl a fabwysiadwyd gan yr eglwys fore i ddisgrifio Iesu yn dilyn yr atgyfodiad. Erbyn hynny fe'i ystyrid, fel Duw ei hun, yn wrthrych ffydd ac addoliad. Cyffes ffydd gyntaf yr eglwys oedd, 'Iesu yw'r Arglwydd' ac yn ôl Paul, drwy arweiniad yr Ysbryd y deuai credinwyr i'w adnabod a'i gyffesu'n Arglwydd (1 Cor. 12:3). Mae cyffesu Iesu'n Arglwydd yn gwbl gywir ac uniongred. Ond nid yw cydnabod ei arglwyddiaeth ar air yn unig yn ddigon.

Nid gofyn am ganmoliaeth ac edmygedd mewn geiriau a wna Iesu, ond am ufudd-dod. Dyna'r gwirionedd y ceisiodd proffwydi Israel ei gyhoeddi i'w gwrandawyr. Gwelsant genedl oedd yn parchu Duw â'u gwefusau yn unig: '*yn talu gwrogaeth i mi â geiriau yn unig, ond eu calon ymhell oddi wrthyf*' (Es. 29:13) – pobl a waeddai, 'Arglwydd, Arglwydd,' ond heb dderbyn ei arglwyddiaeth ar eu bywydau. Yn yr un modd mae'n gymaint haws canmol Iesu nag ydyw i blygu i'w awdurdod a cheisio deall ei feddwl a gweithredu ei ewyllys. Y mae'n gymaint haws torri enw wrth gyffes ffydd nag ydyw i gerdded llwybr ufudd-dod llwyr.

Gweithredoedd Da ond Cymhellion Drwg

Yr oedd rhai yn yr eglwys fore a ddefnyddiai enw Iesu fel math o fformiwla dewinol i fwrw allan ysbrydion aflan ac i geisio cyflawni gwyrthiau. Mae'r rhybudd a geir yma yn ddifrifol a brawychus. Sonnir am rai yn proffwydo yn enw Iesu, yn bwrw allan gythreuliaid ac yn cyflawni gwyrthiau yn ei enw, ac eto heb fod yn gymeradwy yn ei olwg. Nid yw'r Meistr yn eu hadnabod. Unwaith eto, nid yw'r gweithredoedd a ddisgrifir, mwy na'r broffes o ffydd, yn ddrwg ynddynt eu hunain. Nid y gweithredoedd a gondemnir gan Iesu ond cymhellion y rhai sy'n eu cyflawni.

Cyfeirir at dri math o weithgaredd. Y cyntaf yw *proffwydo*: '*Arglwydd, Arglwydd, oni fuom yn proffwydo yn dy enw di?*' (adn. 22). Gellid tybio y byddai croeso i'r rhai a bregethai newyddion da y deyrnas. Dewisodd Iesu ddeuddeg a'u hanfon allan i'r byd i bregethu (Marc 3:14). Dywedir amdanynt, '*Felly aethant allan a phregethu ar i bobl edifarhau*' (Marc 8:12). Hanfod pregethu yr eglwys yw cyhoeddi'r gwir am Iesu Grist ac y mae hynny'n hanfodol er adeiladu'r eglwys a hybu ei chenhadaeth yn y byd. Drwy dystiolaeth a phregethu y trosglwyddir y gwirionedd o oes i oes. Beth felly sy'n gwneud proffwydo'r gau-ddisgyblion yn ddiwerth? Beth all wneud pregethu yn aneffeithiol? Dau beth: cyhoeddi heb weithredu a chyflawni'r gwaith o gymhellion annheilwng. Nid yw *proffwydo* yn effeithiol heb fod iddo gynnwys moesol – *gwneud* – a'r cynnwys moesol yw cyflawni ewyllys Duw fel y datguddir hi gan Iesu. A'r bai mawr arall yw pregethu er mwyn ennill clod a chanmoliaeth gwrandawyr. Dyna yw'r demtasiwn a'r perygl enbyd i bob pregethwr. Adroddir stori am yr enwog J. H. Jowett, Birmingham, yn pregethu yn America. Cyn y gwasanaeth offrymwyd gweddi gan un o ddiaconiaid yr eglwys. Diolchodd i Dduw am anfon atynt bregethwr mor enwog a dawnus. Ac yna meddai, 'Now, Lord, blot him out! Reveal thy glory to us in such blazing splendour that he shall be forgotten.' A meddai Jowett, 'He was absolutely right and I trust his prayer was answered.' Pan gyflawnir gwaith mor bwysig â phregethu a phroffwydo o gymhellion gwael, dyfarniad Iesu yw, '*Nid adnabûm erioed mohonoch*' (adn. 23).

Yr ail weithgaredd y cyfeirir ato yw *bwrw allan gythreuliaid* (adn. 22). Oherwydd y gred mai prif achos afiechyd oedd meddiant gan ysbrydion aflan, rhoddwyd lle amlwg yn yr eglwys ac o fewn crefyddau paganaidd i'r rhai a hawliai fod ganddynt awdurdod i fwrw allan gythreuliaid. Rhoddodd Iesu awdurdod o'r fath i'r deuddeg disgybl: '*Iachewch y cleifion, cyfodwch y meirw, glanhewch y gwahanglwyfus, bwriwch allan gythreuliaid*' (Math. 10:8). Nid oedd Iesu am gondemnio neb am roi cymorth a gwellhad i rai oedd yn dioddef. Ym Marc 9: 38–41 ac yn Luc 9: 49–50 ceir hanes am y disgyblion yn gwahardd un, nad oedd yn un o ddilynwyr Iesu, am fwrw allan gythreuliaid yn ei enw. Ond ateb Iesu oedd, '*Peidiwch â'i wahardd, oherwydd ni all neb sy'n gwneud gwyrth yn fy enw i roi drygair imi yn fuan wedyn. Y sawl nid yw yn ein herbyn, drosom ni y mae.*' Nid y weithred o fwrw allan gythreuliaid a gondemnir ond y cymhellion hunanol y tu ôl i'r weithred. Ceir enghraifft yn Actau 19 o rai yn Effesus, heb fod yn Gristnogion, yn defnyddio enw Iesu i fwrw allan gythreuliaid: '*A dyma rai o'r Iddewon a fyddai'n mynd o amgylch gan fwrw allan gythreuliaid, hwythau'n ceisio enwi enw'r Arglwydd Iesu uwchben y rhai oedd ag ysbrydion drwg ganddynt*' (Act. 19:13). Mae'n bosibl fod yr adran hon o'r Bregeth ar y Mynydd yn adlewyrchu problem oedd yn wynebu'r eglwys fore – sut oedd delio â rhai oedd yn bwrw allan gythreuliaid drwy ddefnyddio enw Iesu fel math o swyn ond heb gredu ynddo mewn gwirionedd. Onid yw ysbryd a chymhellion dyn yn gywir ac onid yw gweithredoedd da yn llifo allan o galon bur, yna dedfryd Iesu yw, '*Nid adnabûm erioed mohonoch.*'

Y drydedd weithred y cyfeirir ati yw '*cyflawni gwyrthiau lawer*' (adn. 22). Fel yn achos bwrw allan gythreuliaid, nid condemnio cyflawni gwyrthiau fel y cyfryw a wna Iesu, ond y camddefnydd â wneir o hynny. Cymhellion ac amcanion cudd y galon sy'n rhoi ystyr a gwerth i weithredoedd allanol. Gall dau ddyn gyflawni'r un weithred â'i gilydd, ond nid yr un gwerth sydd i weithredoedd y ddau. Mae eu gwerth yn dibynnu ar yr hyn sy'n eu hysgogi i'w chyflawni. Mae'r ffaith fod y rhai y cyfeirir atynt yn yr adran hon yn cofio ac yn rhestru eu gweithredoedd da yn dangos yn glir nad yw eu calonnau'n iach. Nid yw'r dyn da byth yn canmol ei rinweddau ei hun.

Y Dydd Hwnnw

Gosodir yr adran honar gefndir dydd y farn: '*Bydd llawer yn dweud wrthyf yn y dydd hwnnw*' (adn. 22). Hwn yw dydd mawr y didoli, y dydd y gwneir y dirgel yn amlwg, y dadlennir gwir gymeriad pob dyn ac y pwysir gwerth ei holl weithredoedd. Ni fydd y gau-ddisgybl yn medru parhau i dwyllo '*yn y dydd hwnnw*'. Efallai y medr dwyllo ei gyd-ddisgyblion, a'i dwyllo ei hun i ryw raddau, ond yn hwyr neu'n hwyrach daw wyneb yn wyneb ag un na ellir ei dwyllo. Yn y diwedd ni fydd ei waith yn sefyll y prawf. Y barnwr fydd Iesu Grist ei hun: '*Bydd llawer yn dweud wrthyf ... ac yna dywedaf wrthynt yn eu hwynebau ...*' (adn. 22 a 23). Yr un sy'n ein caru yw'r un fydd yn y diwedd yn ein barnu ac yn gwneud hynny mewn trugaredd a thosturi. Ei ddyfarniad yn achos y gau-ddisgyblion yw, '*Nid adnabûm erioed mohonoch.*' Nid yw'r Meistr yn eu hadnabod am nad ydynt yn gwneud ewyllys ei Dad. Ac nid ydynt yn gwneud ewyllys y Tad am nad ydynt mewn gwirionedd yn adnabod Iesu. Diffyg adnabyddiaeth sydd wrth wraidd eu methiant. Y mae tristwch yn ei eiriau, fel pe bai'n awgrymu y buasai'n dda ganddo fod wedi eu hadnabod, ond ni adawsant iddo wneud hynny. Ni ellir adnabod person sydd mor llawn o'r hunan fel nad yw'n medru ymagor i bersonau eraill. Dyna fai mawr y gau-ddisgybl a dyna sy'n ei rwystro rhag adnabod Iesu Grist.

Datblygodd y syniad o 'ddydd barn' yn yr Hen Destament o'r pwyslais ar farn Duw ar holl elynion Israel, yn enwedig yn dilyn y gaethglud ym Mabilon. Byddai Duw yn dod i ddyfarnu o blaid pobl yr Arglwydd: '*A rhoddir y frenhiniaeth a'r arglwyddiaeth, a gogoniant pob brenhiniaeth dan y nef, i bobl saint y Goruchaf. Brenhiniaeth dragwyddol fydd eu brenhiniaeth hwy, a bydd pob teyrnas yn eu gwasanaethu ac yn ufuddhau iddynt*' (Dan. 7:27). Yn raddol ehangwyd y syniad i gynnwys barn gyffredinol ar bob dyn a hynny ar 'ddydd yr Arglwydd'. Yn y Testament Newydd daw Crist ei hun i farnu'r byw a'r meirw a bydd pawb yn sefyll gerbron ei orseddfainc. Gweler Math. 25: 31–2, Actau 17:31 a 2 Cor. 5:10.

Os yw'r oes hon yn cael anhawster i dderbyn darlun o'r fath yn llythrennol, ni ellir osgoi pwyslais cyson y Beibl ar atebolrwydd dyn gerbron Duw. Wyneb yn wyneb â Duw rhaid i bob person roi cyfrif am ei fywyd a'i waith.

Gwneud Ewyllys y Tad

Nid unrhyw ddiffyg yn eu proffes na'u gweithgarwch sy'n cyfrif am fethiant y gau ddisgyblion, ond y ffaith fod eu holl ymdrechion yn deillio o gymhellion anghywir. Meddai Iesu, *'y sawl sy'n gwneud ewyllys fy Nhad'* (adn. 21) fydd yn cael mynediad i deyrnas nefoedd. Yn fersiwn Luc o'r geiriau hyn dywed Iesu, *'Pam yr ydych yn galw "Arglwydd, Arglwydd" arnaf, a heb wneud yr hyn yr wyf yn ei ofyn?'* (Luc 6:46). Y mae gwneud yr hyn y mae Iesu'n ei ofyn yn gyfystyr â gwneud ewyllys y Tad. Sut felly mae sicrhau fod ein hagwedd meddwl a'n gweithredoedd yn gyson ag ewyllys Duw a gofynion Iesu? Awgrymir ateb i'r cwestiwn yn yr adran hon yn y pwyslais a roddir ar dri pheth: adnabyddiaeth, ufudd-dod ac atebolrwydd.

Yn gyntaf, *adnabyddiaeth*. Dedfryd Iesu ar y gau ddisgyblion yw, *'Nid adnabûm erioed mohonoch'* (adn. 23). Nid yw Iesu yn eu hadnabod am nad ydynt hwythau'n ei adnabod ef. Adnabyddiaeth o Iesu Grist yw sail a man cychwyn bywyd ac ymdrechion y Cristion. Ond rhaid meithrin adnabyddiaeth. Gweddïa Ann Griffiths am '... dreiddio i'r adnabyddiaeth / o'r unig wir a bywiol Dduw'. Mae adnabyddiaeth yn datblygu a dyfnhau drwy weddi, drwy'r gair a thrwy dreulio amser yng nghwmni Iesu.

Yn ail, *ufudd-dod*. Methiant mewn ufudd-dod yw peidio â gwneud ewyllys y Tad. Y mae ufudd-dod yn golygu gwneud yn unig yr hyn y mae Duw yn ei ddymuno, nid yr hyn a ddymunwn ni. Mae gwir ufudd-dod yn golygu rhoi heibio'r hunan. 'Rhybudd yn erbyn hunan' yw pennawd yr esboniwr A. H. McNeile i'r adran hon. Ufudd-dod i ewyllys Duw oedd prif gymhelliad Iesu yn ei fywyd a'i aberth: *'fe'i darostyngodd ei hun, gan fod yn ufudd hyd angau, ie, angau ar groes'* (Phil. 2:8). Rhaid i'w ddilynwyr gyflawni popeth gyda'r un ufudd-dod â'u Meistr.

Yn drydydd, *atebolrwydd*. Yn yr adran hon sonia Iesu am rai a dybiodd y byddent yn gymeradwy yng ngolwg eu Harglwydd oherwydd cyffes eu ffydd a'u gweithredoedd da, ond cawsant eu siomi. Nid pobl ddrwg oedd rhain, ond rhai wedi anghofio eu bod yn atebol am ansawdd eu tystiolaeth a'u gwaith. Colli ymwybyddiaeth o fod yn atebol i Dduw yw gwraidd pob anghyfrifoldeb sy'n esgor ar ddrygioni, trais a thwyll. Rhaid cofio ym mhopeth a wnawn fod rhaid inni ateb gerbron ein Harglwydd, Iesu Grist.

Cwestiynau i'w trafod

1. Pam nad oedd cyffes y gau-ddisgyblion yn dderbyniol gan Iesu?

2. Sut mae dod i ddeall beth yw ewyllys Duw ym mhob sefyllfa?

3. Pa mor bwysig yw'r syniad o farn o fewn ein Cristnogaeth?

Y DDWY SYLFAEN

"Pob un felly sy'n gwrando ar y geiriau hyn o'r eiddof ac yn eu gwneud, fe'i cyffelybir i un call, a adeiladodd ei dŷ ar y graig. Disgynnodd y glaw a daeth y llifogydd, a chwythodd y gwyntoedd a tharo yn erbyn y tŷ hwnnw, ond ni syrthiodd am ei fod wedi ei sylfaenu ar y graig. A phob un sy'n gwrando ar y geiriau hyn o'r eiddof a heb eu gwneud, fe'i cyffelybir i un ffôl, a adeiladodd ei dŷ ar y tywod. A disgynnodd y glaw a daeth y llifogydd, a chwythodd y gwyntoedd a tharo yn erbyn y tŷ hwnnw, ac fe syrthiodd, a dirfawr oedd ei gwymp."

Pan orffennodd Iesu lefaru'r geiriau hyn, synnodd y tyrfaoedd at yr hyn yr oedd yn ei ddysgu; oherwydd yr oedd yn eu dysgu fel un ag awdurdod ganddo, ac nid fel eu hysgrifenyddion.

(Mathew 7:24–9)

Daw Mathew â'r Bregeth ar y Mynydd i'w therfyn gydag un o ddamhegion Iesu, sef dameg y Ddau Dŷ, neu'n fwy cywir, dameg y Ddwy Sylfaen, er mwyn pwysleisio'r pwysigrwydd o weithredu ar sail dysgeidiaeth y Bregeth. Gwyddai Iesu y byddai ei wrandawyr yn ymateb mewn un o ddwy ffordd – naill ai'n rhoi ei ddysgeidiaeth *ar waith* yn eu bywyd, neu'n *peidio* â gweithredu ar yr hyn a glywsant. A'r un yw ein hymateb ninnau heddiw. Dywed Iesu fod y gŵr sy'n gwrando ar ei eiriau ac yn eu gwneud yn un call ac fe'i cyffelybir i ddyn a adeiladodd ei dŷ ar graig. Ar y llaw arall, gŵr ffôl yw'r un sy'n gwrando ar ei eiriau ond heb eu gwneud. Y mae hwnnw'n debyg i ddyn a adeiladodd ei dŷ ar bridd. Pan ddaeth y glaw, y llifogydd a'r gwyntoedd a tharo yn erbyn y ddau dŷ, safodd y tŷ â'i seiliau'n ddwfn ar graig ond syrthiodd y tŷ a adeiladwyd ar y tywod. Yn yr un modd sefyll yn gadarn yn wyneb pob storm a wna'r person sy'n gweithredu'r efengyl yn ei fywyd a'i ymddygiad, ond syrthio fydd tynged y sawl sydd yn gwrando yn unig ar eiriau Iesu heb eu gweithredu. Neges yr adran hon yw pwysigrwydd cymryd dysgeidiaeth Iesu'n gwbl o ddifrif. Hawdd iawn yw gwrando ar ei eiriau, eu hastudio'n ofalus, cydsynio â'u cynnwys ac eto heb eu rhoi ar waith yn ein byw bob dydd. Ond y mae geiriau Iesu'n galw am ymateb ymarferol. Amcan holl ddysgeidiaeth y Bregeth ar y Mynydd yw dangos sut y dylai deiliaid teyrnas Dduw ymddwyn. Mater o'r pwys mwyaf yw wynebu her dysgeidiaeth Iesu gan mai ein hymateb, neu ein diffyg ymateb, sy'n penderfynu a ydym yn cael mynd i mewn i'r deyrnas ai peidio. Gwnaed hynny'n eglur yn yr adran flaenorol. Rhybuddiodd Iesu y rhai oedd yn bodloni ar gyffesu eu ffydd ynddo a dweud '*Arglwydd, Arglwydd*', ond heb wneud ewyllys y Tad, na chaent fynd i mewn i deyrnas nefoedd (adn. 21). Mae ymateb yn ymarferol i ddysgeidiaeth Iesu mor dyngedfennol bwysig â hynny.

Natur a Her Geiriau Iesu

Gwelir yn yr adran hon y rhesymau pam y mae geiriau Iesu'n galw am ein hymateb. Yn gyntaf, am fod iddynt *awdurdod*. Awdurdod ei eiriau a enynnodd lid yr awdurdodau. Wrth gloi'r Bregeth ar y Mynydd dywed Mathew am ddysgeidiaeth Iesu: '*yr oedd yn eu dysgu fel un ag awdurdod ganddo, ac nid fel eu hysgrifenyddion*' (adn. 29). Yr awgrym yw fod i'w eiriau awdurdod dwyfol. Fel y cyflwynodd Moses y Gyfraith i'r hen genedl gynt, gwelwn Iesu fel Moses newydd yn cyflwyno cyfraith y deyrnas i'w ddilynwyr. Chwe gwaith o fewn y Bregeth ar y Mynydd clywir ef yn cymharu dysgeidiaeth y Gyfraith i ddysgeidiaeth newydd y deyrnas: '*Clywsoch fel y dywedwyd wrth y rhai gynt ... ond rwyf fi'n dweud wrthych ...*' (Math. 5:21, 27, 31, 33, 38, 43). Nid oedd am ddileu dysgeidiaeth Moses na'r proffwydi, ond yn hytrach hawliodd ei fod yn eu cyflawni. Yn Efengyl Ioan dywed Iesu'n glir fod ei eiriau'n dod oddi wrth Dduw: '*Nid eiddof fi yw'r hyn yr wyf yn ei ddysgu, ond eiddo'r hwn a'm hanfonodd i*' (Ioan 7:16).

Yn ail, mae ei eiriau'n ennyn *syndod*. Meddai Mathew, '*Pan orffennodd Iesu lefaru'r geiriau hyn, synnodd y tyrfaoedd at yr hyn yr oedd yn ei ddysgu*' (adn. 28). Achos eu syndod oedd ffresni, newydd-deb, treiddgarwch a gwreiddioldeb ei ddysgeidiaeth. Yn hytrach nag ailadrodd rheolau cyfarwydd y Gyfraith fel y gwnâi'r Phariseaid a'r ysgrifenyddion, roedd neges Iesu'n heriol a radical. Ystyr 'radical' yw 'mynd at wraidd rhywbeth', ac yr oedd geiriau Iesu bob amser yn mynd at wraidd a gwir ysbryd y Gyfraith ac at wraidd y cyflwr dynol. Yn y gwreiddiol y mae i'r gair 'syndod' ystyr cryfach, sef 'syfrdandod' neu 'rhyfeddod.' Syfrdanwyd gwrandawyr Iesu gan ei eiriau ac y mae pobl dros y canrifoedd wedi rhyfeddu at ddysgeidiaeth y Bregeth ar y Mynydd. Meddai A. M. Hunter, 'After nineteen hundred years, we are astonished too.'

Yn drydydd, mae geiriau Iesu yn ein herio i *weithredu*. Nid dysgeidiaeth i'w derbyn â'r meddwl yn unig, i gydsynio â'i chynnwys ac i ddweud 'Amen' wrthi, yw dysgeidiaeth Iesu. '*Pob un felly sy'n gwrando ar y geiriau hyn o'r eiddof ac yn eu gwneud ...*' (adn. 24) – nid gwrando'n unig, er mor bwysig yw hynny, ond ymateb drwy wneud. Ffydd yw ymateb y bersonoliaeth gyfan i ddatguddiad Duw yn Iesu Grist. Ymateb y meddwl yw *credu*; ymateb y galon yw *ymddiriedaeth*, ond ymateb yr ewyllys yw *gweithredu*. Yn yr adran hon gofyn am ymateb ymarferol, gweithredol a wna Iesu.

Yn bedwerydd, y mae geiriau Iesu'n *fythol gyfoes*. Dysgeidiaeth y Bregeth ar y Mynydd sy'n dangos y ffordd i waredu'r byd o bla rhyfel, trais, newyn, gormes, anghyfiawnder a'r argyfwng ecolegol sy'n bygwth dyfodol y blaned. Dywed Iesu mai drwy weithredu cariad y mae goresgyn gelyniaeth; drwy faddau y mae delio ag anfri; drwy ddadwreiddio dicter o'r galon y mae canfod cymod â chyd-ddyn, a thrwy weld mai Tad yw Duw a ninnau'n frodyr a chwiorydd i'n gilydd o fewn ei deulu ef, y mae creu byd o heddwch a hapusrwydd. Ond heb ffydd a phenderfyniad i roi egwyddorion y Bregeth ar y Mynydd ar waith, erys hyn yn ddim mwy na breuddwyd. Yn dilyn yr Ail Ryfel Byd, a gwledydd Ewrop wedi eu sigo gan effeithiau'r gyflafan, cyhoeddwyd ysgrif yn un o'r papurau trymion gan y gohebydd adnabyddus, Stephen King-Hall, o dan y teitl, 'There is one idea the modern world has yet to try – we call it Christianity.' Wrth ddadlau dros ddiarfogi niwcliar dywedodd yr athronydd Bertrand Russell: 'The only hope for human civilization is to take seriously, and to act upon, the moral and ethical precepts of Jesus of Nazareth.' Galwad eto am roi dysgeidiaeth Iesu ar waith.

Yr Adeiladwyr a'u Tai

Mae'r sawl sy'n gwrando geiriau Iesu ac yn gweithredu arnynt yn debyg i adeiladydd call yn codi tŷ ar seiliau cadarn ar graig. Meddai Luc yn ei fersiwn ef o'r ddameg hon, '*y mae'n debyg i ddyn a adeiladodd dŷ a chloddio'n ddwfn a gosod sylfaen ar y graig'* (Luc 6:48). Cloddio'n ddwfn a wna'r sawl a gymer ddysgeidiaeth Iesu'n gwbl o ddifrif a gweithredu arni. Mewn cyferbyniad adeiladodd y gŵr ffôl ei dŷ ar bridd heb sylfaen. Hwn yw'r un sy'n gwrando geiriau Iesu ond nad yw'n gweithredu arnynt. Dichon ei fod yn cytuno'n llwyr â'r hyn a ddywed Iesu ac yn gwerthfawrogi ei genadwri, ond ymateb â'r meddwl yn unig a wna, nid â'r ewyllys. Aeth y naill i drafferth i osod sylfaen gadarn i dŷ ei fywyd. Adeiladodd y llall ar yr wyneb heb gloddio dim i ddod o hyd i graig yn sylfaen. Cefndir y darlun yw cwm a fyddai'n sych a diddos yn yr haf, ond yn fangre stormydd a llifogydd yn y gaeaf. Mewn llecyn felly yr adeiledir y ddau dŷ, a gwyddai Iesu'n iawn am ofynion y gwaith oherwydd ei alwedigaeth fel saer ac adeiladydd. Yn y llecyn lle'r adeiladwyd y tŷ ar y pridd y mae cysgod a thir toreithiog, ond ar y graig, lle'r adeiladwyd y tŷ arall, y mae'r tir yn fwy llwm a charegog. Yn y tŷ ar y pridd gall popeth ymddangos yn ddedwydd a dymunol tra bo'r tywydd yn braf. Ond pan ddaw'r storm yn ei holl erwinder gwelir doethineb y gŵr a gloddiodd i osod sylfaen i'w dŷ ar graig a ffolineb y gŵr a adeiladodd ei dŷ ar bridd heb sylfaen.

Yn allanol y mae llawer yn gyffredin rhwng y ddau adeiladwr a'r ddau dŷ. Yn gyntaf, *mae'r ddau yn awyddus i adeiladu eu tai*. Proses o adeiladu yw bywyd. Amcan pob person cyfrifol yw creu gwell byd a gwell bywyd iddo'i hun a'i blant, a dygir pob meddwl a dawn ac uchelgais yn feini i adeiladu tŷ bywyd. Uchelgais rhai yw adeiladu busnes neu fasnach neu ddiwydiant a dod ymlaen yn y byd. Uchelgais eraill yw ennill clod ac enwogrwydd a gwneud enw iddynt eu hunain. Uchelgais eraill wedyn yw dringo i frig eu proffesiwn a mwynhau statws, awdurdod a chydnabyddiaeth. Amcan aruchel y Cristion yw adeiladu ei fywyd i fod yn deml i'r Duw byw. Meddai Paul, *'Oni wyddoch mai teml Duw ydych, a bod Ysbryd Duw yn trigo ynoch?'* (1 Cor. 3:16). Gwirionedd rhyfeddol yw y gall bywyd fod yn deml i Ysbryd Duw drigo ynddi.

Yn ail, *yr un defnyddiau a ddefnyddir i adeiladu'r ddau dŷ*. Nid oes unrhyw awgrym fod y tŷ ar y tywod wedi'i adeiladu o ddefnyddiau salach nac yn ôl cynllun diffygiol. I'r gwrthwyneb defnyddiau o'r un ansawdd a ddefnyddir i godi'r ddau dŷ. Gall mai o'r un chwarel y cloddiodd y ddau y meini, ac mai o'r un goedwig y cawsant y coed a bod y ddau dŷ yn debyg o ran cynllun. Yn yr un modd y mae gennym, fel pobl, yr un doniau a'r un galluoedd â'n gilydd. Yr ydym yn debyg o ran cyfansoddiad corfforol, meddyliol ac emosiynol. Yr ydym i gyd wedi'n 'gwneud' o'r un deunydd. Nid yw Cristnogion, o angenrheidrwydd, fymryn gwell pobl oherwydd eu ffydd a'u crefydd. Ceir Cristnogion da a Christnogion sâl. Yn y seiliau, nid yn y defnyddiau na'r cynllun, y mae diffyg y tŷ ar y tywod.

Yn drydydd, *yr un storm sy'n ymosod ar y ddau dŷ*. Nid am fod y storm a chwythodd yn erbyn y tŷ ar y tywod yn gryfach y disgynnodd y tŷ hwnnw. Fe ddaw drycinoedd bywyd heibio i bawb yn ddiwahân: y doeth a'r ffôl, y tlawd a'r cyfoethog, y sant a'r pechadur, y crediniwr a'r anghrediniwr. Er inni, yn ddistaw bach, obeithio y bydd Duw yn ein trin ni fel Cristnogion yn fwy trugarog na'r rhelyw o bobl! Dyna'r camgymeriad a wnaeth rhai o feddylwyr yr Hen Destament, sef dysgu y byddai'r cyfiawn yn osgoi profedigaethau bywyd. Ond nid yw Iesu'n addo hynny i'w bobl. Addo'r glaw a'r gwynt a'r llifogydd ar y da a'r drwg a wna ef. Yr un prawf a ddaw ar bawb. Ni ddaw ar yr un adeg ym mywydau pawb, ond fe ddaw, ac ni all y call na'r ffôl ei osgoi.

Dyna'r pethau sy'n debyg yn y ddau dŷ. Ond arwynebol yw'r tebygrwydd. Mae'r gwahaniaeth o'r golwg, yn y sylfeini: adeiladwyd un o'r tai ar sylfaen gadarn ar graig, ond tŷ heb sylfaen yw'r llall. Mae un yn gwrando geiriau Iesu ac yn eu troi yn argyhoeddiad cadarn sy'n sylfaen i'w gymeriad ac yn rheoli ei fywyd a'i ymddygiad. Mae'r llall yn clywed y geiriau, yn gwrando arnynt, ond nid yw'n eu troi'n sail ymarferol i'w fywyd a'i bersonoliaeth.

Seiliau Cadarn

O'r golwg, yn y sylfeini, y mae'r gwahaniaeth rhwng y ddau dŷ. Gwrando a gwneud oedd hanes y dyn a adeiladodd ei dŷ ar y graig. Mae'r llall hefyd yn gwrando, a rhoddir iddo yntau yr un ddysgeidiaeth. O bosib ei fod yn gwerthfawrogi'r hyn a glyw, yn canmol y pregethwr ac yn mynd i wrando arno drachefn a thrachefn. Ond nid yw'r geiriau'n troi'n argyhoeddiad nac yn rhan o'i bersonoliaeth. Nid yw'n gwawrio arno i weithredu ar y neges a'i gwneud yn sail ymarferol i dŷ ei fywyd. O ganlyniad, pan ddaeth y storm, syrthiodd ei dŷ, 'a dirfawr oedd ei gwymp' (adn. 27). Ei dŷ ei hun a ddisgynnodd, ei adeiladwaith ei hun; nid oedd ganddo'r un adeiladydd arall i'w feio.

Gosododd y gŵr call seiliau digon cadarn i wrthsefyll grym y storm, a chyfrinach cadernid y seiliau oedd bywyd o ufudd-dod i Iesu: '*Pob un felly sy'n gwrando ar y geiriau hyn o'r eiddof ac yn eu gwneud ...* ' (adn. 24). Ef yw'r gŵr call sy'n gosod sylfaen i'w dŷ ar y graig. Nid dysgeidiaeth Iesu fel y cyfryw yw'r graig, er ei bod yn graig. Nid person Iesu ydyw chwaith, er bod hwnnw'n graig. Y berthynas bersonol rhwng y dyn sy'n gwrando ac yn ufuddhau i'r Arglwydd Iesu, dyna'r graig a'r sylfaen yma. Perthynas bersonol o ufudd-dod llwyr i'r Arglwydd yw sylfaen y cymeriad sy'n dal yn gadarn yn wyneb stormydd bywyd. Dywedir yn aml fod dysgeidiaeth Iesu'n anymarferol ac mai amhosibl yw byw yn ôl ei delfrydau. Ond y mae'r alwad i weithredu yn rhedeg fel llinyn arian drwy'r Bregeth ar y Mynydd o'i dechrau i'w diwedd. Ac wrth weithredu egwyddorion dysgeidiaeth Iesu y daw person i ganfod eu gwirionedd. Fel y mae gwyddonydd yn canfod gwirionedd drwy wneud arbrawf a rhoi damcaniaeth ar waith, y mae'r Cristion hefyd yn cael ei argyhoeddi o wirionedd geiriau Iesu drwy eu gweithredu. Yn Efengyl Ioan dywed Iesu, '*Pwy bynnag sy'n ewyllysio gwneud ei ewyllys ef, caiff wybod a yw'r hyn yr wyf yn ei ddysgu yn dod oddi wrth Dduw*' (Ioan 7:17). Wrth *wneud* y canfyddir y gwir. A dywed Iesu mai gweithredu'r gwirionedd yw'r sail i adeiladwaith bywyd. Os mynnwn adeiladu ar unrhyw sylfaen arall, pan ddaw'r gwyntoedd a'r stormydd, fe ddisgyn yr adeiladwaith yn deilchion. Ond o adeiladu ar graig y mae tŷ bywyd yn gwbl ddiogel, '*am ei fod wedi ei sylfaenu ar y graig*' (adn. 25).

Cwestiynau i'w trafod

1. Sut mae gosod sylfeini cadarn i'n cymeriad a'n crefydd?

2. Beth a olygir wrth 'y graig' yn y ddameg hon?

3. Ym mha ystyr yr oedd Iesu'n 'llefaru fel un ag awdurdod ganddo'? Beth oedd natur ei awdurdod?

LLYFRYDDIAETH

Allison, Dale C., *The Sermon on the Mount: Inspiring the Moral Imagination,* 1999.

Barclay, William, *The Gospel of Mathew (Vol. 1). The Daily Study Bible,* 1956.

Briscoe, Stuart, *The Sermon on the Mount: Daring to be Different,* 1996.

Carson, D. A., *Jesus' Sermon on the Mount and His Confrontation with the World,* 2004.

Davies, W. D., *The Setting of the Sermon on the Mount,* 1966.

Hunter, A. M., *Design for Life,* 1952.

Jeremias, Joachim, *The Sermon on the Mount,* 1963.

Jones, T. Ellis, *Y Portread,* 1962.

Loader, Maurice, *Efengyl Mathew,* 1979.

Lüthi, Walter a Brunner, Robert, *The Sermon on the Mount,* 1963.

McIntyre, William, *An Exposition of the Sermon on the Mount,* 2009.

Moltmann, Jürgen ac Arnold, Ebhard, *Salt and Light: Talks and Writings on the Sermon on the Mount,* 1998.

Talbert, C. H., *Reading the Sermon on the Mount,* 2006.

Thielicke, Helmut a Doberstein, J. W., *Life can Begin Again: Sermons on the Sermon on the Mount,* 1982.

Stott, John , *The Message of the Sermon on the Mount,* 1988.

Strecker, Georg, *The Sermon on the Mount: An Exegetical Commentary,* 1988.

Vaught, C. G, *The Sermon on the Mount: A Theological Investigation,* 2001.